サイエンスと インテリジェンス

サイエンスコミュニケーター養成副専攻 受講生論文集

編者／佐藤優・野口範子

《目次》

《著者プロフィール》

渥美友里（あつみ・ゆり）
1997年静岡県生まれ。2020年、同志社大学生命医科学部医生命システム学科卒業。
現在、同志社大学大学院生命医科学研究科医生命システム専攻博士課程（前期課程）在学中。
遺伝情報研究室に所属し、がん細胞におけるコレステロールの代謝変動について研究を行っている。

関あかり（せき・あかり）
1997年茨城県生まれ。2020年、同志社大学文化情報学部文化情報学科卒業。
同年、同志社大学文化情報学研究科文化資源コース入学。時空間情報科学・行動計量学研究室所属。
文化遺産情報科学調査研究センター嘱託研究員。
学部では主に統計学と人類学を学び、統計科学とその社会的影響について研究した。

中澤恵太（なかざわ・けいた）
1997年静岡県生まれ。同志社大学生命医科学部医生命システム学科4回生。
脳科学研究科神経膜分子機能部門所属。同研究室に大学院生として進学予定。
神経細胞同士の情報伝達の場であるシナプスにおいて働く分子の機能解明を研究している。

成山満壽（なりやま・みつひさ）
1998年京都府生まれ。同志社大学生命医科学部医生命システム学科4回生。 大学院進学予定。
大学では新規インフルエンザ阻害剤による宿主免疫応答を研究している。

佐藤優（さとう・まさる）
東京都生まれ。1985年同志社大学大学院神学研究科修了後、外務省入省。
2005年に『国家の罠 外務省のラスプーチンと呼ばれて』（新潮社）で第59回毎日出版文化賞特別賞受賞。
翌年『自壊する帝国』（新潮社）で第5回新潮ドキュメント賞、第38回大宅壮一ノンフィクション賞受賞。
近著は『人類の選択：「ポスト・コロナ」を世界史で解く 』（NHK出版新書）など。

野口範子（のぐち・のりこ）
京都府生まれ。1981年筑波大学第二学群生物学類卒業、1983年筑波大学大学院医科学研究科修士課程（医科学修士）、1987年筑波大学大学院医学研究科博士課程修了（医学博士）。1987年帝京大学医学部助手、
1990年 National Institute of Standards and Technology (U.S.A.) 客員研究員、
1991年東京大学工学部助手、1993年東京大学先端科学技術研究センター助手、
2002年同センター特任助教授、2005年同センター特任教授と同志社大学工学部教授を兼務。
2008年より同志社大学生命医科学部教授。

はじめに

同志社大学にサイエンスコミュニケーター養成副専攻が設置されたのは2016年4月である。サイエンスコミュニケーターとは、“科学リテラシーを社会の隅々にまで行き渡らせる役割を担う人”ということができる。サイエンスコミュニケーターを育てるためには、現在の日本の教育システムでは分断されてしまっている文系と理系の学生が、科学と社会についてともに学び合う環境を作ることが重要と考えた。そこで、2015年から本学のいくつかの文系の学部に声をかけ、賛同が得られた経済学部と手を組んで開始した。この年に副専攻専用に開設した科目は11科目であったが、私が担当する科目の中で、佐藤優先生にぜひとも講義をお願いしたいと考えていた。佐藤優先生にアクセスする方法をもたない私は、学内の会議でお会いしたことがあった神学部の関谷直人教授に紹介してもらえないかとお願いすることにした。しばらくして佐藤優先生から電話をいただき、講義の内容について話し合い、11月に講義日程も決まった。佐藤優先生はこの副専攻の趣旨を深く理解してくださり、暖かいエールまでいただいてスキップをしたくなるほど嬉しかったことを覚えている。この講義が佐藤優先生にお会いした初めての日であった。佐藤優先生からどんどん投げられる質問にタジタジする学生を私は冷や汗をかきながら側で見ていたが、いつしか学生も私も講義に吸い込まれていった。その後、副専攻主催の講演会の講師をお願いしたり、佐藤優先生が指導されている神学部の学生たちとも交流をもつ中で、講義1科目（15回フルコース）を開講していただけないかと思いきってお願いして実現したのが、2018年度秋学期科目「サイエンスとインテリジェンス」である。この講義の中で佐藤優先生から提案されたのが、「“サイエンスコミュニケーター”という言葉が含まれていればテーマはなんでも自由に選んで原稿を書いてみよう。字数は5万字。それをまとめて本にする。」というものであった。手を挙げた学生は4人。5万字とはすごい。そうは書ける量ではないと思った。そして出てきた原稿に目を通して、また驚いた。皆、よく勉強している。そして何よりも活き活きと書き綴って、自分の考えをしっかり述べていることに敬服した。学部2回生から3回生にかけてサイエンスコミュニケーター養成副専攻で学んだ学生の努力の成果がここに集約されている。

2019年度には夏期休暇中に3日間連続の集中版「サイエンスとインテリジェンス」が秋学期科目に追加開講された。副専攻も5年目を迎え、初年度の生命医科学部と経済学部の2学部に、社会学部、文学部、そして法学部が加わり5学部体制となった。サイエンスコミュニケーターの素養を身につけた学生を1人でも多く社会に送り出せるよう努力したいと考えている。応援いただけたら幸いである。

サイエンスコミュニケーター養成副専攻で学ぶ学生に貴重な機会をくださった佐藤優先生に改めて感謝申し上げます。

生命医科学部　野口範子

ゲノム編集と
サイエンスコミュニケーション

渥美友里

「ゲノム編集」という技術をご存じだろうか。「生命の設計図」であるゲノムを狙い通りに操作する最新技術として、近年注目を集めている。この技術について、農業や医療への応用に期待のまなざしを向ける人がいる一方、安全性に不安を感じる人も多い。各種メディアによる報道は過熱し、インターネット上でも極端な説が散見される中、科学や科学者への不信感も強まっている。このような状況の改善には、科学者と一般の人々との対話、すなわちサイエンスコミュニケーションが鍵を握る。本稿では、まず前半でゲノム編集とは一体どのような技術なのか、何に応用され、どのような課題があるのかについて説明したい。後半では、サイエンスコミュニケーションの視点から、日進月歩の科学技術について、科学者と一般市民がどのように対話を進めていけば良いのか考察する。

1　ゲノム編集の基礎知識

1.1　ゲノムとは何か

ゲノム編集を理解するために、まずはゲノムとは何か、ということから始めよう。ヒトは約37兆個の細胞からなり、すべての細胞が正しい場所、タイミングでそれぞれの機能を果たすからこそ我々は生存することができる。細胞には核という細胞小器官が存在し、生物にとって非常に大切な遺伝情報は染色体として核の中に保存されている。染色体はヒストンというタンパク質にデオキシリボ核酸（deoxyribonucleic acid: DNA）が巻き付いて凝集した構造体であり、遺伝情報を担うのはもちろんDNAである。DNAは、アデニン（A）、チミン（T）、グアニン（G）、シトシン（C）という4種類の塩基のうちどれか一つに、デオキシリボース、リン酸が結合したヌクレオチドという構成単位からなる（図1）。ヌクレオチドはいくつもつながって鎖を作るが、デオキシリボースの炭素には番号が振られており（図2）、ヌクレオチド同士は、デオキシリボースの5'の炭素と次のデオキシリボースの3'の炭素という法則を守って結合していく。

そのようにしてできるヌクレオチド鎖には方向性が生じ、デオキシリボースの5'炭素のほうを5'末端、3'炭素のほうを3'末端と呼ぶ。さらに

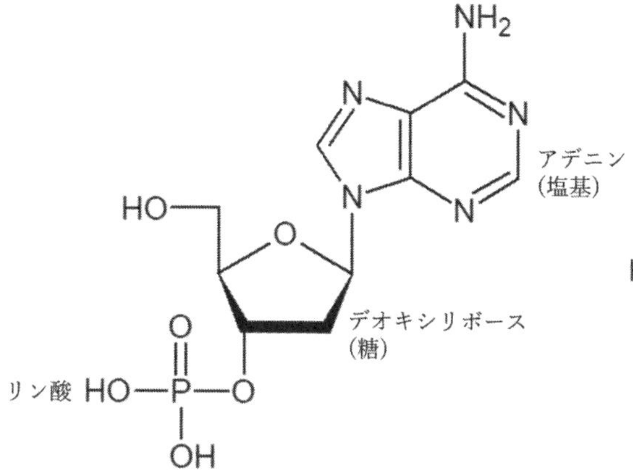

図1：ヌクレオチド

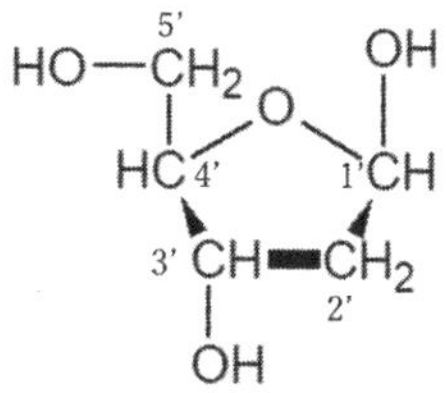

図2：デキオシリボースの炭素番号

2本のDNA鎖のAとT同士、GとC同士が相補的に向かい合って結合して二本鎖となり（図3）、らせん構造をとる。DNA鎖におけるA、T、G、Cの順序を塩基配列と呼び、塩基配列中のタンパク質を作るのに関わる部分を遺伝子と呼ぶ。ヒトは2万数千個の遺伝子を持つといわれているが、これは塩基配列のうちたった1.5%ほどであり、残りの配列は働きが解明されていない部分も多い。遺伝子領域と非遺伝子領域をすべて合わせた塩基配列の情報がゲノムである。

すなわち、遺伝情報とはタンパク質を作り、機能させるための情報のことであるといえる。生体内におけるタンパク質の重要性について、「タン

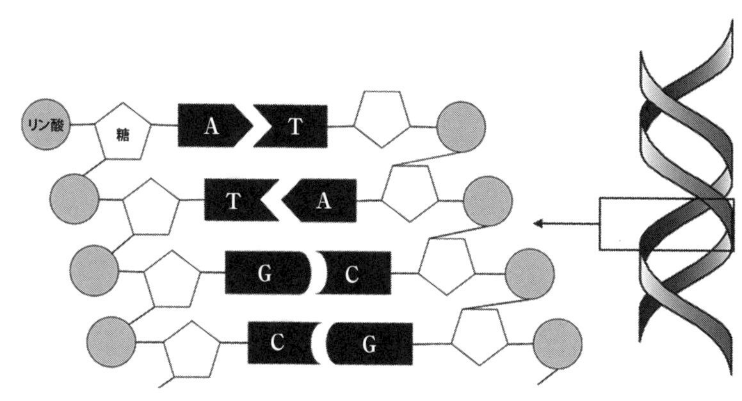

図3：DNA二重らせんと相補的結合

パク質は細胞を構築する主要な素材であり、細胞の乾燥重量のほとんどを占めている。しかも、細胞に形や構造を与えるだけでなく、細胞が持つ無数の機能のほとんどを担っている」(Alberts et al., 2016) といわれており、タンパク質を作り、正しく機能させることは生物の生存に欠かせないことである。例えば酵素は、体内の化学反応を助ける役割を果たす。細胞表面にある受容体は、特定の分子と結合して信号を細胞内に伝える。

では、DNA からどのようにタンパク質が作られるのか説明しよう。まず、DNA 二重らせんの一部がほどけ、メッセンジャー RNA (mRNA) 前駆体とよばれるリボ核酸 (ribonucleic acid: RNA) の一種が合成される。この過程は転写と呼ばれる。RNA は DNA と似た構造を持つが、チミン (T) の代わりにウラシル (U) という塩基を持ち、デオキシリボースの代わりにリボースという糖を持ち、二本鎖ではなく一本鎖である。転写の際は、DNA の A は、mRNA の U、以下同様に T は A、G は C、C は G というように、DNA の塩基配列が mRNA 前駆体に相補的に写し取られる。mRNA 前駆体には遺伝領域と非遺伝領域が両方転写されているが、mRNA 前駆体がスプライシングという過程を経て mRNA になると、必要な部分だけが残る。mRNA の塩基配列において、3つの塩基で1つのアミノ酸を指定する。この3塩基の並び方はコドンといい、1つのアミノ酸を指定するコドンは複数ある。(表1)

表1：コドン表

	2番目の塩基								
1番目の塩基	U		C		A		G		3番目の塩基
U	UUU	フェニルアラニン	UCU	セリン	UAU	チロシン	UGU	システイン	U
	UUC		UCC		UAC		UGC		C
	UUA	ロイシン	UCA		UAA	(終止)	UGA	(終止)	A
	UUG		UCG		UAG		UGG	トリプトファン	G
C	CUU	ロイシン	CCU	プロリン	CAU	ヒスチジン	CGU	アルギニン	U
	CUC		CCC		CAC		CGC		C
	CUA		CCA		CAA	グルタミン	CGA		A
	CUG		CCG		CAG		CGG		G
A	AUU	イソロイシン	ACU	トレオニン	AAU	アスパラギン	AGU	セリン	U
	AUC		ACC		AAC		AGC		C
	AUA		ACA		AAA	リシン	AGA	アルギニン	A
	AUG	メチオニン(開始)	ACG		AAG		AGG		G
G	GUU	バリン	GCU	アラニン	GAU	アスパラギン酸	GGU	グリシン	U
	GUC		GCC		GAC		GGC		C
	GUA		GCA		GAA	グルタミン酸	GGA		A
	GUG		GCG		GAG		GGG		G

コドンの中には、転写の開始と終結を示すものもある。できあがったmRNAをもとに、トランスファーRNA（tRNA）が、一つ一つのコドンに対応したアミノ酸を運搬する。この過程は翻訳と呼ばれる。運搬されてきたアミノ酸は、多数つながってポリペプチドと呼ばれる鎖状になる。アミノ酸の構造は、どのアミノ酸にも共通する部分と、種類によって異なる部分からなり、後者は側鎖と呼ばれ、アミノ酸の性質を決める。側鎖同士が化学的に結合すると、ポリペプチド鎖は折りたたまれて立体構造をとり、タンパク質ができあがる。

表1を見れば分かるように、コドンのうち1塩基だけが変わったとしても、同じアミノ酸を指定することが多いため、できあがるタンパク質には影響がないことが多い。しかし、塩基が1つなくなったり、加わったりするとコドンは変わってしまうため、タンパク質が正しく作られない。このように塩基配列が変わることを変異という。

1.2　ゲノム編集の基本原理

さて、いよいよゲノム編集の基本原理について説明したい。ゲノム編集により遺伝子を操作する段階は大きく分けて、①人工DNA切断酵素によるDNA二本鎖切断（double-strand break: DSB）の導入、②細胞に元々備わっているDNA修復機構の2つである。

1.2.1　DNA二本鎖の切断

操作したい標的遺伝子にDSBを導入するためには、標的遺伝子を認識し、遺伝子を切断することが必要になる。ある決まった塩基配列を認識し、遺伝子を切断する能力を持つタンパク質を制限酵素と呼び、遺伝子操作の現場ではなくてはならない存在となっている。例えば制限酵素EcoRⅠは5'-GAATTC-3'という塩基配列を認識しDNAの二本鎖を切断することができる。「この配列は理論上4^6=4096塩基対当たり1か所出現する。EcoRⅠをゲノムサイズの大きい生物の細胞内で働かせると、DNAはズタズタになってしまい、正確に修復することはできない。」(山本卓、2016) つまり、標的となる配列がゲノム中にたくさん存在してしまい、狙った遺伝子だけを操作することができないのである。従って、一般的な制限酵素では狙った遺伝子を操作するゲノム編集ができない。自然界にはメガヌクレアーゼと呼ばれる、数10塩基対を認識できるタイプの制限酵素が存在する（図4a）。メガヌクレアーゼを用いたゲノム編集も検討されたが、メガヌクレアーゼが塩基を認識する方法は複雑で、実験者の思い通りに設計することは難しかった。そこで、狙った塩基配列に対して特異的に結合してDNAを切断できる、人工DNA切断酵素が開発された。この人工DNA切断酵素は、現在のところ第1世代、第2世代、第3世代が知られている。

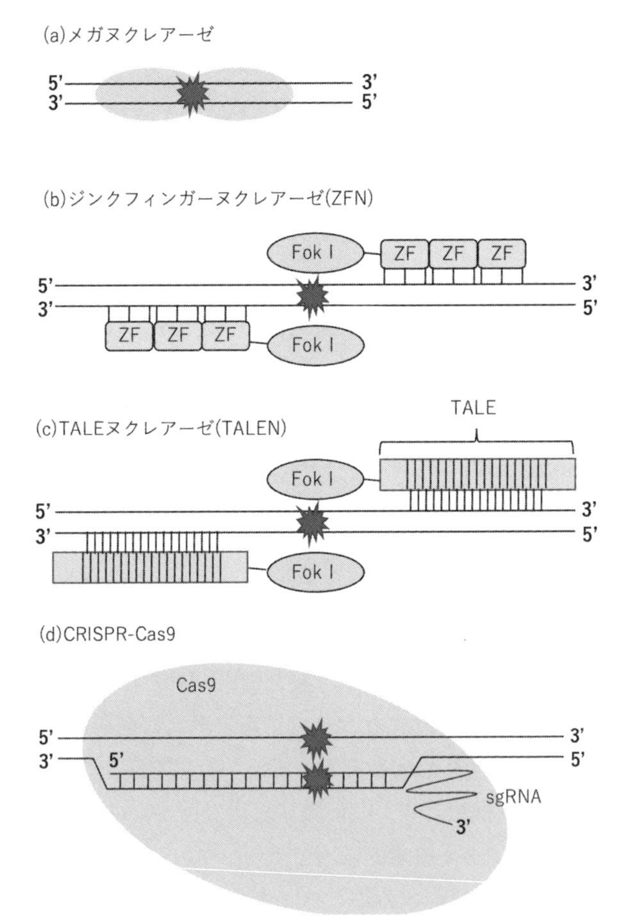

図4：さまざまなゲノム編集ツール　出典：佐久間（2018）p.18

①第１世代 ジンクフィンガーヌクレアーゼ（zinc finger nuclease: ZFN）（図 4b）

第1世代のジンクフィンガーヌクレアーゼ（zinc finger nuclease: ZFN）は、ヒトの転写因子（転写の際DNAに結合するタンパク質）に存在するジンクフィンガーと呼ばれるDNA結合部位と、制限酵素Fok Ⅰ のDNA切断部位を融合させた構造を持つ。ZFNに使われるC2H2型ジンクフィンガーは約30アミノ酸からなるタンパク質であり、約3塩基を認識する。ZFNでは3~6個のジンクフィンガーがセットで使われるため、ZFNは計9~18塩基を認識できる。Fok Ⅰは本来5'-GGATG-3'という配列を認識し切断する制限酵素だが、DNAを切断する部分と認識する部分を分離することができるため、DNA切断部位として使われている。ジンクフィンガーとFok Ⅰが結合した一組のZFNは、結果的に18~36塩基の特異的な塩基配列を標的として設計することができる。

ZFNは、1996年に報告され、ゲノム編集ツールの中では分子量が小さく、様々な生物への導入効率が高い。しかし、ZFNの研究室での利用は想像以上に進んでいない。この理由について山本（2016）は、以下のように説明している。

> *ZFNの作製方法が煩雑で、活性の高いZFNの作製が難しいことがあげられる。ジンクフィンガーは、DNAとの結合様式が複雑なため、同じジンクフィンガーでも隣に連結するジンクフィンガーによって結合する配列が変化してしまう性質がある（文脈依存性）。*

前節で述べたように、タンパク質は立体構造をとっているため、思い通りに作製するのは難しいのだ。業者に作製を依頼することもできるが、費用は高額である。また、ジンクフィンガーは認識する3塩基の中にグアニンが含まれなければDNAと結合できないため、標的遺伝子を自由に選択できないことも利用困難な理由のひとつとされている。

②第２世代 TALEヌクレアーゼ（transcription activator-like effector

nuclease: TALEN）（図 4c）

第 2 世代の TALE ヌクレアーゼ（transcription activator-like effector nuclease: TALEN）は、制限酵素 Fok I の DNA 切断部位を持つという点では ZFN と同様である。ZFN と異なるのは、DNA 結合部位として植物病原菌キサントモナス由来の TALE タンパク質を持つという点である。TALE タンパク質は中央部分に、33~34 アミノ酸を一単位として繰り返される TALE リピートという構造を持つ。各リピート単位の 12 番目と 13 番目には、それぞれ異なるアミノ酸が並び、この 2 つのアミノ酸の組み合わせで結合する塩基が1つ決まる。このアミノ酸の並びをRVD（repeat variable di-residue）と呼び、RVD を設計することで特異的な塩基配列を認識させることができる。

TALEN は 2010 年に初めて報告された。DNA への結合の仕方が ZFN に比べると単純であるため、高い切断活性の TALEN を容易に作成することができる。また、ZFN のような DNA と結合する上での制限がほぼ無いため、現在は ZFN より広く使われている。

③第 3 世代　CRISPR-Cas9（図 4d）

第 3 世代 CRISPR-Cas9 は、現在最も多用されているゲノム編集技術であり、細菌の持つ獲得免疫機構から着想を得て開発された。ある種の細菌は、外から侵入してきたウイルスなどの DNA を断片化し、CRISPR と呼ばれるゲノム領域に取り込む。次にそのウイルスが侵入してきた際、CRISPR 領域からクリスパー RNA（CRISPR RNA: crRNA）という RNA が作られ、トランス活性型クリスパー RNA（trans-activating CRISPR RNA: tracrRNA）という別の種類の RNA、DNA 切断酵素 Cas9 と複合体を形成する。そして crRNA がウイルス DNA に結合し、Cas9 がウイルス DNA を切断することでウイルスを不活性化する。この一連の機構を応用し、ゲノム編集では、crRNA と tracrRNA をつないだ 1 分子の RNA をガイド RNA として利用することで標的遺伝子を認識する。CRISPR を最初に報告したのは日本人で、1987 年、当時大阪大学の石野良純らが大腸菌ゲノム中に独特の繰り返し配列を発見したことがきっかけだった。しかし、発見当時は生物学的な意味は不明だった。その後研究が進められ、2012年、ジェニファー・ダウドナとエマニュエル・シャルパンティエがこれをゲノム編集に応用したCRISPR-Cas9を発表し、世界中から注目を集めた。

CRISPR-Cas9が標的遺伝子を切断するには、標的遺伝子のすぐ後にプロトスペーサー隣接配列（protospacer adjacent motif: PAM）が存在することも必要だ。PAM配列は、Cas9が由来する細菌種や型によって異なる。例えば、最も一般的な化膿レンサ球菌のCas9が働くための配列は5'-NGG-3'(Nは任意の塩基)である。PAM配列によってCas9は活性化され、DNAを切断することができる。つまり、標的配列を切断するには、ガイドRNAの設計に加え、PAM配列も考慮しなければならない。

ZFNやTALENはDNA認識にタンパク質を利用しているため、作製が困難というデメリットがあったが、ガイドRNAはタンパク質に比べて作製が簡単である。さらに、基本的にはガイドRNAとCas9さえ導入できれば、様々な生物種の遺伝子破壊が可能である。CRISPR-Cas9の登場により、簡便で迅速なゲノム編集が可能になり、ゲノム編集は世界中に普及した。

1.2.2 DNA修復機構

これらの手法によりDSBが導入されると、DNA修復機構が働く。DNA修復機構は我々の細胞に元から備わっており、紫外線や化学物質による日々の損傷からDNAを守っている。DNA二本鎖のうち1本だけが損傷を受けた場合、もう1本の鎖を元にDNAを正しく修復できる可能性が高いが、2本とも損傷を受けた場合、正しく修復できず、数塩基の挿入や欠失などの修復エラーが起こりやすい（図5a）。このDNA修復機構は非相同末端結合（non-homologous end-joining: NHEJ）という。塩基の挿入や欠失が起こると、3塩基からなるコドンの読み枠がずれ、アミノ酸が正しく作られなくなり、その遺伝子は活性を失う。もし修復エラーが起こらなかったとしても、再び人工DNA切断酵素の標的となり、切断と修復が繰り返される。CRISPR-Cas9はガイドRNAの数を増やすことで、1度で複数の場所にDSBを導入することができるが、これを利用してもっと大規模な変異を起こすことも可能である。同時に同じ染色体上の2か所を切断することで、数千塩基から数百万塩基を欠失させることができるため、1か所で切断するより確実に遺伝子を不活性化できる。一方で、頻度は非常に低いが、切れた断片が逆につながる逆位が起こることもある（図5b)。さらに、異なる染色体上にある2つの遺伝子を同時に切断すると、別の遺伝子同士がつながる転座が起こる場合がある（図5c)。このように、ある遺伝子を働かなくさせることを遺伝子ノックアウトという。

また、DNA修復機構が働く際、近くに二本鎖DNAがあれば、その遺伝子を基に遺伝子修復が行われ、ゲノム上に外来の遺伝子を導入することもできる。外来遺伝子を導入することを遺伝子ノックインという。DNA修復経路のうち、正確に塩基配列を挿入できるのが、相同組換え（homology-directed repair: HDR）と呼ばれる経路である。この修復機構を遺伝子ノックインで使うために、まずは人工DNA切断酵素で切断する場所の両端と同じ（相同な）配列が、外来DNAの隣にくるようにDNA鎖を設計する。すると、HDRが起こり、相同な配列を利用して外来DNAが切断箇所に挿入される。挿入する遺伝子は、ゲノム編集の酵素を細胞に導入する際、一緒に入れることができる。

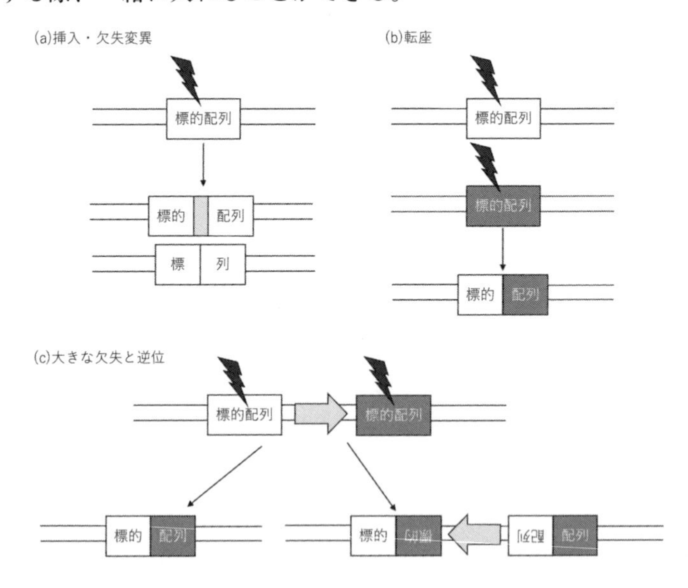

図5：遺伝子ノックアウトに利用されるゲノム編集　出典：山本（2016）p.10

1.3　技術的課題

万能に思えるゲノム編集だが、技術的課題はもちろん存在する。最も注意する必要があるのはオフターゲットだ。ZFN や TALEN、CRISPR-Cas9 といった人工 DNA 切断酵素は、標的遺伝子の塩基配列を狙って切断できるよう設計されるが、ゲノム中に似た配列があると誤ってそこを認識し、切断してしまう。それが原因で標的遺伝子とは別の場所に遺伝子変異が入ってしまうことをオフターゲットという。オフターゲットは理論的にはゲノム編集した細胞や生物のゲノムを解析することで検出が可能である。オフターゲットを検出するためには、まずゲノム編集を行った細胞や生物の DNA から標的遺伝子の類似配列を含む領域を PCR という方法で増やす。PCR は特定の塩基配列を増幅できる技術で、実験現場では広く利用される。増幅した塩基配列を解析することで標的遺伝子の類似配列におけるオフターゲットを調べることができるが、より安全性を求め完全にオフターゲットを検出するには全ゲノムの解析が必要となる。ゲノム解析の技術や関連機器は近年改良が行われ、より速く正確にゲノムが解析できるようになった。しかし、現在の技術では全ゲノムの解析によるオフターゲットの検出は難しい。人工 DNA 切断酵素の特異性を上げ、オフターゲットをなるべく少なくする研究が盛んに行われている。

2　農作物・動物への応用

ここまで、ゲノム編集の基本原理について説明してきた。次は、ゲノム編集の応用とその課題について考えたい。まずは農作物へのゲノム編集の応用を、従来行われてきた品種改良と対比しながら見ていきたい。

2.1　育種と遺伝子組換え

2.1.1　従来の品種改良

人々は、古来より農作物の品種改良を行ってきた。異なる品種同士を交配し、有益な形質（生物の持つ体の形や特徴）を持った個体を選抜し育てていく方法や、放射線や化学薬品などにより人為的に遺伝子の突然変異を起こし、形質変化を誘発する方法が行われてきた。しかしこれらの方法では変異の入る遺伝子はランダムで、狙った形質を持つ品種を生み出すには多くの時間と手間がかかった。

2.1.2 遺伝子組換え

一方遺伝子組換えは、「ある生物が持つ遺伝子（DNA）の一部を他の細胞に導入して、その遺伝子を発現（遺伝子の情報を元にしてタンパク質が合成されること）させる技術」である。つまり遺伝子組換え作物とは、その作物が本来持っていない外来遺伝子が作物の中に導入されている作物のことを指す。世界で最初に市場に出た遺伝子組換え作物は、1993年にアメリカで販売された品質低下を防いだトマトだった。トマトが熟す際に発現する、自らの細胞壁を分解する酵素の発現を抑える遺伝子の組換えが行われたが、味が悪かったため人気は出なかった。その後、特定の除草剤への耐性を持つ作物の生産が開始され、作付面積の広いアメリカやカナダで普及した。

除草剤耐性作物について、大豆を例に見てみよう。除草剤の一種グリホサートは、植物の茎や葉から吸収されると5-エノールピルビルシキミ酸-3-リン酸合成酵素（EPSPS）に結合し、この酵素の働きを阻害することで、トリプトファン、フェニルアラニン、チロシンといった芳香族アミノ酸の合成を妨げる。これらのアミノ酸が作られないことにより、植物はやがて枯れてしまう。グリホサートは植物体内でほとんど代謝されないため、幅広い種類の雑草に効果があるが、作物も影響を受けやすい。そこで、同じ量の薬剤でも、「作物は生き残るが雑草は枯死する」状態を目指し、グリホサートに耐性のある遺伝子組換え作物が開発された。アグロバクテリウムのCP4株が持つEPSPSは、グリホサートに結合しづらいため、グリホサートが存在しても、アグロバクテリウムは芳香族アミノ酸を合成することができる。そこで、アグロバクテリウムからEPSPS合成に関与する遺伝子を取り出し、パーティクルガン法という直接遺伝子を植物細胞内へ導入する方法で作物に組み込んだ結果、グリホサートに耐性を持つ遺伝子組換え大豆が誕生した。（與語靖洋、2000）

もう一つ、害虫に強いトウモロコシの例を見てみよう。トウモロコシの害虫は、鱗翅目と呼ばれるガの仲間で、葉に産みつけられた卵から孵化した幼虫が集団で葉をかじり、多くの殺虫剤が到達困難となる茎や雄穂内部に侵入して生長し、作物に被害を与える。害虫に強いトウモロコシが誕生したのは、先進国において、合成化学農薬の多用により農薬抵抗性害虫が誕生してしまったものの、これまで培ってきた高い生産性を維持しなければならない状況下において、害虫の天敵となる昆虫や微生物を利用した生物学的防除が見直されたという背景があった。1950年代中頃、アメリカで殺虫性タンパク質を産生する細菌バチルス・チューリンゲンス（Bt）の利用に関する研究が進み、1960年にBt製剤の食糧および飼料作物に対する全面的使用がアメリカ環境保護局に認可された。さらに1971年、鱗翅目やハエの仲間である双翅目の昆虫に選択的な殺虫性を示す新菌株（HD-1）が商品化された。BtHD-1製剤は高い殺虫能力を有するが、一方で主要成分の殺虫性タンパク質は殺虫範囲が狭いこと、紫外線で短時間内に不活性化されること、降雨により流れてしまうことといった欠点があった。こうした欠点を改善するため、Btの殺虫性タンパク質遺伝子をトウモロコシのゲノムに直接導入し、植物自体が殺虫性タンパク質を作ることができるトウモロコシが誕生した。このトウモロコシはBtトウモロコシと呼ばれ、広く栽培されるようになった。Btトウモロコシが作る殺虫性タンパク質はヒトが食べても安全なのかという疑問があがるが、ヒトの体内では酸性が強い消化管内で変性し、消化酵素により分解され、毒性の無い分子になるためヒトには影響を及ぼさない。（河原畑勇、2000）

以上二つの例は主に生産者側にメリットのある遺伝子組換え作物であったが、21世紀に入るとアレルギーの原因となるタンパク質の生成を抑えたイネや、低コレステロールの大豆やナタネなど、人間の健康増進に役立つ、消費者側にメリットのある遺伝子組換え作物も誕生した。（大澤勝次、2000）

2.2　ゲノム編集作物

現在最も多く報告されているゲノム編集作物は、上述の遺伝子組換えのように外来遺伝子を導入するのではなく、交配による育種や放射線、化学薬品による突然変異の誘発のように、元々持つ遺伝子に変異を入れる方法で作られている。ZFN や TALEN、CRISPR-Cas9 により標的遺伝子を切断した後、NHEJ によりその遺伝子に変異が導入され、遺伝子が不活性化されるのだ。

植物細胞は、細胞壁という硬い構造で細胞が守られているため、ゲノム編集ツールを細胞内に導入するためには、土壌細菌を用いたアグロバクテリウム法や、遺伝子銃を用いたパーティクルガン法が使われる。野生のアグロバクテリウムは、植物に感染すると、クラウンゴールドと呼ばれる腫瘍を形成する。アグロバクテリウムは自身のゲノム DNA の他に、Ti プラスミドという環状 DNA を持つ。プラスミドはゲノム DNA とは独立して存在し、この Ti プラスミド中の T-DNA と呼ばれる領域が植物細胞の中に入り込むことができる。T-DNA が植物細胞内に入ると、領域中にある植物ホルモン合成酵素遺伝子が植物細胞のゲノム内に組み込まれ、発現することで宿主細胞のホルモンバランスが崩れ、腫瘍が形成される。この性質を応用し、植物細胞に外来遺伝子を導入する方法が生み出された。アグロバクテリウム法により外来遺伝子を植物に導入するには、有害な T-DNA 内部の有毒な遺伝子を取り除き、導入したい遺伝子を組み込んだプラスミドを使う。この組換え T-DNA を持つアグロバクテリウムを植物に感染させ、植物に導入する。アグロバクテリウムを植物細胞に感染させても、T-DNA が植物細胞のゲノムに入る割合はかなり低い。そこで、組換え T-DNA には導入したい遺伝子と共に抗生物質耐性遺伝子などが組み込まれ、感染させた細胞を抗生物質の存在下に置くことで、正しく組み込まれた個体を選抜する。

パーティクルガン法では、導入したい遺伝子の塩基配列を含む DNA を金やタングステンなどの小さい金属粒子にまぶし、高圧ガスの力を用いた遺伝子銃により植物細胞に打ち込む。アグロバクテリウム法と同様、正しく組み込まれた個体を選抜する過程も必要とする。

多くの場合、人工 DNA 切断酵素をコードする遺伝子を上記のような方法で植物細胞内に導入することで、ゲノム編集ツールを植物体内で発現させ、狙った遺伝子を改変する。次は、ゲノム編集作物の一例として、ジャガイモを詳しく見ていこう。

2.2.1 ゲノム編集ジャガイモ

我々が普段食べるジャガイモは塊茎と呼ばれる部位であるが、塊茎から出た芽や緑色になった塊茎には、有毒物質グリコアルカロイドの一種、ソラニンやチャコニンが多量に含まれる。グリコアルカロイドは少量ならば「えぐい」と表現される不快な味を示し、多量に蓄積されたものを摂取すると食中毒の症状を示す。ジャガイモを調理する際は、(少々面倒だと感じつつ) 芽を取り除いたり、緑色になった皮を厚くむいたりするが、これは蓄積したグリコアルカロイドを除去するためである。グリコアルカロイドは、光に当たって塊茎の緑化が引き起こされるのに並行して蓄積するため、収穫後の貯蔵・輸送・販売や調理・加工の過程においても、グリコアルカロイドが増えないようにコストをかけて管理されている。グリコアルカロイドのないジャガイモができれば、安全にジャガイモを食べられるだけでなく、これらのコストが削減できる可能性がある。従来の交雑による育種では、グリコアルカロイドの含量を減らすことができず、むしろ野生種との交配で含量が高くなる場合が多かった。

そこで、まずはグリコアルカロイドの合成経路を解明する研究が行われた。ソラニンとチャコニンは、ソラニジンという物質に、ソラトリオースまたはチャトリオースが酵素の助けを得て付加されることでできあがる。しかし、ソラニンとチャコニンは同時に蓄積するため、この過程で一方の酵素の発現を抑制すると、他方が増加してしまうことが報告されていた。つまり、ソラニンとチャコニン両方の量を制御するためには、もととなるソラニジンの生合成経路を解明する必要があった。ソラニジンはジャガイモに多く含まれるコレステロールから生合成されるが、他の植物種ではコレステロールではなく 24- アルキルステロール (シトステロール、カンペステロールなど) という物質が主に存在することが知られていた。この経路の分岐を研究した結果、SSR1 遺伝子が 24- アルキルステロールの合成、SSR2 遺伝子がコレステロールの合成に関わることが解明された。

そこで、TALEN によるゲノム編集により、SSR2 遺伝子をノックアウトする実験が行われた。SSR2 遺伝子を認識して SSR1 遺伝子を認識しない TALEN が設計され、SSR2 遺伝子を破壊したところ、グリコアルカロイドの含量を大幅に減少させることに成功した。（図 6）

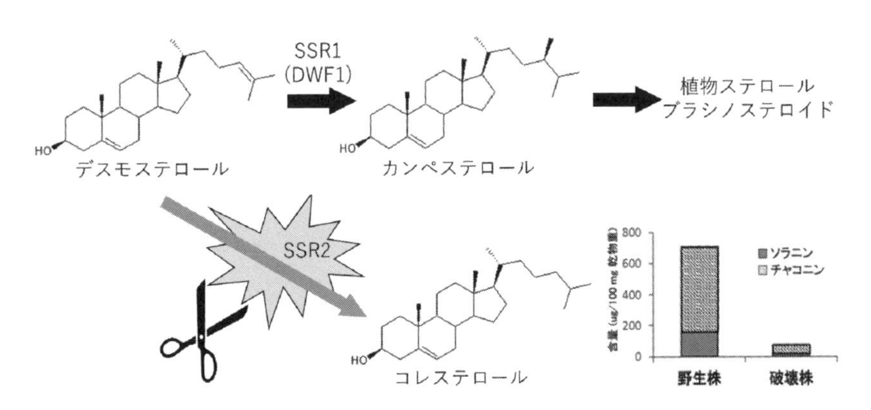

図 6：TALEN を用いた SSR2 ノックアウト　出典：秋山ほか（2017）

こうして有害物質グリコアルカロイドを作らないジャガイモが発明されたが、さらに、有害物質を作らない上に、有用な物質を蓄積するジャガイモの研究が行われた。ソラニジンの生合成経路を解明する過程で、グリコアルカロイドを多く含む萌芽と花器官に発現が多い遺伝子を特異的に抑制する実験が行われた。この操作により、グリコアルカロイドが減少すれば、その配列は生合成に関わる遺伝子ということが分かる。その結果、PGA1、PGA2、PGA3 遺伝子が同定された。さらに、PGA3 遺伝子の発現を抑制したジャガイモでは、ステロイドサポニンという物質が蓄積することが分かった。ステロイドサポニンは、医薬品の合成原料になるほか、生体内で様々な活性を示す有用な化合物である。

このような結果から、PGA3 を標的遺伝子とするゲノム編集が実施された。CRISPR-Cas9 により PGA3 遺伝子を破壊することで、グリコアルカロイドは全く検出されず、ゲノム編集を行っていないジャガイモにおけるグリコアルカロイド含量と同程度のステロイドサポニンが蓄積していることが確認された。ほとんどの場合、ジャガイモの茎や葉は利用されることなく廃棄されるため、PGA3遺伝子をノックアウトしたジャガイモの非可食部位を利用することで、ステロイド医薬品の原料供給に貢献できる可能性がある。(秋山ほか、2017)

2.2.2 その他のゲノム編集作物

ほかにも、現在研究されているゲノム編集作物には収量を増加させたイネや、受粉しなくても実がなるトマトなどがある。除草剤や病気への耐性を持たせた作物も研究されている。作物のゲノム編集事例について、表2に記した。

表2：作物のゲノム編集事例　石井（2017）p.37を参考に作成

作物	標的遺伝子	ゲノム編集	変異導入効率	オフターゲット作用	期待される形質	論文
イネ	Lox3	TALEN	29-45%	評価せず	種子貯蔵性の向上	Maら、2015年
イネ	OsBADH2	TALEN	13-78%	なし	芳香物質の生産	Shanら、2015年
コムギ	TaMLO	TALEN	4%	評価せず	うどんこ病耐性	Wangら、2014年
ダイズ	FAD2	TALEN	34-67%	評価せず	オレイン酸増加とリノール酸減少	Haunら、2014年
トウモロコシ	ZmIPK1	ZFN	3-22%	なし	除草剤耐性遺伝子PAT導入	Shuklaら、2009年
ジャガイモ	ALS	CRISPR-Cas9	3-60%	あり	除草剤耐性	Butlerら、2015年
トマト	RIN	CRISPR-Cas9	67%	評価せず	果実の登熟抑制	Itoら、2015年

ZFNを使ったトウモロコシの例を除いて、NHEJによる塩基の挿入・欠失により遺伝子が改変されている。オフターゲット作用を評価していない例も見られるが、流通する際のことを考えると、消費者の求めに応じてオフターゲット作用の情報を開示する必要があるかもしれない。しかし、関連領域だけ調べればよいのか、全ゲノム解析をするのかといったオフターゲット作用を評価する明確な基準はまだ存在しない。この表に記載されている以外にも、人々の生活をより豊かにする可能性を秘めた作物が盛んに研究されている。

2.3 ゲノム編集動物

2.3.1 筋肉量の多いマダイ

食用目的の動物にも、ゲノム編集を実施する研究が行われている。日本で研究が行われている例として、ゲノム編集を利用した肉厚のマダイを開発する研究を見ていこう。標的とされたのは骨格筋で発現し、骨格筋の増殖を抑制する働きを担うミオスタチン（MSTN）の遺伝子である。数十年かけた交配によって全身の筋肉が発達したベルジアン・ブルー種と呼ばれる肉牛では、MSTN 遺伝子に突然変異が入っていることが以前より分かっていた。昨今の和食ブームにより世界で魚の需要が高まっているが、日本では養殖魚の育種や品種改良がそれほど盛んに行われていなかったため、今から育種を始めるのは時間がかかるという問題があった。そこで、マダイの筋肉量増加を目的とした CRISPR-Cas9 による MSTN 遺伝子の破壊が試みられた。マダイ MSTN 遺伝子の 2 か所を標的としたガイド RNA が作成され、受精直後の約 1000 粒のマダイ受精卵に導入された。その後、胚において変異導入効率を調べたところ、24 個中 10 個の胚で変異導入が確認された。その後、約 50%が孵化し、5 か月時点で生存率は約 20%だった。5 か月時点の個体では、目視でも変異導入体の方がゲノム編集を施していない個体に比べわずかに体幅の増加が確認され、統計的にも変異導入体の方が肥満度が高いという結果が得られた。（木下政人、2015）

2.3.2 その他のゲノム編集動物

その他世界で研究が進んでいるゲノム編集動物について、表 3 にまとめた。

マダイで見たような、MSTN 遺伝子を破壊するゲノム編集はウシやブタでも行われていることがわかる。また、複数か所同時に破壊できる CRISPR-Cas9 の性質を活かし、3 つの遺伝子を破壊することで筋肉量の増加や、脱毛の抑制を目的としたヤギの研究が行われた。作物の例と同様、世界で研究が進められている。

表3：家畜のゲノム編集事情　石井（2017） p.38を参考に作成

動物	標的遺伝子	ゲノム編集	変異導入効率	オフターゲット作用	期待される形質	論文
ウシ	MSTN	TALEN	19%	評価せず	筋肉肥大	Proudfootら、2015年
ブタ	CD163	CRISPR-Cas9	7%	評価せず	PRRSウイルス抵抗性	Whitworthら、2016年
ブタ	MSTN	CRISPR-Cas9	20%	なし	筋肉肥大	Taniharaら、2016年
ヒツジ	MSTN、ASIP、BCO2	CRISPR-Cas9	6%（3遺伝子すべて破壊）	なし	筋肉肥大、毛色変化、脂肪増加	Wangら、2016年
ヤギ	MSTN、FGF5	CRISPR-Cas9	13%（2遺伝子とも破壊）	あり	筋肉肥大、脱毛抑制	Wangら、2015年
ウシ	POLLED	TALEN	7%	なし	角なし	Carlsonら、2016年

2.4　ゲノム編集を取り巻く課題

2.4.1　ゲノム編集生物に関する規制

ゲノム編集生物を取り巻く課題について、まずは各種の規制の観点から考察したい。ゲノム編集生物に関する規制は、現在、従来の遺伝子組換え作物に関する規制の延長線上で議論されている。遺伝子組換え生物の開発や栽培、流通に関わる規制を順番に見つつ、ゲノム編集作物がそれぞれの規制でどのように扱われているかについて見ていこう。

●使用の規制

遺伝子組換え生物の開発や栽培を規制する法律は、「遺伝子組換え生物等の使用等の規制による生物の多様性の確保に関する法律」（通称カルタヘナ法）である。もし、遺伝子組換えにより改変された生物が自然に放たれると、元々自然界に存在した生物は大きな打撃を受けることが予想される。例えば遺伝子組換え作物が野生の植物と交配してしまった場合、組換え遺伝子が環境中に広まり、回収ができなくなる恐れがある。この問題について国際的な議論が行われた結果、2000年1月、生物の多様性の保全と確保を目的としたカルタヘナ議定書が採択された。日本もこの議定書を批准し、議定書に沿って遺伝子組換え生物を適切に使用するため、カルタヘナ法が制定された。カルタヘナ法では遺伝子組換え生物の使用を、遺伝子組換え生物が外に出ないよう拡散防止措置をとるか否かにより区別している。拡散防止措置をとらない場所、すなわち屋外で使用する場合は、その生物を初めて使用する前に所轄の大臣に使用規定の承認を申請する必要がある。屋内で使用する場合は、遺伝子組換えの程度に合わせた拡散防止措置をとらなければならない。

では、カルタヘナ法におけるゲノム編集生物の扱いはどうなっているのだろうか？ カルタヘナ法では、「遺伝子組換え生物等」を、「細胞外において核酸を加工する技術」と「異なる分類学上の科に属する生物の細胞を融合する技術」により得られた生物としている。すなわち、他の生物種の遺伝子が宿主ゲノムに導入されているかが遺伝子組換えとみなす鍵となっている。前述のように、現在研究が行われているゲノム編集作物・動物の多くが外来遺伝子の導入ではなく元々ある遺伝子を変異させたものであり、これがカルタヘナ法における「遺伝子組換え生物等」に該当するかが不透明であった。

2019年2月8日、環境省はカルタヘナ法におけるゲノム編集生物の取り扱いについての方針を発表した。まず、ゲノム編集作物について、植物細胞内で人工DNA切断酵素を発現させるため、前述したアグロバクテリウム法やパーティクルガン法を用いると、人工DNA切断酵素をコードする遺伝子が宿主のゲノムに組み込まれるため「遺伝子組換え生物等」に該当する。ただし、人工DNA切断酵素を発現させて変異を導入した後、従来の品種と交配し子孫を得ると、標的遺伝子に変異が入っているが、外来DNAをゲノム内に含まない個体ができる。その場合、最終的に得られた生物は「遺伝子組換え生物等」には該当しない。また、すべての植物種で幅広く使うのは困難ではあるものの、人工DNA切断酵素の遺伝子を一過性に発現させる方法や、人工DNA切断酵素を直接細胞に導入する方法も研究がされている。これらの方法を使った場合、最終的に宿主ゲノム中に外来DNAは含まれないため、「遺伝子組換え生物等」には該当しない。ゲノム編集動物の場合、直接人工DNA切断酵素を細胞内に導入し、遺伝子を破壊した場合は「遺伝子組換え生物等」に該当しない。ゲノム編集により遺伝子変異が導入されたが、このように「遺伝子組換え生物等」に該当しない生物を使用する前には、実施したゲノム編集や遺伝子に関する情報、その変異が生物多様性に与える影響などについて管轄する官庁に情報提供することを求めている。情報提供を求めた項目は以下の８項目である。

(a) カルタヘナ法に規定される細胞外で加工した核酸又はその複製物が残存していないことが確認された生物であること（その根拠を含む）
(b) 改変した生物の分類学上の種
(c) 改変に利用したゲノム編集の方法
(d) 改変した遺伝子及び当該遺伝子の機能
(e) 当該改変により付与された形質の変化
(f) (e) 以外に生じた形質の変化の有無（ある場合はその内容）
(g) 当該生物の用途
(h) 当該生物を使用した場合に生物多様性影響が生ずる可能性に関する考察

ただし、すでにこの情報提供がなされた生物を使用する場合や、拡散防止措置のとられている屋内で使用する場合は、情報提供の必要はないとしている。

以上より、カルタヘナ法における NHEJ によるゲノム編集生物の取り扱いについて、人工 DNA 切断酵素の遺伝子が残っていなければ対象外となる方針であることが分かる。カルタヘナ法は主に研究の過程で関係する法律であり、この法律での扱いが今後の研究進度を左右する可能性があった。実際、日本でアレルギー減感作療法（アレルギーのもととなる物質を医師の指導下で少しずつ食べ、アレルギーを治す治療法）に有効な遺伝子組換えイネを試験的な屋外での栽培にこぎ着けるまで、手続きはとても大変だったという。(NHK「ゲノム編集」取材班、2016）基準が明確にされたことにより、研究者は研究を進めやすくなると考えられる。一方で、環境への影響に関しては、悪影響が及ぼされた場合引き返すことは困難であり、注意深く評価が続けられることが必要だ。

●安全性審査

遺伝子組換え技術を応用した食品を販売・輸入する場合、食品衛生法に基づく安全性審査を受けることが義務づけられている。この安全性審査においては、厚生労働省から評価依頼を受けた食品安全委員会が、安全性評価基準に沿って科学的に審査を行っている。食品安全委員会が定めている安全性評価基準では、以下のように原則を定めている。

遺伝子組換え食品は、その食品を食べたことによる直接的な健康への悪影響に加え、その食品を長期間摂取した場合の影響も考慮する必要がある。しかし、食品に含まれるすべての成分を科学的に評価することは困難である。一方で、現在食べられている多くの食品や、従来の育種により得られた食品は、長い時間をかけて人々が摂取してきた結果、個々の成分を科学的に評価することなく、経験的に安全性が確認されている。これをふまえ、遺伝子組換え食品の安全性審査においては、「従来品種並びに食品との比較が可能である」食品に対し、「遺伝子組換えによって新たに変化した形質に関して安全性審査を行うことが合理的である」。

2019年3月18日、厚生労働省の専門家会議はゲノム編集食品の食品衛生上の取り扱いについて、以下の方針を示した。外来遺伝子が残存しない、人工DNA切断酵素による切断により1~数塩基の遺伝子変異が導入されたゲノム編集食品に関し、食品衛生法上の遺伝子組換え食品には該当せず、遺伝子組換え食品とは異なる扱いをすることは妥当である。一方で、安全性の確認と今後の状況把握のため、開発者に情報提供を求めている。外来遺伝子が残存するゲノム編集食品については、遺伝子組換え食品と見なし安全性審査を義務づけている。この方針では、安全性評価基準における原則の「従来品種並びに食品との比較が可能である」を、NHEJによるゲノム編集食品が満たさないとされた。専門家会議は、1~数塩基の遺伝子変異はゲノム編集技術で特異的に起こるのではなく、自然界においても生じている上、従来の育種技術で得られる変化との差異を見極めることは困難であることを理由として挙げている。また、ゲノム編集によりオフターゲットが起こることを前提としつつも、突然変異を誘発する従来の育種技術においては、多くの部位にランダムで変異が生じており、オフターゲットとの差異を見極めることは困難であることや、オフターゲットの検出のために全ゲノム解析を行うことは現時点では困難であることも理由としている。さらに、オフターゲットにより、今この時点は検知されないが、将来人体への悪影響が発生する可能性は考慮すべきではあるが、従来の育種技術で得られた作物では安全上の問題が生じていないことをふまえ、そうした影響が問題になる可能性は非常に低いとしている。

この報告に対し、従来の品種と比較できないことを理由に、NHEJによるゲノム編集作物を安全性審査の対象から除外することは拙速であるという意見が出されている。上記方針の検討段階で報告書案を見た市民から得られた意見を厚生労働省が公開している。Webや郵送、Faxによるパブリックコメント形式で集められた意見であることを考慮する必要があるが、寄せられた意見には反対意見が多かった。ゲノム編集食品の安全性を不安視する意見や、開発者からの情報提示は義務化するべきといった意見が見られた。検査技術に限界があるとはいえ、ゲノム編集により生まれた品種と従来の育種により生まれた品種の間に差異が無いとみなしたことを、今後消費者が受け入れられるようになるかは疑問である。

●表示基準

遺伝子組換え食品は、原材料に遺伝子組換え食品を使用している場合、使用していることが分かるよう表示する必要がある。日本において、上述の安全性審査を経て流通が許可された遺伝子組換え作物はじゃがいも、大豆、てんさい、トウモロコシ、ナタネ、わた、アルファルファ、パパイヤの8品目であるが、日本での遺伝子組換え作物の商業栽培は行われておらず（観賞用植物を除く）、輸入した作物を加工食品にするため食品製造工場で取り扱う場合がほとんどである。遺伝子組換え動物に関しては、流通が許可された例は存在しない。現行の表示制度には「義務表示」と「任意表示」があり、よく見かける「遺伝子組換えでない」という表示は任意表示に当たるが、その違いを表4にまとめた。

表4：遺伝子組換え表示の表示方法
遺伝子組換え表示制度に関する検討会（2018）を参考に作成

農産物の区分		表示内容
分別生産流通管理が行われた農産物	遺伝子組換え農産物	分別生産流通管理が行われた遺伝子組換え農産物である旨(義務表示) 【表示例】 ・「遺伝子組換えのものを分別」 ・「遺伝子組換え」
	非遺伝子組換え農産物	分別生産流通管理が行われた遺伝子組換え農産物である旨(任意表示) 【表示例】 ・「遺伝子組換えでないのものを分別」 ・「遺伝子組換えでない」
分別生産流通管理が行われていない農産物		遺伝子組換え農作物及び非遺伝子組換え農作物である旨(義務表示) 【表示例】 ・「遺伝子組換え不分別」

遺伝子組換え食品の表示制度では、遺伝子組換え作物と非遺伝子組換え作物を、農場から食品業者まで生産、流通及び加工の各段階で混入が起こらないように管理し、そのことが書類等により証明されている「分別生産流通管理」が行われているか否かがまず問われる。分別生産流通管理が行われている遺伝子組換え食品は、義務表示であり、「遺伝子組換えのものを分別」「遺伝子組換え」というように表示しなければならない。一方、分別生産流通管理が行われている非遺伝子組換え食品は、任意表示であり、「遺伝子組換えでないものを分別」「遺伝子組換えでない」と表示することができる。しかし、分別生産流通管理が適正に行われていても、遺伝子組換え作物の一定の混入は避けられないことを「意図せざる混入」として、日本では混入率5%以下の場合は「遺伝子組換えでない」と表示することができる。あくまでも表示は任意で、表示をしない選択も可能である。一方、分別生産流通管理が行われていない作物については義務表示であり、「遺伝子組換え不分別」と表示しなければならない。また、原材料のうち表示義務となるのは原材料の質量に占める割合が高い上位3位のものまでである。

この現行の表示制度に対しては、不十分で分かりづらいとして改正の動きが見られている。特に意図せざる混入率を5%としている点について、引き下げを求める声が上がっていた。この声に応じ、意図せざる混入率を5%以下とするのは現行のままで、「遺伝子組換えでない」と表示できるのは混入率5%以下の場合から「不検出」である場合に引き下げるという案が出ている。「遺伝子組換えでない」は任意表示であり、表示をしないことも可能であるため、消費者団体からは反対の声が上がっている。

さて、ゲノム編集作物が流通する場合、どのように表示されるのだろうか？ 表示制度を管轄する消費者庁は2019年3月現在検討中としている状況である。遺伝子組換え食品の表示制度に消費者が不信感を抱いている中で、よりわかりやすい表示制度が望まれるだろう。

以上、遺伝子組換えに関する規制におけるゲノム編集生物の扱いを見てきたが、総じて「元々ある遺伝子を変異させただけ」のNHEJによる変異導入は遺伝子組換えには該当しないとする一方で、安全性を担保するため開発者に情報提供を求めるという傾向にあるようだ。しかし、特に安全性審査に関して、NHEJによるゲノム編集食品を対象から外したことは市民に不安を与えている。規制は市民に正しく理解されておらず、政策決定に市民の声が届いているかについても疑問である。

2.4.2　食の安全志向

遺伝子組換え食品が初めて市場に出てから約26年たつが、遺伝子組換え食品への反対運動は未だ世界各国で起こっている。この状況は、ゲノム編集食品が市民の理解を得る上で大きな壁となるだろう。消費者庁が2016年から2017年にかけて行った調査では、遺伝子組換え食品に対して「不安がある」と回答した人が40.7%、「不安はない」とした人が11.4%、「気にしていない」とした人は28.8%だった。一方で、「不安がある」「不安はない」と回答した人のうち8割以上は遺伝子組換え食品を避けているという結果が得られた。なぜ人々は、遺伝子組換え食品を忌避するのだろうか？

この問題について、人々がリスクをどうとらえるか、というリスク認知の観点から考察する。田中（2014）は、人間が生来的に持つリスク認知の特徴について、以下のように述べている。

自分がコントロールできないと感じる科学技術、後から健康被害が現れるかもしれない、あるいは次世代に悪影響が生じるかもしれないと認知される科学技術、目で見たり耳で聞いたりできない、すなわち五感で感じることのできない科学秘術、また人工的な化学物質や放射線などに対して、一般市民はそのリスクをより高く認知し、より強い不安を感じる傾向がある。

遺伝子組換え食品はまさにこれに当てはまり、結果としてあらゆるリスクをゼロにするべきというゼロリスク志向が生まれる。こうして、遺伝子組換え食品を忌避する行動につながるのだ。しかし、すべてのリスクをゼロにするのは現実的に不可能であり、人々はそれを自覚する必要がある。

ゲノム編集食品も遺伝子組換え食品と同様上述の傾向に当てはまるため、リスクがより高く認知されてしまうだろう。ゲノム編集食品は、例を挙げて見てきたように、効率の良い農業や健康増進を目的として開発されている。しかし、市場に出回っても人々が購入しなければ、やがて衰退して本来の目的を果たすことはできないだろう。ゲノム編集食品が人々の生活を豊かにするには、丁寧な説明と対話によりリスク認知のバイアスを乗り越えることが必要だ。

3　医療への応用

ゲノム編集は医療へも応用が期待されている。遺伝子治療の分野で、ゲノム編集が注目を集めているのだ。遺伝子治療とは、遺伝性疾患やがんの原因となる遺伝子そのものを治療する方法だ。まずは、これまで実施されてきたゲノム編集によらない遺伝子治療を見ていこう。

3.1　遺伝子治療とは

3.1.1　世界初の遺伝子治療

従来の遺伝子治療では、正常な遺伝子を患者の細胞に導入して細胞の機能を回復させる方法が多くとられていた。世界で初めて遺伝子治療が行われたのはアデノシンデアミナーゼ（ADA）欠損症という病気で、1990年にアメリカで実施された。ADA欠損症とは、生後初期から免疫不全を起こす難病だ。ADA遺伝子の変異により細胞内で働くADA酵素が不活性化し、ADA酵素が分解するはずのデオキシアデノシンという物質が蓄積する。デオキシアデノシンはリン酸化を受けてデオキシアデノシン三リン酸（dATP）となり、dATPがリンパ球を傷害することで免疫がうまく機能しなくなる。常染色体劣性遺伝という遺伝形式をとり、両親が発症していなくても両親が共にその変異を持っている場合、子に発症することがある遺伝性疾患である。根本的治療には、造血幹細胞を移植する方法がとられるが、型が一致するドナーが見つかる確率は非常に低い。この病気に対する遺伝子治療は、以下の方法で行われた。まず患者からT細胞という免疫で重要な役割を果たす細胞を採取し、レトロウイルスベクターを使って、正常なADA遺伝子をT細胞のゲノムに組み込む。レトロウイルスベクターとは、ウイルスが生物に感染する際、自身のゲノムを宿主ゲノムに取り込ませる性質を利用して、外来遺伝子を動物細胞内へ導入するものである。ウイルスと聞くと病気を連想されるが、ウイルスが持つ毒性はあらかじめ不活性化される。正常なADA遺伝子が組み込まれたT細胞が患者の体内に戻され、免疫が機能するようになるか調べられた。最初の被験者となったのは当時4歳の女の子で、経過は良好であった。その後、遺伝子治療の臨床研究が世界各国で行われるようになった。

3.1.2　副作用問題から停滞期を経て再興期へ

一方、遺伝子治療特有の副作用が起こった。1999年、フランスでX連鎖重症複合免疫不全症（X-SCID）という病気の遺伝子治療の臨床研究が行われた。X-SCIDは、X染色体上の遺伝子に変異があり、免疫細胞に異常が生じる免疫不全症である。ヒトは染色体を46本持つが、常染色体44本に対し、性別を決定する性染色体を2本持つ。性染色体にはXとYの2種類があり、女性はXX、男性はXYという組み合わせで性染色体を持つ。X染色体上に遺伝子変異があると、女性の場合もう1本のX染色体上の遺伝子が働くため発症しないが、男性はX染色体を1本しか持たないためその遺伝子はうまく機能せず、発症する。すべての免疫不全症が4~7.5万人に1人の頻度で発症するが、X-SCIDは全免疫不全症の約半数を占める。

実施された遺伝子治療では、免疫細胞の元となる造血幹細胞に、レトロウイルスベクターを用いて正常遺伝子を導入する方法がとられた。治療当初は症状の回復が見られ、大きな反響を呼んだ。しかし、治療から3年後、被験者のうち2人が血液のがんである白血病を発症し、その後も白血病を発症する患者が何人か出てしまった。調査の結果、レトロウイルスベクター由来のDNAはランダムに造血幹細胞のゲノムに組み込まれると予想されていたが、実際はがん関連遺伝子の近くに導入されたことが原因だと分かった。その後、この臨床研究は中止となり、レトロウイルスベクターを用いた他の臨床試験も影響を受けた。

同じ頃、アメリカにおいて、体内にウイルスベクターを大量に投与された患者が死亡するという、遺伝子治療による初めての死亡事故も起こった。この患者はオルニチン・トランスカルボキシラーゼ（OTC）欠損症という肝臓の代謝疾患の治療のため、OTC遺伝子を搭載したアデノウイルスベクターを肝臓の動脈に投与する遺伝子治療を受けた。しかし、この患者は治療の4日後に死亡してしまった。これらの事件を受け、遺伝子治療研究はやや停滞の気配が見られた。それでも2012年に先進国で初めて欧州で遺伝子治療製品が承認されると、研究は加速した。

3.2　体細胞へのゲノム編集

3.2.1　エイズへのゲノム編集治療

このような背景の中でゲノム編集技術が実用化され、遺伝子治療へ応用されるようになった。ゲノム編集治療には、大きく分けて生体外ゲノム編集治療と、生体内ゲノム編集治療という2種類の方法がある。生体外ゲノム編集治療は、患者から細胞を採取し、細胞にゲノム編集に必要な酵素を導入して遺伝子を改変し、遺伝子改変細胞を再び患者に戻す方法だ。一方、生体内ゲノム編集治療は、ウイルスベクターを用いて人工DNA切断酵素を直接人体に送り込む方法だ。

世界で最初にゲノム編集による遺伝子治療が行われたのは後天性免疫不

全症候群（エイズ）、現在最も研究が進んでいるゲノム編集治療である。エイズはヒト免疫不全ウイルス（human immunodeficiency virus: HIV）、俗称エイズウイルスに感染することにより発症する。エイズウイルスは体内に入ると、T細胞の一種で免疫時の司令塔となるヘルパーT細胞に感染するが、感染するときはヘルパーT細胞膜上にあるCD4とCCR5というタンパク質をエイズウイルスが認識して感染する。エイズウイルスに感染して数年間は症状が出ない期間が続くが、その間にエイズウイルスは密かに増殖を続ける。エイズウイルスはゲノムをDNAではなくRNAで所持していて、逆転写酵素という酵素でRNAからDNAに逆転写し、宿主ゲノムに入り込んだ後、宿主の転写や翻訳の機構を利用してエイズウイルスのタンパク質を作らせる。合成されたウイルスタンパク質とウイルスRNAが一緒になり、エイズウイルスとなって細胞外に出て、エイズウイルスが増殖していくのだ。増殖したエイズウイルスによりヘルパーT細胞の数は減少し、やがて免疫力が低下して様々なウイルス感染による病気にかかりやすくなる。感染者の血液、精液、膣内分泌液、母乳などにはエイズウイルスが多く分泌されるため、主な感染経路は性的交渉、血液感染、出産時や母乳による母子感染である。現在使用されている薬には、エイズウイルスの持つ逆転写酵素を阻害する薬やヘルパーT細胞への侵入を抑える薬などがある。エイズウイルスは増殖する過程で突然変異を生じ、薬が効かない耐性ウイルスが生まれる可能性が高くなる。このことから、ウイルスの増殖を抑えつつ耐性ウイルスが出現しないように、エイズ患者は何種類かの薬を長期間飲み続ける必要がある。

この難病をゲノム編集で治療する方法を編み出すヒントとなったのが、白血病を発症したエイズ患者に白血病治療のため骨髄移植を行った結果、白血病だけでなくエイズも完治したという出来事だった。骨髄を提供したドナーのT細胞を調べた結果、先天的にCCR5の遺伝子に欠失があることが分かった。加えて、このドナーには健康上の問題はなかった。この結果から、ゲノム編集によりCCR5遺伝子を破壊したT細胞を作製し移植すれば、エイズウイルスがT細胞に侵入するのを防ぐことができ、エイズの治療が可能になるのではないかという考えが生まれた。実際に行われた臨床試験の結果に関し、石井（2018）は以下のように解説している。

2009年から2013年にかけてアメリカで行われた臨床試験では、12人の患者のT細胞を採取してZFNを用いてNHEJによりCCR5遺伝子を破壊した。11~28%の細胞で変異が入ったことを確認した後、約100億個のCCR5遺伝子破壊細胞を患者に戻し、その後1年あまり経過観察され、追跡調査された。その結果、この遺伝子破壊細胞の移植は患者らに副作用を与えず、安全であると結論された。また患者のヘルパーT細胞の数は、移植前は中央値で448個/mm^3であったのが、移植1週間後には1517個/mm^3（うち、CCR5遺伝子が破壊されたT細胞は250個/mm^3）に増加していた。さらにHIVが持つゲノムRNAはほぼすべての患者で減少に転じたという。

T細胞は寿命が来ると死滅してしまうため、現在は自己の造血幹細胞で同様にCCR5遺伝子を破壊する方法の臨床試験も行われており、エイズへの有効な治療法となることが期待されている。

3.2.2　ゲノム編集治療の広がり

その後ゲノム編集治療の研究は進み、現在進行中のゲノム編集治療の臨床研究は2017年時点では9件で、アメリカや中国で実施されている。対象疾患はエイズや胃がん、白血病のほか、先天性遺伝子疾患にまで広がっている。日本では基礎研究が行われているのみで、臨床研究はまだ行われていないが、臨床研究指針の改正により2019年4月から一部のゲノム編集治療の臨床研究が可能になる見通しであり、日本でもゲノム編集治療が行われる時代が来ている。日本における臨床研究指針の改正については、後に詳しく触れる。

現在研究が進められているゲノム編集治療の一例として、ディシェンヌ型筋ジストロフィーの治療を挙げる。筋ジストロフィーは、筋繊維が変性・壊死することで筋力低下が進行する遺伝子疾患の総称である。ディシェンヌ型筋ジストロフィーは筋ジストロフィーの中でも最も頻度が高く、男児出生3000名に1名程度の頻度で発症するといわれている。幼児期の起立・歩行障害や乳児期の血液検査で病気が発覚し、症状が進行すると何か物につかまらないと立てなくなり、次第に歩行困難になり車いす生活を余儀なくされる。さらに呼吸筋の力も弱くなり、人工呼吸器が必要になる。ディシェンヌ型筋ジストロフィーは前述したX-SCIDと同じくX連鎖性劣性遺伝形式であり、X染色体上にあるジストロフィン遺伝子に変異が起こることで発症する。筋肉は多数の筋細胞の集まりであるが、ジストロフィンは筋細胞の形を保つ役割を果たす。ジストロフィン遺伝子に変異があることで筋細胞は形を維持することができなくなり、細胞が容易に壊れるようになる結果、筋力が低下する。治療として病気の進行を抑制するステロイド治療が行われるが、根本的治療法は未だ開発されていない。

ディシェンヌ型筋ジストロフィーの生体外ゲノム編集治療は、患者由来の間葉系細胞や筋芽細胞（筋細胞のもととなる細胞）、患者の体細胞を初期化させて得られたiPS細胞にジストロフィン遺伝子を回復させるゲノム編集を施した後、筋芽細胞に分化させて患者に戻すという方法が研究されている。しかし、大量の細胞を筋組織に定着させ、機能を回復することは困難で、全身の筋肉で進行するこの病気に生体外ゲノム編集治療を行うことは難しい面もある。

一方生体内ゲノム編集治療は、ゲノム編集ツールを直接患者の筋肉に注射し、数個の筋細胞の核でジストロフィン遺伝子を修復できれば、筋繊維全体にタンパク質の発現が広がると期待されている。また、筋繊維を修復する能力を持つ衛生細胞という細胞にゲノム編集を行うことができれば、治療効果も長く続くと見込まれている。

3.2.3 ゲノム編集治療の技術的課題

ゲノム編集治療にはリスクが存在する。まず、オフターゲット作用の問題だ。もし、オフターゲット作用により正常な遺伝子が破壊されてしまえば、患者は別の病気を発症してしまう可能性がある。生体外ゲノム編集では遺伝子改変細胞を移植する前に調べて、細胞にオフターゲット作用があれば移植を中止することができるが、生体内ゲノム編集ではそれができない。

また、ある遺伝子を破壊することが、予期せぬ悪影響を与える可能性もある。中国では、CRISPR-Cas9を用いてNHEJによりPD-1遺伝子を破壊するという生体外遺伝子治療の臨床研究が行われている。PD-1は、2018年に京都大学の本庶佑名誉教授がノーベル生理学・医学賞を受賞したことにより話題となった。PD-1は免疫のブレーキ役となる分子で、細胞障害性T細胞上に存在し、がん細胞のPD-L1が結合すると細胞障害性T細胞はがん細胞を攻撃できなくなる。オプジーボはPD-1に抗体を結合させ、細胞障害性T細胞ががん細胞を攻撃できるようにする薬だが、中国のゲノム編集治療はこれと同じ効果を狙ったものと考えられる。しかし、オプジーボのような抗体医薬は数日から数週間で代謝されるが、PD-1遺伝子破壊T細胞は体内にあり続ける限り、がん細胞を攻撃する傍らがん細胞以外の組織の細胞も攻撃してしまう可能性がある。実際、PD-1遺伝子に変異がある場合、自己免疫疾患と関連する症例が多く見られている。遺伝子やタンパク質の解析が進んだとはいえ、その遺伝子の生体内での作用はまだ分からないことも多いのだ。遺伝子を破壊する治療法に対して、慎重な態度をとる必要がある。

3.3　生殖細胞へのゲノム編集

3.3.1　体細胞と生殖細胞の違い

今まで見てきたゲノム編集治療は、すべて体細胞に対してのゲノム編集治療だった。ゲノム編集治療は体細胞だけでなく、生殖細胞へも応用することができる。生殖細胞は子孫を残すことに特化した細胞のことで、雄の精子や雌の卵子のことを指す。精子や卵子の元となる細胞は始原生殖細胞といい、雄では精巣、雌では卵巣に移動した後それぞれ精原細胞、卵原細胞となる。そして、減数分裂という体細胞分裂とは異なる細胞分裂を経て精子、卵子へ分化する。始原生殖細胞から始まり、分化と減数分裂を経た最終産物の生殖細胞までを総称して生殖細胞系列と呼ぶ。ヒトの体細胞に含まれる46本の染色体は、形や大きさの等しい染色体2対からなる。この染色体の対を相同染色体と呼び、1組は父親から、もう1組は母親から受け継ぐ。本稿の1章では、ゲノムのことを遺伝子領域と非遺伝子領域をすべて合わせた塩基配列の情報のことと述べたが、父親もしくは母親由来の染色体1組のことをゲノムという場合もある。精子や卵子のゲノムは減数分裂を経て1組になるが、精子と卵子が受精することでゲノムが2組となり、受精卵になる。受精卵は何度も体細胞分裂を繰り返して胚となり、様々な器官ができ、やがて子が誕生する。体細胞ゲノム編集と生殖細胞ゲノム編集の決定的な違いは、遺伝子改変が次世代に伝わるか否かという点である。生殖細胞の遺伝子を改変することの是非は次項に譲るとして、考えられるゲノム編集治療の目的を見ていこう。

3.3.2 従来の動き

なぜ、生殖細胞へのゲノム治療が議論されるようになったのだろうか？ゲノム編集の登場以前から、生殖細胞系列の遺伝子改変については議論されていた。遺伝子疾患の中には、高い確率で子に遺伝する病気がある。あらかじめ子に遺伝子変異があることが分かっているなら、配偶子や受精卵の段階で遺伝子変異を改変すれば、誕生する前に遺伝子疾患の予防ができるというのが主な理由だ。しかし、技術的に困難だったほか、反対意見も多く実現はされてこなかった。

生殖細胞や受精卵に遺伝子を直接導入するヒトへの治療はこれまで行われていない。一方、不妊治療や遺伝子疾患予防を目的とした、ミトコンドリアを操作する生殖医療が報告数は少ないが行われてきた。ミトコンドリアは、細胞質内に存在しエネルギーを作り出す細胞小器官で、精子のミトコンドリアは受精後消滅するが、卵子のミトコンドリアは受精卵に残り、受精卵にエネルギーを供給する。つまりヒトは、母親のミトコンドリアを受け継いで使っているのだ。そしてミトコンドリアは核と独立したDNAを持つため、卵子のミトコンドリアを操作することは生殖細胞の遺伝子改変といえるのだ。

1997年、アメリカの生殖医療クリニックで、胚がうまく発生しない女性の卵子に第三者の卵子細胞質を移植する生殖医療が実施された。卵子は加齢により発生能が低下し、不妊の一因となっているが、若い女性から卵子の提供を受けることで妊娠できる可能性が高まる。この卵子細胞質移植は17人の子の出生につながった。しかし、一部の胎児で性染色体異常の一種であるターナー症候群が見られたり、生まれた子に発達障害が診断されたりしたため、医療ではなく当局への手続きが必要な臨床研究として実施するように指導が行われる事態となった。以後、アメリカではこのような卵子細胞質移植の実施例はないが、この一件は大きな議論を呼んだ。

一方、2005年、イギリスでは第三者へのミトコンドリア提供の臨床応用が認められた。ミトコンドリア提供は重篤なミトコンドリア病を予防する目的でのみ認められ、非医学的な理由で行うことは認められない。ミトコンドリア病は核DNAもしくはミトコンドリアDNAに変異があるため発症する遺伝子疾患で、多くは母親から子どもに遺伝する。その後、前述のアメリカの例のように規制が無い、もしくは緩い国で、病気予防だけでなく不妊治療を目的としてミトコンドリア移植を行ったという報告もされている。以上の状況をふまえると、生殖細胞系列遺伝子への人為的な介入はすでに始まっているともいえるのだ。(研哲也、2018)

3.3.3 ゲノム編集による子どもの誕生

報告されている生殖細胞系列へのゲノム編集は、多くは実験動物レベルでの基礎研究だが、中国ではこれまでに3度、ヒト受精卵へのゲノム編集が報告された。そして、2018年11月28日、中国の研究者が受精卵にゲノム編集を行った結果、双子の女児が誕生したことを発表した。この研究者によると、父親がHIV陽性、母親がHIV陰性で不妊治療を受けていたカップルの受精卵に、CCR5遺伝子を破壊するよう設計したCRISPR-Cas9を導入しゲノム編集を行ったようだ。前述したように、CCR5はエイズウイルスの足がかりとなるタンパク質で、誕生した後の感染予防を狙ったと述べている。父親がHIV陽性、母親がHIV陰性というカップルの場合、抗HIV薬により父親のエイズウイルスの数を減らす方法や、精子を洗浄し人工授精を行うという方法をとることができるため、わざわざ受精卵にゲノム編集を行う理由としては根拠が薄い。この研究に関して詳しい真偽は不明だが、世界中で批判の声が高まった。

3.4　ゲノム編集治療における課題

3.4.1　臨床研究に関する規制

ゲノム編集治療の臨床研究について、「遺伝子治療等臨床研究に関する指針」が改正され、新たな指針が2019年4月から適用される見通しだ。主な改正内容として、「遺伝子治療等」の定義の改正と、生殖細胞系列の遺伝子改変の禁止をゲノム編集にも拡大したことが挙げられる。

従来の指針では、「遺伝子治療等」を、疾病の治療や予防を目的として「遺伝子又は遺伝子を導入した細胞を人の体内に投与すること」としていたが、新指針では「特定の塩基配列を標的として人の遺伝子を改変すること」「遺伝子を改変した細胞を人の体内に投与すること」が新たに加わり、この3つのうちいずれかに該当する行為を遺伝子治療等と定めた。従来の指針では生体内ゲノム編集治療で遺伝子を破壊する方法が定義に当てはまらなかったが、新指針では適用範囲となる。一方生体外ゲノム編集治療については、以前はこの遺伝子治療等臨床研究に関する指針に沿って研究が行われてきたが、2014年「再生医療等の安全性の確保等に関わる法律」が施行され、法律による規制を受けるようになった。この法律は再生医療等を安全かつ迅速に行うための法律で、治療法が人体に及ぼす影響のリスクのレベルにより臨床研究を実施するまでの承認プロセスが異なる。ゲノム編集治療による遺伝子改変細胞は高度に細胞が加工されているため、一番厳しいレベルの審査を受けることになると見られている。

生殖細胞系列への遺伝子改変の禁止については、従来の指針でも禁止されていた。新指針で「遺伝子治療等」にゲノム編集による遺伝子改変も追加されたことから、ゲノム編集による生殖細胞系列の遺伝子改変も同様に禁止とされた。

ヒト生殖細胞系列の遺伝子改変について、世界各国で規制状況は異なる(表5)。法的に禁止の国、日本のように法律より拘束力の弱い指針での禁止、規制が不明瞭な国など対応は様々だ。

表5:生殖を目的とした生殖細胞系列の遺伝子改変の規制状況(39か国)
出典:石井(2017)p.142

法的禁止	カナダ、メキシコ、コスタリカ、ブラジル、フィンランド、スウェーデン、リトアニア、ブルガリア、チェコ、ドイツ、デンマーク、オランダ、ベルギー、オーストリア、スイス、イタリア、フランス、スペイン、ポルトガル、オーストラリア、ニュージーランド、韓国、シンガポール、イスラエル
法的禁止(一部解禁)	英国
指針による禁止	日本、中国、インド、アイルランド
制限的	米国
規制不明瞭	ロシア、アイスランド、スロバキア、ギリシア、南アフリカ、チリ、アルゼンチン、ペルー、コロンビア

調査された39か国では、法的禁止とする国が最も多い。イギリスの一部解禁は、前述したミトコンドリア提供の場合であり、それ以外の生殖細胞系列の遺伝子改変は法律により禁止されている。国によって規制が異なるため、生殖細胞系列の遺伝子改変が法的に禁止されている国の国民が、規制の緩い国に渡る、いわば医療ツーリズムのようなことが行われる可能性もある。(研哲也、2018)

ゲノム編集治療と生殖医療の将来的な関係を考えるために、現在、日本で行われている生殖医療について見ていこう。生殖医療は不妊治療とも呼ばれ、不妊症と診断された人が受ける治療である。不妊症とは、健康上問題のない男女が避妊をせずに性交渉を行っているにもかかわらず、一定期間妊娠しない状態を指す。不妊治療には保険適用されるものとされないものがある。保険適用されている不妊治療としては、①排卵誘発剤などの薬物療法、②卵管疎通障害に対する卵管通気法・卵管形成術、③精管機能障害に対する精管形成術という3つの治療法がある。卵管とは卵巣から放出された卵子を受け取り、子宮まで運ぶ管であるが、卵管が癒着・閉鎖していると受精が起こらないため、卵管通気法や卵管形成術により治療が行われる。精管は精子を精巣から尿道に運ぶ管で、こちらも機能障害により受精の妨げとなる。一方、保険適用されない不妊治療として、人工授精や体外受精が挙げられ、これらは生殖補助医療とも呼ばれる。人工授精は、精子を必要に応じて選別・洗浄・濃縮してから女性の生殖器に直接注射する治療法であり、主に男性側に不妊の原因がある際に利用される。体外受精は、不妊の原因が女性の卵管障害にある場合、女性から卵子を取りだして体外で受精させてから培養し、女性の子宮に戻す方法である。受精に成功した受精卵を子宮に戻す体外受精・胚移植法や、顕微鏡下で卵細胞質内に精子細胞を注入する顕微授精といった方法がある。人工授精・体外受精では、理論上夫婦間の精子・卵子だけでなく第三者の精子・卵子も用いることができる。日本生殖補助医療標準化機関によるガイドラインでは、精子・卵子に異常があり、提供を受けなければ妊娠できない夫婦に限り認められている。

日本産婦人科学会が発表したデータによると、年間45万件近い体外受精、顕微授精が行われている。不妊治療の検査を受けても3分の1が原因不明で、その中には加齢による卵子の異常が含まれるといわれている。また、「妊活」の名の下、自身の治療体験をSNS等で発信する人も少なくない。このような状況をふまえると、実験室レベルでの研究が進み、不妊治療に実用可能な生殖細胞系列の遺伝子改変方法が確立された場合、人々は治療を希望するようになるかもしれない。臨床研究指針の改正後も、継続的に議論をすることが望まれる。

3.4.2 倫理的問題

松田（2004）は、遺伝子治療の倫理について、①哲学・道徳・宗教的、および社会的問題、②患者の安全と人権保護の2点を挙げている。①は主に生殖細胞系列へのゲノム編集に対する議論、②は体細胞と生殖細胞へのゲノム編集の両方に関係する議論である。

①哲学・道徳・宗教的、および社会的問題

「遺伝子プール」という用語がある。これは、ある交配可能な集団中に存在する遺伝子全体のことを指す用語だ。染色体上にある遺伝子の位置は

遺伝子座と呼ばれ、ある遺伝子座について、1つの形質に関する複数の異なる遺伝子が存在するとき、これらの遺伝子はそれぞれ対立遺伝子という。例えば、一重まぶたと二重まぶた、つむじの右巻左巻を決める遺伝子は対立遺伝子である。ある遺伝子に突然変異が起こると、対立遺伝子が生じて集団の遺伝子構成が変化する。そして、対立遺伝子により生じた形質が少しでも生存に有利だった場合、自然淘汰によりその形質を持つ個体が生き残る。こうして、遺伝子プールは膨大な時間をかけ、代々多様性を生み出しながら形作られてきたのである。

ゲノム編集により、欠陥のある遺伝子を破壊したり矯正したりすることは、遺伝子プールの多様性を減少させてしまうのではないか。また、長期的にはヒトという種の進化への介入につながるのではないか、という議論がある。約160年前、チャールズ・ダーウィンは、著書『種の起源』の中で、遺伝子については当時まだ理解されていなかったものの、遺伝子プールの考え方の基となる自然淘汰説を説いた。ダーウィンは、自然淘汰による種の形成について、膨大な時間がかかることを何度も強調した。現代において、自然が演じてきた進化の仕組みを、人間が自らの利益のために真似ることを、懸念する声が上がっている。

さらに、当初は医療目的で利用されていたとしても、やがて適用範囲が広がり、知能、能力や容姿がより優れたヒトを作るという優生学的思想に基づいた人間改造が行われるようになるのではないかという議論もある。第二次世界大戦時、ドイツのナチス政権はゲルマン民族至上主義と反ユダヤ主義の下、国家の「遺伝的健康」を保全するという名目でユダヤ人やドイツ人障害者を迫害した。現在では、このような思想は倫理的に正しくないと多くの人が考えている。しかし、遺伝子疾患の治療を目的として行われる遺伝子改変も、ある意味では優生学的思想に基づいているとの考え方もあり、行われようとする遺伝子操作が治療目的か否かを明確に区別するのは困難である。

②患者の安全と人権保護

治療法の開発においては基礎研究と臨床研究が行われ、安全性を保証されなければ承認には至らないが、副作用の可能性は皆無ではない。ゲノム編集治療においても、オフターゲットによる先天性疾患の発症や、期待していた治療効果が得られないといった可能性があり得ることは、前述してきた臨床研究の例を見ても明らかだ。患者が予想される副作用（リスク）と治療効果（ベネフィット）を十分に理解し、自ら治療を選択する権利を守る必要がある。そのために実施されるのがインフォームド・コンセントである。インフォームド･コンセントは日本では「説明と同意」と訳され、生命倫理の4原則の一つである「自律尊重」の考え方のもと行われている。自律尊重の原則において、自律という漢字の自らを律するという意味は今日においては薄れ、治療法を自ら決定する自由というとらえ方が広がっている。インフォームド･コンセントに必要不可欠な要素として、河瀬(2004)は、(1)医療者による情報開示、(2)決定の自発性、(3)患者の意志能力の存在の3つを挙げている。

(1)医療者による情報開示では、行われる治療法の効果と副作用に加え、他に考えられる治療法も伝えられなければならない。3.1.2で紹介した、1999年にアメリカで起きた遺伝子治療による最初の死亡例では、使用されたアデノウイルスベクター自体が動物に毒性を与えるリスクを患者に伝えていなかったり、他の患者に重篤な副作用が見られたが報告を怠ったりしたことが問題視された。情報開示の範囲として、個々の患者の必要に応じて情報を開示することは、患者の意思を尊重するという視点に立てば適した開示の仕方である。一方で、患者自身も何が必要な情報なのか分からないことが多いことに加え、医療者は患者の個人的背景や価値観などを徹底的に理解する必要があるといった事情がある。

一方、(2)決定の自発性、(3)患者の意志能力について、生殖細胞系列ゲノム編集治療においては、治療の当事者となる胎児はこの要素を当然満たさず、自ら選択していないリスクを負わなければならない。もし、生殖細胞系列ゲノム編集治療が行われ、オフターゲットにより先天性遺伝子疾患を持つ子供が生まれたら、その子供の人権は守られていると言えるのだろうか。

4　ゲノム編集の議論におけるサイエンスコミュニケーション

ここまで、ゲノム編集の応用とその課題について見てきた。ゲノム編集食品については、規制の整備が進められているものの市民の声はあまり届いておらず、人々は食の安全に不安を抱えている。ゲノム編集治療については、患者の健康や生命倫理に関する問題が生じている。これらすべての課題は科学者だけでなく、広く一般に議論される必要がある。しかし、対話が必要だ、と言うのは容易いが、実際に行うのは難しい。そこで登場するのがサイエンスコミュニケーションである。まずはサイエンスコミュニケーションの理論について述べた後、それらをゲノム編集の議論の場でどのように実践していけば良いのか考える。

4.1　サイエンスコミュニケーションのモデル

サイエンスコミュニケーションは、「専門家と一般の人々のあいだの対話のように、科学と社会を相対する関係としてとらえ、両者をつなぐための機能」と位置づけられてきた。この考え方はもちろん重要だが、頭に置いておかなければならないのは専門家も一般の人々も実に多様であるということだ。現在の科学は細分化が進み、ある分野の専門家でも他の分野においては一般市民となり得る。サイエンスコミュニケーションには、4つのモデルが存在する。順番に見ていこう。

4.1.1　欠如モデル

欠如モデルは、一般の人々が科学技術に対して不安を持ったり、科学技術が社会に受け入れられたりするのが難しいのは、一般の人々の知識不足（欠如）のせいとする考え方である。まずは、欠如モデルが提唱されるようになった経緯を見ていこう。1985年、イギリスにおいて、現存する最古の学会ロイヤル・ソサエティは「科学を公衆に理解してもらうために（The Public Understanding of Science）」という報告書を発行した。この報告書では、個人の生活の向上から国家の繁栄までのあらゆる面において、科学の公衆理解が重要であると全文を通して主張している。一方で科学に対する市民の理解が不足しているとして、教育機関・マスメディア・科学コミュニティ・産業界に対して科学の公共理解を増進するための取り組みを促した。（水沢光、2008）この報告書を受けていくつかの具体的調査が行われたが、その中の「暗黙の仮定」が欠如モデルであると形容されたのだ。例えば人々の科学に対する意識調査として、「地球は太陽の周りをまわっている」「抗生物質はウイルスには効かない」といった知識を調査した報告がされた。このような質問を使ったインタビューでは、「公衆は『deficient（欠けている、不十分な）』であり、科学の側は『sufficient（十分な、足りている）』ということが暗黙の前提として使われている」（藤垣裕子、2008）とされた。意識調査における上記のような質問は、科学は正答誤答がはっきり定まる正しい知識からなるという前提から設定されている。科学に対する「正しい」知識を人々は持っていないため、科学に対し非合理的な恐れを抱く。よって、人々に科学的知識を与え、科学の公衆理解を増進しようとされたのだ。しかし、人々の間に存在する科学的知識はこのような単純な問いでは明らかにできないし、科学技術に知識のある人ほど科学技術に不信を抱きやすいという統計結果による批判もされている。さらに、欠如モデルの考え方の下では、科学者が一般の人々にただ情報を与えるという一方向の発信になりかねず、対話は生まれない。

4.1.2　文脈モデル

欠如モデルに対し、一般の人々は知識が欠如しているのではなく、状況（文脈）に応じた知識を持っているという考え方が文脈モデルである。文脈に応じた知識として、以下に例を示す。

> *羊農夫は、放射性セシウムを羊から除去するには、高原地より谷の草地のほうがより早くできるということを理解できる。しかし、羊農家は、谷の草地でばかり放牧することが、将来の羊の繁殖サイクルにとってどんなにダメージになるかを知っている。後者は、原子力関係の科学者が知らないことである。（藤垣裕子、2008）*

さらに例を付け加えるならば、子育ての経験を経た母親は、子どもの発達や行動について、科学的知見が及ばないような知識を経験的に身につけるという例も考えられる。人々が置かれている状況において、科学的な知見がいつも正しく、解決策を提案できることは決してなく、むしろ文脈に依存した知識により答えを導けることもあるというのが文脈モデルの考え方だ。

4.1.3　素人の専門性（lay-expertise）モデル

一般の人々が持つ「文脈に依存した知識が、個人や小さな集団のレベルを超えて、集団としての『素人の知識（lay-expertise)』として組織化されることを強調する」考え方が、素人の専門性モデルである。「素人の専門性モデルは、文化人類学や民俗学における「ローカルノレッジ（local knowledge)」とほぼ等しい。ローカルノレッジは、どのような国、地域においても成立する一般的で普遍的な知識に対し、ある国、地域の文化に特有な知識の形を指す。欠如モデルでは科学者が一般の人々に知識を伝えるという一方向の情報伝達であったが、素人の専門性モデルは、これに一般の人々が科学者にローカルノレッジを伝えるという流れを付け加え、双方向のコミュニケーションを必要とする。

4.1.4　市民参加モデル

素人の専門性モデルで提唱された双方向のコミュニケーションに加えて、「特に科学技術と民主主義について考慮し、ただの対話から意志決定への参加、市民のエンパワメント（よりよい社会を築くために人々が協力し、自分のことは自分の意思で決定しながら生きる力を身につけていこうという考え方）まで考慮した」考え方が市民参加モデルである。市民参加モデルの一例として、コンセンサス会議があげられる。コンセンサス会議は、現在までに世界約 20 カ国で実践されている、科学技術に関するテーマに対する合意形成のための議論である。「具体的には、15~20 人程度の一般市民（市民パネル）が実施主体によって選出され、遺伝子工学のような特定の科学技術のテーマについて 6 カ月程度の学習・協議の後、その利用等についての意見を記した文書（コンセンサス文書）を作成する。文書の準備過程では専門家から成る専門家パネルの説明などを聞くが、専門家はコンセンサス文書の作成には原則として関与しない。」（中島秀人、2012）できあがったコンセンサス文書は公開され、行政の意志決定に利用される。市民参加モデルにより、一般の人々の健康や安全と密接に関わる科学技術について、主体的に合意形成に参加できる。

ゲノム編集の議論では、どのようにこれらのモデルが適用されるだろうか？ まず、新しい技術であるゲノム編集にとって、欠如モデルは一概に悪いとは言い切れない。本稿の前半で触れてきたような、ゲノムや遺伝子そのものについての知識や、ゲノム編集の原理の知識は一般の人々にはあまり伝わっていない。知識が無いことは人々に無力感を与え、議論に対し後ろ向きにさせてしまう。科学者が責任をもって正しい知識を人々に与えることが、対話以前の段階で必要不可欠だ。その上で、ゲノム編集に関する規制のあり方や、生殖細胞へのゲノム編集の是非といった、合意形成が難しいが、社会に広く影響を与える問題に対し意志決定をしていくために、市民参加モデルを目指す必要がある。

4.2　市民参加モデルへ向けて

前節で、ゲノム編集の議論には一般市民に知識が行き渡った上で、科学者と一般の人々の対話を経て、市民参加モデルによる意志決定が行われることが必要だという結論に至った。では、より実践的に考えよう。市民参加モデルによる議論を実現するために、一般市民や科学者、さらにサイエンスコミュニケーターが果たすべき役割を考察する。

4.2.1　一般市民の役割

まず、一般市民が正しく科学に関する知識を取り入れるためには、科学技術リテラシーを身につける必要がある。廣野（2008）は、最広義の科学技術リテラシーを以下のように整理している。

科学技術リテラシーの内容（広義の科学技術リテラシー）

(1) 基礎的な科学概念・理論（狭義の科学技術リテラシー）

●確率

●先端科学技術研究の成果

(2) 科学という活動・プロセス

●科学研究とは何か

●エセ科学の見分け方

●科学のおもしろさ

●自然の素晴らしさ、不思議さ、偉大さ、恐ろしさ

●実験の性質

●科学的思考

(3) 科学と社会の関係

●科学の明暗両面性

●科学の進歩によって、白黒をはっきり判断できないグレー・ゾーンが増大していること

●科学者には説明責任があること

●科学による判断基準がすべてではないこと

●先端科学技術の成果の社会的意味

●科学に関心を持つきっかけ

科学技術コンピテンス

(A) 科学技術に積極的・主体的に参加し、個人的な問題に対し、それを使いこなせること

(B) 科学技術に積極的・主体的に参加し、社会的な問題に対し、それを使いこなせること、インフォームド・ディベートができること

基礎的な科学概念・理論が狭義の科学技術リテラシーとされているように、科学技術リテラシーには科学という活動・プロセスや科学と社会の関係への理解も含まれる。コンピテンスとは「高い成果をあげる人に見られる行動特性・能力」であり、科学技術リテラシーを身につけることで、単

に知識を蓄えるのではなく、意志決定や行動ができるようになるという状態を目指している。

ゲノム編集に関して考えてみれば、ゲノム編集の基本原理という狭義の科学技術リテラシーに加え、科学という活動・プロセスに関して、ゲノム編集を応用した作物や医療の研究はどのように進められているのか、我々の遺伝情報が進化の過程で受け継がれてきたことの素晴らしさなどを知る必要がある。科学と社会の関係について、ゲノム編集作物は農業の担い手不足解消に役立つ可能性があること、ゲノム編集による遺伝子治療は、これまで治せなかった病気を治せること、一方でこれまで受け入れられてきた倫理観を覆してしまうかもしれないことなど、ゲノム編集によって社会にもたらされる状況を幅広く知り、自らの意見を構築する必要がある。さらに、専門家は規制や表示基準を正しく説明する責任があることや、科学者は研究内容を公表する必要があることも頭に置き、説明を求める態度を忘れてはいけない。

しかし、一般市民が完全な科学技術リテラシーを持った状態を目指すことは、理想的ではあるが現実的ではない。小川(2015)は、サイエンスコミュニケーションの重要な課題の一つとして「知識と情報の流動の革新的な様式のシステムを開発し維持することであり、また、すべての市民が適切なタイミングで適切な知識と情報に対してアクセスできるためのネットワークをコミュニティ内に設置することである」と述べている。つまり、社会には多様なレベルの科学技術リテラシーを持つ個人がいることを認め、社会全体で必要なレベルの科学技術リテラシーを持つという考え方だ。

科学技術リテラシーを身につけたら、後は対話の場に出ていくことが必要だ。前述したコンセンサス会議や、カフェなどの身近な場所で科学者と一般市民が対話するサイエンス・カフェなどがこれに相当する。しかし、科学技術振興機構が2016年に行った意識調査によると、科学技術に関連する話題についての「対話」「協働」の取り組みを「知らない・分からない」と回答したのは78.9%、「対話」「協働」の取り組みを認知している人は約2割だった。また、こうした取り組みに「参加したことがある」と回答した人はわずか3.5%だった。一方で「対話」「協働」の取り組みに「参加したい」と回答した人は約3割、多様な人同士が「対話」「協働」することが必要と感じている人は、「そう思う」「ややそう思う」合わせて約8割となった。つまり、多くの人が対話の必要性を感じているものの、実際に行動に移せない状況にあると考えられる。この原因として、先述の意識調査の報告書では「発言に相応する知識の深さを自らに課している」「発言によって生じる責任を負うことに抵抗がある」「現代の政策形成や研究開発の構造を考慮し、一意見を提示することの意義を見いだせていない」可能性があると述べている。これらの原因に対して、素人の専門性モデルを今一度強調したい。前述したように、一般の人々が持つローカルノレッジは、時に科学的知見では解決できない問題を解決するヒントとなる可能性が十分にある。市民参加モデルの実現には、一般の人々がより積極的に自分の立場から意見を述べることが必要だ。特に、ゲノム編集の議論は最近活発になってきた話題であり、今後議論の場は益々増えていくと考えられることから、一般市民の積極的・主体的な参加が必要だ。

4.2.2 科学教育の役割

現在だけでなく、将来のサイエンスコミュニケーションを見据え、充実した科学教育が行われることも必要だ。我々は小学校から理科を学ぶものの、多くの人は科学を学ぶことは難しいと考えている。子供の頃に感じた科学への負の感情が、大人になってからも残存することは、人々をサイエンスコミュニケーションから遠ざける一因となっているといえる。なぜ、科学を学ぶことは難しいと感じるのだろうか？ 最大の理由は、科学に関する定義や公式を教師から教わり、それをそっくりそのまま記憶することを児童・生徒に強いていることにあると考えられる。記憶の定着は試験によって評価され、成績や進路に関わるため児童・生徒は知識の暗記を避けることができない。こうした教育方法は時に意図したことが歪曲して学ばれる危険があるが、一人の教師で複数の児童・生徒を担当する教育現場ではこの方法に頼らざるを得ないという現状もある。この考え方は、児童・生徒は教わることに関して知らない、という前提に立つ学習の転移モデルと呼ばれる。

対して、「児童生徒は精神的に能動的であり、学習のプロセスは構築するもので、すでに知っていることを用いて考えながら、さまざまな考えをつなぐ新たなネットワークを作ったり、既存のネットワークを活用したりすることである」という仮定の下、主体的な学習を進める教え方がある。この前提に立った学習モデルは構成主義モデルと呼ばれる。個人でネットワークを構築するだけでなく、教師や他の生徒との社会的相互関係から考え方を学ぶのが社会構成主義モデルである。(Sean Perera、2015)

2020年度から、新しい学習指導要領が全面的に実施される。暗記型の学習が顕著になりやすい、高等学校における理科教育が、新学習指導要領の下どのように行われるのか見ていこう。新学習指導要領では、理科の目標を以下のように示している。

自然の事物・現象に関わり、理科の見方・考え方を働かせ、見通しを持って観察、実験を行うことなどを通して、自然の事物・現象を科学的に探求するために必要な資質・能力を次のとおり育成することを目指す。

(1) 自然の事物・現象についての理解を深め、科学的に探求するために必要な観察、実験などに関する技術を身につけるようにする。

(2) 観察、実験などを行い、科学的に探求する力を養う。

(3) 自然の事物・現象に主体的に関わり、科学的に探求しようとする態度を養う。

「理科の見方・考え方」や、「科学的に探求する」という言葉が繰り返し使われていることが分かる。「理科の見方・考え方」は、前述した科学リテラシーにおける「科学という活動・プロセス」と重なる。「理科の見方」とは、生命を学ぶ領域では「共通性・多様性」の視点とされている。「理科の考え方」は、比較したり、観察した結果から考察したりするといった科学的な探求方法を用いて思考することとされる。知識や技術を身につけるだけでなく、その過程で科学的な探求方法を用いて自ら思考することで、主体的に科学を扱えるよう育成していく方針だ。

以上、新しい学習指導要領を概観したが、学習者は何も知らず、知識を与えるという前提に立つ転移モデルではなく、学習者の知識を活かしながらネットワークを構築する構成主義モデルの考え方をしていることが分かる。この教え方を確実に成功させるためには、児童・生徒にとってなじみのある重要な状況を取り上げること、特殊で複雑な科学の言語を十分に理解できるようにすること、可視化したり実演したりして、科学を探究する状況を理解させることが必要とされる。特に遺伝子やゲノムを扱う分子生物学分野は目に見えないものを扱う分野であり、説明が実感しにくい傾向にあるため、教師側でこのような工夫が必要である。科学的な考え方で思考する教育を受けた子どもが社会に出れば、現在より科学と社会の対話が進むのではないだろうか。

4.2.3 科学者の役割

科学者は、市民からの声に誠実に答える必要がある。市民からの声に十分に答えるために、科学者が社会的リテラシーを持つことや説明責任を果たすことが必要だ。

社会的リテラシーとは、「自分のやっている研究の社会的意味を理解すること」と考えられている。日本学術会議は、科学者が社会からの信頼の下で研究を進め、健全に科学が発展することを目的とした科学者の行動規範を発表した。その中で、科学者の基本的責任について「科学者は、自らが生み出す専門知識や技術の質を担保する責任を有し、さらに自らの専門知識、技術、経験を活かして、人類の健康と福祉、社会の安全と安寧、そして地球環境の持続性に貢献するという責任を有する」としている。さらに、社会における科学者の責任として「科学者は、科学の自律性が社会からの信頼と負託の上に成り立つことを自覚し、科学・技術と社会・自然環境の関係を広い視野から理解し、適切に行動する」としている。つまり、科学者は研究を通して何らかの形で社会に貢献する責任を持っており、それを自覚する必要がある。加えて、一般市民が持つローカルノレッジや、科学に対する一般市民と科学者の意識のずれなど、一般市民の立場に立った知識を身につけることも社会的意味を考える上で必要になるだろう。

説明責任という言葉は、当初は財務会計用語として使われていたため、

「会計主体である科学者が保有する資源（研究資金）の利用を認めてくれた利害関係者（国民）に対して負う責任」とされていた。前述の科学者の行動規範では、「科学者は、社会が抱く真理の解明や様々な課題の達成へ向けた期待に応える責務を有する。研究環境の整備や研究の実施に供される研究資金の使用にあたっては、そうした広く社会的な期待が存在することを常に自覚する」としている。一方で最近は、科学技術をわかりやすく伝えることの責任が重要視されている。科学者が何気なく使う用語が、一般の人々にとっては理解の妨げとなったり、科学者が当たり前に思っている前提知識を飛ばして説明してしまうことで、一般の人々は説明を理解できなかったりするように、わかりやすく伝えることの難しさは一方通行の講義では表在化しない。科学者は、直接一般の人々と話し、一般の人々は知識として何を望んでいるのか、どのように説明すれば理解してもらえるのか実践的に学ぶ必要がある。

一方で、科学者自身の制約により、一般の人々との対話の場に出ることが難しいという現状もある。科学者が一般の人々とコミュニケーションをとる際の障害として、科学者間の競争の激化による秘匿主義や時間的制約、人々の求めに応じて雇用者や資金提供者の意志に反したことを公の場で話すことにより研究資金や職を失うリスク、同僚からの否定的反応への懸念が挙げられる。さらに、科学者の仕事の一部として一般の人々とのコミュニケーションがとらえられにくいという問題もある。しかし、現在の科学コミュニティは、当然のように科学を信頼し、サポートしてくれる市民を得られるわけではない。日本においては、東京電力福島第一原発の事故、STAP 細胞論文問題などにより、科学や科学者に対する信頼は揺らいでいる。一般の人々とのコミュニケーションが科学者の重要な役割であることを科学者自身が認めるほか、雇用者や資金提供者にも認められるよう働きかけることで、対話の場や時間が増えると考えられる。

4.2.4　メディアの役割

対話にむけた準備のため、人々が科学の情報に触れる手段として、各種メディアの役割は大きい。メディアの種類によって、テレビ、新聞、インターネットの3つについて、それぞれ見ていこう。

●テレビ

テレビの特徴として、動画を使った伝達ができること、速報性に優れていること、対象人数が多いことが挙げられる。科学の内容を伝える際、動画を使うことは理解の大きな助けとなる。今日ではコンピューターグラフィックスも効果的に使われ、体内での細胞やタンパク質の働きなど、目に見えない事象も可視化してわかりやすく伝えることができる。科学番組・ドキュメンタリーは、時間をかけて科学的知識や、その科学に関連する社会問題を取り上げることができる。しかし現在、テレビ離れが叫ばれ、テレビ局は視聴率の獲得に必死になっている。その結果、視聴者への受けを狙って、根拠のないエセ科学や健康情報が特集されたり、ノーベル賞報道で、受賞者の研究内容よりも苦労話や美談がクローズアップされたりする。さらに田中（2012）は、有名タレント化した「科学者」が、リップサービスの精神が旺盛なために専門外でももっともらしく発言し、それを見た他の科学者がテレビを信頼しなくなり、その科学者はテレビで発言しなくなるという悪循環を指摘している。

では、科学を伝えるメディアとして、テレビは今後どのような役割を果たしていけばいいのだろうか？ テレビの強みはやはりその普及率だろう。帝国書院が発表した統計では、2015年時点でカラーテレビの世帯別普及率は97.8%と、高い数字を保っている。たとえ規模は小さくなっても科学に関する情報を扱い続けること、間違った情報や歪んだ情報を扱わないことが重要だ。

●新聞

新聞はテレビと異なり、情報を蓄積していくことができる。新聞で科学記事を書くのは、各新聞社の科学部に所属する記者たちだ。まず、記者が取材をして、原稿を書く。原稿はデスクと呼ばれる上司にチェックされ、チェックを通り抜けたものだけが、編集会議に出される。編集会議で政治部や社会部など、他の部との競合を勝ち抜いた原稿が、最終的に新聞記事となる。紙面に載りやすい情報として、保坂（2000）は、「『重要度』×『世間の関心』×『わかりやすさ』」という尺度を用いて説明している。この尺度で見ると、科学記事は、概して他の話題と比べ苦戦を強いられやすい。「重要度」が十分あっても、世間の関心が低かったり、限られた紙面の中でわかりやすく書くことが難しかったりするのだ。さらに、政治や事件といった他の部との競合に勝ちづらいのも、科学記事の特徴である。科学記事はどのような役割を果たすかについて、保坂（2000）は、「新聞に記事を書く以上、それが科学記事であっても、科学の広報誌ではなく、批判精神は欠かせない。素晴らしければ素晴らしいと書く、これはまずいと思えばまずいと書く」と述べている。科学者は新聞に、科学をわかりやすく伝え、よいイメージを社会に広めることを望むが、新聞は科学の広報誌ではなく、科学者の期待に添えないこともあるというのだ。

新聞の長所として、情報を蓄積できることが挙げられる。この長所を活かし、ある科学的話題に対し、複数の新聞での取り上げ方を比較することができる。例えば、カルタヘナ法における遺伝子組換え生物等に一部ゲノム編集生物が該当しないとされたニュースに対し、研究の促進を歓迎する記事もあれば、環境への影響を懸念する記事もある。人々はこれらを比較し、自らが意見を構築する際の一助となるだろう。

●インターネット

現在、分からないことがあったとき多くの人が最初にすることは、スマートフォンでのネット検索だと言っても過言ではない。インターネットは、すぐに情報を手に入れられる便利なツールだ。しかし、テレビ・新聞と異なり、情報の正確性が疑われるのは、現代を生きる人ならば当然知っているだろう。しかし現状として、インターネットの情報をそのまま信じてしまうことは往々にしてある。例えばGoogleで「ゲノム編集」と検索すると、最初に出てくるのはWikipediaだ。Wikipediaは一見情報量が豊富だが、誰でも書き換えることができ、情報源としては信頼性に乏しい。1章で述べたゲノム編集の仕組みのような、科学技術の原理を関連する背景知識から学ぶには、きちんと科学的な裏付けのある情報源から学ぶことが望ましい。

Twitter や Facebook といったソーシャルメディアまで範囲を広げれば、これまで触れてきたメディアには無かった双方向的関係が生まれる。これらのソーシャルメディアは、科学的な議論に活用できるのだろうか？ クリスティン・フォールドは2011年4月、「#onsci：よりよい科学物語を語ろう」と題し、ツイッター上で議論を呼びかけたが、結果は思わしくなかった。「科学物語は強い物語性をもち、隠喩と象徴化が豊富であるべき」という意見が多数出されたのだ。この結果は、むしろ人々を市民参加モデルから引き離しているように見える。ソーシャルメディアでの議論は、不特定多数の意見が一度に流れるため、その中でも否定的な意見が目につきやすく、意見が偏りやすい。科学的議論にソーシャルメディアを利用するのは、慎重にならざるを得ない。

以上、メディアが果たす役割について述べたが、現在の社会状況をふまえると、メディアによる科学報道は一筋縄ではいかないことが分かる。それでも、メディアはそれぞれに合った情報発信をすることで科学的な対話の起爆剤となることができるだろう。

4.2.5 サイエンスコミュニケーターの役割

ここまで、市民参加モデルに向けて一般市民と科学者の役割を見てきたが、最後にその両者の間をつなぐサイエンスコミュニケーターの役割について考察したい。

サイエンスコミュニケーターは特定の職業というわけではなく、科学者でサイエンスコミュニケーターを名乗る人もいれば、科学ジャーナリスト、企業の広報担当、理科教員、医療関係者、社会科学者など、その立場は様々だ。同志社大学で実施されているサイエンスコミュニケーター養成副専攻でも、受講している学生は生命医科学部、経済学部、社会学部、法学部、文学部と、学生のバックグラウンドは様々だ。科学者と一般の人々の間で意見が交わされ、政策決定にも活かされるため、サイエンスコミュニケーターが行うべき原則として、リンディ(2015)は以下の3原則を示している。

(1) プロセスの最初から、関連する分野の人々を幅広く巻き込むこと
(2) 関連する科学を隠し立てせずに説明すること
(3) 多様性があり、さまざまな立場からの大局観を含むような、長期間にわたった議論をすること

(1) プロセスの最初から、関連する分野の人々を幅広く巻き込むこと

一般の人々は、結論ありきで話を進めたり、意見を言ったとしても無視されたり、自分の知識が不足していたりすることを恐れ、対話の場に出かけづらいという現状について4.2.1で触れた。このような懸念をなくすため、サイエンスコミュニケーターは、議論の必要が出てきた初期の段階から、人々を対話に巻き込む役割を果たす必要がある。

ゲノム編集についての議論は、ちょうど今、社会の関心が高まり始めたところだ。規制については徐々に整備されているものの、ゲノム編集食品が広く流通したり、遺伝子治療が本格的に行われたりするようになるまでは、まだ議論できる時間がある。この機会を逃さず、科学者と一般の人々が対話できる機会を増やしていくことが必要である。

(2) 関連する科学を隠し立てせずに説明すること

説明責任については、科学者の責任の項目でも述べたが、サイエンスコミュニケーターもその責任を果たす必要がある。科学者が一般の人々に説明を行う際、自らの発信した知識が人々に受け入れられないことをおそれ、まだ解明されていない部分を伝えられないことがある。さらに、一般の人々は、遺伝子組換え食品のゼロリスク志向のように、科学の不完全な部分、不確かな部分を拒絶する傾向にある。これをふまえ、サイエンスコミュニケーターは、科学の成果と同時に、不確実性も確実に伝わるように促す必要がある。

(3) 多様性があり、さまざまな立場からの大局観を含むような、長期間にわたった議論をすること

対話に参加する人は、すべて平等に扱われなければならず、対話の過程で出た意見も、すべて尊重されるべきである。サイエンスコミュニケーションのモデルについての項目で述べたように、科学的知見が常に優れているということは決してなく、一般の人々が持つローカルノレッジも、等しく重要である。また、複雑な科学の話題について、1回の対話で問題が解決することはありえない。知識を身につけ、対話し、政策決定が行われるという市民参加モデルのプロセスを丁寧に実行するためにも、長期間にわたり議論が行われることが必要だ。サイエンスコミュニケーターは、対話の場にいる一般の人々、科学者それぞれの背景を理解し、多様性のある意見が出るよう努力するべきだ。また、議論が感情的にならないよう、細心の注意を払う必要がある。そして、長期にわたる対話を、サイエンスコミュニケーター自身が放棄することがあってはならない。

以上、サイエンスコミュニケーターが議論を促すために必要な要素について、本稿でこれまで述べてきたことをふまえつつ考察した。科学者も一般の人々も、対話のために最善を尽くしつつ、その効果をより高めるのがサイエンスコミュニケーターの役割といえるだろう。

対話を促す上で、何について議論するか明確にすることもサイエンスコミュニケーターの重要な役割である。しかし、それぞれが属しているコミュニティによって、問題の重要度や必要とされている情報は変化する。ゲノム編集の議論について考えても、技術的な課題、政策決定、生命倫理など、話し合われるべき議題は多岐にわたることが明らかだ。議論を始めようにも、何について知識を身につけ、発信すれば役に立つのか分からず、科学者と一般の人々の間にすれ違いが起こり得る。このような状況下においてサイエンスコミュニケーターが行うべきは、問題に対するフレーミングである。フレーミングとは「『複雑な状況下で何を中心的な問題として位置づけるか』という、枠の付け方」である。サイエンスコミュニケーターは、日頃各々の立場で接している市民、科学者が何に対して議論を必要としているか、適切にフレーミングを行い双方の議論を促すことで、両者の間を確実につなぐことができるのだ。

5　結論

本稿の前半では、ゲノム編集の基本的知識について述べた。ゲノム編集は遺伝子の狙った場所を破壊できたり、狙った場所に外から遺伝子を挿入できたりする革新的ツールである。ゲノム編集作物は、農業の効率化や健康増進を目的としている一方、人々は規制の内容や安全性に不安を抱えている。ゲノム編集治療は、まだ開発段階ではあるが、新しい治療の形として患者を救うことができる可能性を秘めている。生殖細胞へのゲノム編集は、生命倫理に大きな影響を与える問題であり、年代や性別を超えて議論が必要だ。これらの課題に対処する方法を探るため、後半ではサイエンスコミュニケーションのモデルや実践について述べた。一般市民は、科学リテラシーを身につけた上で、積極的に対話の場へ出て行くことが望まれる。科学者は、社会的リテラシーを身につけ、説明責任を果たしていくべきである。各メディアは科学報道に関し、責任ある情報発信をするべきだ。そして、サイエンスコミュニケーターは、自身が関わる一般市民や科学者が求める話題を適切に切り取り、議論を促していくことが必要だ。このように各立場で市民参加モデルに向けて活動が行われることで、注目が高まっているゲノム編集について、実のある議論が行われることを願う。

科学技術と社会の関係においては、人間は失敗を繰り返してきた。遺伝子組換え食品は未だ人々に受け入れられておらず、原子力発電は次世代を担うエネルギーとして期待されたが、今では不安が広がっている。ゲノム編集に関する議論は、これらの失敗を繰り返すのではなく、失敗から学び、科学と社会が対話でつながる新しい関係を築いていくべきだ。

【参考文献】

Bruce Albertsほか『Essential細胞生物学（原書第4版）』南江堂、2016
NHK「ゲノム編集」取材班『ゲノム編集の衝撃「神の領域」に迫るテクノロジー』NHK出版、2016
日本農芸化学会編『遺伝子組換え食品 新しい食材の科学』学会出版センター、2000
粥川準二『ゲノム編集と細胞政治の誕生』青土社、2018
吉里勝利『高等学校 生物』第一学習社、2012
厚生労働省遺伝子組換え食品の安全性に関する審査（https://www.mhlw.go.jp/stf/seisakunitsuite/bunya/kenkou_iryou/shokuhin/idenshi/anzen/anzen.html）
国立研究開発法人科学技術振興機構「平成27年度調査報告書 科学技術の社会的期待と懸念に向き合う「対話」「協働」実践上の課題」、2016
佐久間哲史、山本卓編『医療応用をめざすゲノム編集 最新動向から技術・倫理的課題まで』化学同人、2018
山本卓編『ゲノム編集入門：ZFN・TALEN・CRISPR-Cas9』裳華房、2016
秋山遼太、中安大ほか「毒をつくらず薬をつくるジャガイモの分子育種を目指して」植物の生長調節、52（2）、2017
藤垣裕子、廣野喜幸編『科学コミュニケーション論』東京大学出版会、2008
石井哲也『ゲノム編集を問う——作物からヒトまで』岩波書店、2017
毎日新聞「ゲノム編集食品、性急な結論に不安の声 厚労省調査会方針」2018年12月6日付電子版
デジタル版イミダス2018（https://japanknowledge.com/lib/display/?lid=50010K-126-0008）2019年3月20日アクセス
日本筋ジストロフィー協会「デュシェンヌ型筋ジストロフィー（Duchenne muscular dystrophy：DMD）」（https://www.jmda.or.jp/mddictsm/mddictsm2/mddictsm2-1/mddictsm2-1-1/）2019年3月28日アクセス
福島義光編『別冊・医学の歩み 遺伝子医療の現状とゲノム医療の近未来』医歯薬出版、2015
文部科学省『高等学校学習指導要領 理科編 理数編』実教出版、2018
総合研究大学院大学共同研究「科学と社会」科学と社会2000、総合研究大学院大学教育研究交流センター、2001
木下政人「水産生物へのゲノム編集技術活用について；現状と課題」化学と生物、53（7）、2015

人間の信頼について

関あかり

はじめに

2018年秋学期、生命医科学部、社会学部、文学部、経済学部の生徒を中心として、サイエンス・コミュニケーター育成のために、野口範子教授、佐藤優客員教授が行った講義を受講した。そこでは、私たち生徒側にも自分自身の考えを述べる機会が与えられた。

この論文は、講義内で課された1500字ほどのレポートを掘り下げたもので、学部3年生だった当時の限られた知識で作成したものである。私の所属学部である文化情報学部では、文理にまたがり多岐にわたる分野の講義が用意され、学部生は自身の興味に合わせて学ぶことができる。

分野の多岐性は、それを実践しようとする者に様々な視点を要求する。数的思考だけが得意でも、文化史だけが得意でもいけない。どちらも蔑ろにせず、自分の中にいろいろな着眼点を持つことが必要になる。これは根気の要ることだと、入学してから気づいた。普段意識していなくとも、違う価値観や考え方を取り入れたり受け入れたりすることは、一時的であれ少なからず辛さを伴うもので、自分の価値観を整理することや、相手の価値観を柔軟に受け止める、また受け入れることは結構大変なことだと実感した。文化情報学部で3年間学び、また半年間サイエンスとインテリジェンスの講義を受講して学んだことを採り入れて、この文章をまとめていきたい。

1　STAP細胞論文と世間

講義の中で、2014年に起こったSTAP細胞論文の捏造問題について、須田桃子氏の書籍『捏造の科学者』をもとに命題を考え、なぜこのような問題が起こったのかを、各自の視点から掘り下げ発表を行う機会があった。私が興味を持ったことは、なぜ世間全体がSTAP細胞論文を信じて疑わなかったのか、さらに不正問題が発覚する前にも後にも、なぜあのような過激な報道がなされたかである。

科学界において一流とされている*Nature*誌に、小保方晴子氏をユニットリーダーとした理化学研究所のSTAP細胞論文が掲載されたことは、日本のみならず世界中で、大きく報道された。小保方氏が世間のイメージする研究者像とは違い、若い女性であったことも注目され、様々なメディアが彼女を好印象に取り上げ、それは多くの人々に受け入れられた。

しかし、その論文に不正の疑いが出ると状況は一変した。このSTAP細胞問題だけに関わらない傾向であるが、メディアは不正の追及として過剰にも見える報道を行うようになった。そして、理化学研究所の調査委員会が論文の過誤を研究不正と見做したことを受け、*Nature* 誌はSTAP細胞論文を取り下げた。この一連の騒動は社会に大きな動揺を与え、データの隠蔽や改ざん、組織のあり方など様々な問題を浮き彫りにした。そして、データの信頼性や科学者の倫理観、報道のあり方、組織のあり方などについて、多くの人々が考え直すきっかけとなった。当初、ほとんどの人はこの論文の不正を疑わなかった。一般的な理解として、公に発表された論文を疑わないことは不思議なことではないし、ごく普通のことだと言えるだろう。

しかし、実際に論文を読んで「確かに間違いない」と自分で判断した人は多くないだろう。その分野に精通している人でなければ、論文の内容が正しいか、正しくないかは自分では分からないからだ。さらに、科学分野に無関心で、正誤の判断をしない人もいるだろう。

ではなぜ世間は、論文は正しいという風潮になったのだろうか。それは「信頼」しているからだ。

この「信頼する」という人間行動はどのように生まれているのだろうか。

なぜ、どのような仕組みに基づいて人間が信頼という行動に出るのか、それらのことに着目しつつ、サイエンス・コミュニケーターにはどんな要素が必要となるかを探っていきたい。

1.1　STAP細胞論文事件に見る「信頼」

STAP細胞論文は、小保方晴子氏をユニットリーダーとして進められた論文である。理化学研究所という国の組織、論文を発表した小保方氏のユニットメンバー、掲載した *Nature* 誌、報道したメディア、それぞれの人々は、論文の内容を信頼していた。信頼しているからこそ、論文が出た当初多くの人は不正を疑わず、さらに一部の人々は歴史的な発見だと受け入れた。しかしその後不正問題が浮上したことにより、科学者だけでなく社会全体を巻き込んだ混乱が起こった。

ここで、世間の「STAP細胞論文に対して不正を疑わない」という信頼は、短絡的なものであったり、一方的すぎたり、他の論文より過剰であっただろうか。

1.2 「信頼」はどこからくるか

私たちは、何も考えずに相手の言葉を鵜呑みにしたり、信頼したりしているわけではない。

私たちは判断を間違えるというリスクを回避するために、いつも何かしらの根拠や他者の意見を必要とする。では、STAP細胞論文に置き換えると、人々が根拠として用いたものは何であっただろうか。想定される事柄をあげてみる。

・論文は、科学界だけでなく社会的に有名な*Nature*誌に掲載された。
　*Nature*誌は掲載率がとても低いことでも知られている。
・小保方晴子氏は、研究者としては珍しい若い女性で、それまで無名であったが、早稲田大学出身で、留学経験もある。
・テレビや新聞、雑誌などの有力なメディアで「今までの常識を覆す大発見である」と報道されている。

これらの事柄を信頼の根拠にすることは、どんな点に問題があるだろうか。検証するにあたって、いくつかの情報を整理してみる。

まず英科学誌*Nature*について、どのような指針で運営されているのか確認してみる。以下は英科学誌*Nature*の公式HPの引用である。

「*Nature*は、経験豊かな科学者によって構成された編集委員会をもたず、いかなる科学系学会や研究機関とも関係していません。したがって、

Nature の決定は、独立しており、特定の個人の科学的又は国家的偏見に影響されません。決定は迅速に行われ、すべての研究分野に同じ編集基準を適用できます。幅広い読者層の関心を集める論文かどうかという判断を下すのは、*Nature* のエディターであり、査読者ではありません。それぞれの査読者は、*Nature* に投稿される論文のほんの一部しか読んでおらず、1つの分野についてのみ深い知識があるのに対して、エディターは投稿論文をすべて読んでいるので、より幅広い視点と背景事情の知識から各論文を判断できる、というのが1つの理由です。」

引用より *Nature* は商業誌で、独立しているため資金提供元からの影響を受けないこと、科学者に論文の査読を依頼していることがわかる。

提出された論文は、まず編集部で査読者に回すか否かが審議されることになる。この審議を通過した論文は、2～3人の外部の研究者に委託され、査読に回される。査読者からのコメントは、編集部が最終的に掲載するかどうかを決める際に参考にされる。掲載の可否の決定権は、査読者ではなく編集者にあることも読み取れる。

ここで参考として、実際の掲載率をあげておこう。STAP 細胞論文掲載前年の 2013 年においての *Nature* 誌への投稿論文数は 10,952 件、このうち編集部による最終採択を通過したものは 856 件で、掲載率は約 8% である。学術雑誌の詳細検索ツールを確認すると、この掲載率は他の科学誌と比べて大幅に低いことがわかる。

しかし、論文掲載率が低いことは、はたしてその論文の内容が正しいことの裏付けになるだろうか。また、掲載までの過程で、データの正しさや論文の精度は、十分チェックされていると言えるだろうか。

私たちは掲載率が低ければ低いほど、科学的な信頼性が高いと考える傾向がある。掲載率と信頼性の高さに相関を見ているのだ。しかし、狭き門であることは、データの信頼性を高めるとは言えない。

入試などでも、ある学校の合格率が低いほど、その学校の合格者の学力が全体より高いと言えるわけではない。その学校は定員に対して応募者が多数であるということは確かなことであると言えるが、合格者の学力と合格率に正の相関があると考えるのは誤解だ。

同じように、*Nature* 誌の掲載率が低いことからは、誌面に掲載できる論文の量に対して応募が多数あることはわかるが、その論文が他の雑誌に比べて特段にデータが正しいかどうかはわからない。*Nature* 誌に掲載されている論文＝間違いや不正のない論文、と結びつけてしまうのは、危険である。

また、最終判断を行う編集部には研究者がいないことにも注目したい。引用部分に“幅広い読者層の関心を集める論文がどうか”とも書かれているように、*Nature* は本来商業誌であって、科学誌ではない。また、*Science* 誌のように会員からの寄付で成り立っているわけではなく、政治的な発言を行える場を誌面に設けることで、財政を支えている部分もある。したがって、編集部にとって最も大切なことは、提出された論文のデータの精査を行なって、研究が正しかったかどうかや、科学的な根拠を追求することではなく、自分たちが発行する誌面が売れるかどうかになる。科学技術振興機構の野依良治氏によれば、STAP 細胞事件が起こる直近の約 30 年間に掲載された論文をみると、題名に含まれる形容詞（amazing、innovative、creative など）は 2% から 18% ほどまで急上昇している。ここからは論文内容のわかり易さや、いかに人々の目を引く内容であるかが強調される傾向が強くなっていたことがうかがえる。このような傾向は科学を扱う雑誌としては意外に思われるかもしれないが、引用部分に“幅広い読者層の関心を集める論文がどうか”と記述があるように、*Nature* 誌の姿勢は、商業誌として一貫したものであり、その方針に矛盾している点はない。

1.3　科学への正しい信頼に必要なもの

Nature 誌に掲載を望む研究者の応募が多数あり、また *Nature* 誌を購読する人々がたくさんいることは、研究者と *Nature* 誌･*Nature* 誌と購入者、の間で信頼関係がしっかり結ばれていることの根拠になる。しかし、繰り返しになるが、これらの信頼関係は論文のデータや実験の正しさの根拠に

なるとは言えない。応募が多数あり、選ばれた論文しか掲載されないという仕組みは、次第に優位さを帯びるものだ。この優位さは、掲載論文の著者に権威を持たせる一因になる。この権威に順応して、他の科学者やメディア、それらを通して情報を得る人々が、信頼という行動をとるようになる。

研究者同士の中でもこのような権威性から信頼がうまれ、また一般の人々に対しては、新しい技術の話題に取り残されまいとした報道が行われた。しかしその後、不正問題が浮上したことで、自分たちの期待や信頼を「裏切られた」という感情が全体に広がり、炎上状態になってしまった。

私たちは「信頼」なしには生きていけない。しかし、変化の激しい時代にあり、日々情報が溢れ複雑さが増していく社会の中で、根拠とできるものとできないものの取捨選択はどんどん難しくなっていくだろう。

正しい「信頼」を持つことは、自分の周りの価値観を整理すること、正しい数字や相関を理解することが求められる。その助けとなることが、「コミュニケーター」に求められているのではないだろうか。

特にサイエンス・コミュニケーターは、主にScience（科学）分野の集合と、その外部分を繋ぐ役割が求められている。サイエンス・コミュニケーターはいち研究者として自身の研究を深めていくと同時に、その知識や研究内容について、専門の知識を持たない人々にも理解可能な形で情報を発信し、伝えていく必要がある。さらに科学分野に全く無関心な人々には、関心を向けてもらう働きかけを行うことも求められているだろう。このように様々な人が科学と関わっていくための、パイプのような役割を担っていくのである。

ここからは、異なる分野を繋ぐ役割を持つ人々にとって、避けることのできない行動である「信頼」のメカニズムや、データを正しく読み取り事象を判断していくことの重要性について検討していきたい。

1.4　データ利用に求められるリテラシー

ではまず、データを正しく読み取るためには、どんな知識が必要だろうか。科学分野の実験データというと、文系を主専攻としている学生や、社会人で学問から離れている人にはあまりなじみのないもので、専門性がありとっつきにくいものかもしれない。

では昨今の身近な問題として、統計データについてはどうだろうか。

厚生労働省が、労働時間・賃金をまとめた毎月勤労統計調査で、不適切な調査を行い問題となった事件は記憶に新しいだろう。この事件は、厚労省が東京都の調査の際に、全数調査ではなく、一部抽出で調査を行ったことで起こった問題であった。国会を舞台に、問題の追及が行われているが、この事件には様々な点が懸念される。もし本来全体調査で行う調査を抽出で行ったことが故意であるならば、国の組織に、数字を使って事実と違う内容を示すような人々がいるという問題になる。一方で、故意でなく取り間違えたという可能性もある。国を運営する行政官は、科学者でも統計学の専門家でもないからだ。

国という枠組みの中で起こっている事象すべてをその要素のまま把握することは不可能である。そのため、どうしても数字に変換し、可視化できる形にしなければいけない。可視化された数字を信頼することで、はじめて全体像の把握ができるのだ。しかし、そのおおもととなる統計データを、処理して結果としてまとめる以前に正しく採取できないという状況になってしまっているならば、国の組織の体制を、これから変えていく必要があるのではないだろうか。

統計データの情報から物事を判断するにあたって、その情報の正しさを見抜くためにはリテラシーが必要になってくる。リテラシーの鍵となるものは、大きくわけて以下の4つがあげられる。

1. データの出所、出典を確認すること・・・情報の発信元は誰か？ データは誰によって作成されたものなのか？
2. サンプリングの方法、実験方法を確認すること・・・どのような調査方法・実験方法が用いられたのか？
3. 足りないデータはないか確認すること・・・意図的に書かれていない要素はないか？ 平均や割合のみで結果が記され、中央値や正規分布、試行回数などの細かい要素が抜けていないか？

4. 問題が取り違えられていないか・・・掲載されている数字からは読み取れないことが根拠とされて結論に至っていないか？

このようなリテラシーを身につけることは、社会調査もどきや統計もどきに気付くきっかけにもなるだろう。世の中には、信頼性の低い調査や、意図的に歪んだ方法で実施された調査、調査の限界に対する無知・無視により、結果を都合よく過大解釈したものなども多く存在する。それらが当たり前に信頼されている現状を忘れてはならないし、このようなことがサイエンスコミュニケーターの判断の根拠になってもいけない。

人間は、物事を考える際に、視覚・聴覚・触覚など感覚を通して得た情報をもとにして、総合的な判断を行うことができる。対象である物事の過去から現在にいたるまでの過程や、未来の分岐の想像、さらには影響を与えている外部の状況判断など、多次元的に考えることは比較的容易い。しかし、一度それらの情報が数字へと変換されてしまうと、なぜか思考停止を起こしてしまう人も多い。それは数字に対する盲信からくるものである。優位性だけでなく、数字もまた権威を持っているのだ。

1.5　数字の持つ権威性

数字の信仰や、権威性は歴史的にも見ることができる。

キリスト教の神学者のアウグスティヌスは、古代ギリシャのピタゴラスが特別視した「完全数（自分自身を除く正の約数の和に等しくなる自然数）」である6という数字について、神が万物を6日で創造されたから6という数字が完全になったのではなく、6それ自身が完全であるとしている。完全数は神から何らかを与えられたのではなく、もとから完全であるという考えである。この考えからは、数が絶対的なものであるという思想があることがわかる。

では現実世界では、数字の権威性はどのように現れているだろうか。

例えば、会社の営業成績について他者に伝える時に、A社の営業成績はとてもよくここ最近でさらに成長している、という人がいたとする。また別の人は、A社の営業成績は業界のNo.2であり、ここ3年間で20%成長している、と表現したとしよう。

この二つの表現は、どちらの方が信頼できる事柄だろうか。多くの人が後者だと感じるはずだ。形容詞や副詞の解釈は人それぞれであり、「とてもよく」や「ここ最近」、「さらに」の定義は人によって少しずつ異なるため、個々人で情報の受け取り方が変わってしまうのだ。しかし一度数字に直して表現するとどうだろうか。形容詞で表すより定義の揺れが起こらなくなり、情報の客観性が保たれやすくなる。そうすると、この情報は信頼の根拠として採用されやすいものとして認識される。私たち人間は、数字が使用されている情報を信頼するという行動を繰り返していくうちに、いつのまにか「数字を含む記述は信頼できる」と条件反射のように思い込むようになっていく。

1.6　理論と現象

ここで「数字を含む記述は信頼できない」と主張したいわけではない。数字や数字からくる理論は確かに正しいものであり、この理論の上に成り立つ統計学や、データ処理の理論も正しいものである。しかし、ここで大切なのは、数字理論からくる結果が正しいとは限らない、ということだ。

理論が正しいということは、ただ「理論が正しい」ということのみに言えることであって、理論を用いて得られた結果は正しいと勘違いしてはいけない。

数字を用いた理論を現実的な物事の判断にあてはめると、4つの状況を想定して場合分けできるだろう。

1. 用いた理論が間違っており、あてはめた現象も間違っている・・・正しくない
2. 用いた理論が間違っているが、あてはめた現象は正しい・・・正しくない
3. 用いた理論は正しく、あてはめた現象が間違っている・・・正しくない
4. 用いた理論は正しく、あてはめた現象も正しい・・・正しい

このように、ある事象について、数字を用いて論理的に考えようとするとき、用いる理論と現象の組み合わせを間違えてしまえば結果も間違いになる。そのことに気がつかないと、数字の権威性に無意識のうちにしたがって、間違った判断を行ってしまう。数字は間違わなくとも、その数字を使う私たちは間違うということをまず認識し直さないといけない。どのような過程を経て結果があらわれているのかを意識する姿勢が必要となる。

近年インターネットやビッグデータの発達で、私たちが手にできる情報の量はどんどん増えている。AIも登場し、データがどのように処理されたか、可視化しにくい形で結果だけが排出され、その結果のみが消費される時代が来つつある。その時代の中で、AIや統計処理によって出てきた結果だけを見るのではなく、その後ろ側に関心を持つこと、その過程を理解できること、さらにはその数的処理が本当に正しいのか自分で考え直すことがいままで以上に重要になる。こうした手順を踏み、自分の頭で考えてから、やっとその情報は信頼できるものになる。

私たちは、生まれ持った心の働きとして、様々なバイアスや心理的誤謬を持っている。サイエンスコミュニケーターは、それらに惑わされることなく、知識と理論を用いて多視点からデータや数値を見直すことが常に必要である。

2　社会システムに見る「信頼」

ここまで数字やデータの特性について注目して話を進めてきたが、社会システムとしての「信頼」という行動の仕組みについても考えたい。

戦後のドイツを代表する理論社会学者であるニクラス・ルーマンは、「信頼する」ということについて、自分と、自分の外部存在である他者との関係性の上で捉えている。相手が何らかの行為を行うと自分に何らかの利益が生まれるが、自分の認識している相手の情報だけでは、相手が次にどう行動するかは確実にはわからない。けれども未来において、相手がある行動をするだろうと予想して（信頼して）自分も行動を起こす、というメカニズムだ。

例えて言うと車を運転している時、車の信号が青で歩行者の信号が赤ならば、信号の下にいる歩行者は車道を横切って渡ろうとはしないだろう、と相手に期待しているということになる。これがここで表現されている信頼だ。

彼は著書である『信頼 社会的な複雑性の縮減メカニズム』(勁草書房、1990) の中で次のように述べている。

「いまや我々としては、信頼の問題をよりいっそう明確に規定して、リスクを賭した前払いの問題として捉えることができる。世界は、もはや制御不能な複雑性にまで拡大しており、その結果、他の人々はいかなる時点においても自由に多様な行為を選択しうるに至っている。しかし、この私は今ここで行為しなければならない。他者がなにを行うか観察し、それにもとづいて自分の態度をきめていくには、観察し態度を選びうるための時間は短い。(p.39)」

「信頼とは、このような不確定性の大きな世界において、行為を容易 (というより可能) にする仕組みである。他人がどう行為するか、それがなぜなのかをいちいち判断してから自分の行為を決定する暇などない。他人の行為は自由なため、自分にはあまりに複雑性が高い。この複雑性に対する対処を、信頼が提供する。信頼において問題となっているのは、複雑性の縮減であり、しかも他の人々の自由をつうじて世界の中に現れてきた複雑性の縮減である。(p.53)」

「信頼と並んで複雑性を縮減する仕組みとして、貨幣、真理、権力も取り上げられる。これらはシステム信頼と呼ばれていて、人に対する信頼ではなくシステムに対する信頼である。これは一般化された信頼であり、個々の人格をいちいち信頼する必要がなくなるため、比較にならないほど学習しやすくなる。しかし制御は難しくなる。(p.92,107ff.)」

まとめると、信頼するということは複雑性を減少させるということだ。ルーマンは信頼の機能として「複雑性の縮減」をあげた。この複雑性の縮小は、未来において想像できる様々な可能性に選択肢を設けることで行われる。無限にある見えない部分の予想を、選択肢という何本かの線にまとめ、ある程度限られた数の選択肢に直した上で選び取るという形をとる。この際に、この予想があたらなかったときのリスクを下げるために、自分が選ばなかった選択肢は完全に消してしまうのではなく、保存しておくという特徴がある。

2.1　自己の複雑性の減少

さらに信頼という行為は自己にかかる負担を軽減させることにもつながる。STAP細胞事件に例えるならば、もし論文の正しさを自分で判断しようとすれば、生物学の知識、医療の知識、論文を読むスキル、英語のスキル、それらを身につけるためのお金と時間が必要になる。

一方で、情報発信者であるメディアを信頼し、報道や発表者の肩書きなどを信頼すれば、知識やスキルを持たずとも、内容を受け入れて理解することができる。

このように私たちは常に疑心暗鬼で生活しているわけではなく、また自分のまわりのすべての事象を把握しているわけでもない。相手を信頼することで、自分の負担を減らしながら生活しているのだ。

信頼をしなければ、目の前の、また見えないどこかで起きたことや、他者について逐一判断する必要が出てしまう。それはただ一人の固有な生き物である人間には無理なことだ。けれども想定される可能性をしぼりこんでいけば、自分が処理可能な状態で生活することができるようになる。だから私たちは相手を信頼し、他者が自分にもたらす情報を受け入れることで物事の複雑性を排除している。

2.2　外部の複雑性の減少

複雑性の縮減は外部の環境にも適用されている。自己の外部の複雑性は、内部である自分自身の複雑性と異なるため、自分自身の中に外部の複雑性をそのまま受け入れることはできない。それゆえ、外部の複雑性を自分自身が処理できる大きさに調節する。しかしこの縮小は自分一人だけで行うことは不可能で、自分の意識がおよばない、他人の活動も選択の根拠にしなければいけない。

自分以外の存在である他人という存在には、様々な人がいる。もちろん他人を何の用意もなく信頼することはできないので、自分自身でどの他者を信頼するか判断して決めなければならない。自分に対して嘘をつかない他人であればあるほど、複雑性は少ない。これは「嘘つきは嫌い」といった感情に起因するものではなく、嘘をつく他人に対しては嘘をつかない他人の行動予測やシミュレーションの方が、行いやすいからである。

また、逆の見方もできるだろう。私たちがもし他者からの信頼を受けたいのなら、相手が自分に期待していることは何かを予測し、相手の期待に応えていくことが信頼獲得の近道になる。

2.3　まとまりとしての社会

前述したルーマンの考えに沿えば、社会は、周囲から区別された大小様々なまとまりからなっている。まとまりごとに定義や価値観が違い、その違いからくる複雑性が境界を作る。その境界は他のまとまりから別のまとまりを守る役割も果たす。社会はそれぞれに独立した形で複雑化しているが、高度に複雑化していけるのは信頼という手段で複雑性を縮減することができるからでもあるとルーマンは述べている。もし縮減するすべを持たなかったなら、私たちは独立した他のシステムを理解することができなくなってお互いに孤立を深めてしまい、社会は社会として成り立たなくなってしまう。

縮減という機能を私たちが持っているからこそ、社会の高度な複雑化が行われ、政治・経済・物理・科学などの分野ごとにシステムが確立する。このシステムもまた、信頼の一種となりうる。

システムには区別と表示があり、入ってくる情報を区別し表示することで意味を生み出している。この意味の算出には三つの過程があるとルーマンは想定した。それは事象的次元、時間的次元、社会的次元である。ルーマンは情報がこの三つの過程それぞれを通過するたびにコミュニケーションが生まれるとしている。そのコミュニケーションは社会的価値観と心理的価値観に関係するものである。しかし、ルーマンはまた、コミュニケーションの弱点もあげている。まず自分自身と他者の理解が同じであると確実には言えないこと、次にコミュニケーションの範囲がわからないこと、そしてコミュニケーションによって生まれる成果が確実でないこと、である。サイエンスコミュニケーターは、この弱点を把握していなければならない。

2.4　社会システムと信頼

分野としてわかれている社会には、そのシステムごとに共同の意味であるものが生まれる。それは例えば、経済システムなら共感であり科学システムなら一つの真理である。これらはそのシステムでの認識をつなげるためのシンボルになり、他人にも理解ができる複雑性として、そのシステムの基盤になる。

科学は真理という、誰からも理解できるシンボルを複雑性の基盤にすることで、科学の専門知識を持たない人にも理解される、理解できるという期待が持てるものになっている。

ある事象に期待が持てるという意味での信頼が、ルーマンのシステム論の中心であり、この基盤が変わってしまえば、信頼のあり方も変わることになる。実際の例としてSTAP細胞事件では、科学分野のシステムの基盤である真理がゆらいだことでシステムに変化が起こったのだ。

今の社会では、インターネットの発達やAIの登場により、簡単に境界を超えて他のシステムにアクセスすることが可能になった。しかしこの「まとまり」同士のアクセスが増えれば増えるほど、複雑性は増していく。この複雑性には閾値がある。超えてしまえばまとまりとしての形を維持できずに境界が消えてしまい、別の価値観が流れ込んでくる。まとまりが増加するということは、概念や要素、考えられるもの・ことの総数が一気に増大していくことと同じである。容易に、自ら、そうと自覚なく他のまとまりにアクセスできてしまう時代の中で生きていくには、複雑性を排除していくことからは逃れられない。

おわりに

もう一度整理すると、この世界はシステム同士の関係と、システムと環境の関係を無数に積み重ねて構築されている。個人というシステムに比べて社会の情報量ははるかに大きく、社会の複雑性に対処するために、自分が判断可能な程度まで縮減を行わなければならない。このことが「信頼」である。

これからの時代において、情報は溢れ複雑性は強くなってくる。メディアの報道やインターネットによって、必要以上に情報が伝わることで、常に自分が認識していないことの内在化が起こり続けてしまう。このことによって、ますます複雑性の排除、すなわち信頼が必要になる。複雑性とは、分野と分野の関係でもあり、社会システム上での要素はコミュニケーションである。

大切なのは、システム間のコミュニケーションとは、知らないことを確認することではなく、システムの親密さを高めるものだということだ。異なるシステム間、科学分野とそれ以外の分野などでも信頼の過程でコミュニケーションが必要となるが、それは知らないことについて尋ね合うものではなくて、システム間の概念の理解をし合うことである。

コミュニケーションの前提として、意思の疎通を行おうとしているシステムの中のシンボルを理解していなければならない。そのためには、ある程度の水準の総合的な知識が必要である。社会のシステムを理解するためには、自分の専門分野に特化するだけではなく、他の分野のシステムが基盤としているものを理解することが必要なのだ。

情報化が進む社会の中で、複雑性の縮減を用いる機会は増えていき、システム間のコミュニケーションを取らざるをえなくなっていくだろう。その際に、サイエンスコミュニケーターという立場には、各システムが成り立っている構造や事柄を理解できるだけの教養が求められている。

その教養をつけるためには、文系理系という枠組みの中で勉強するのではなく、総合知を身に付けることを目標とすることが必要である。生きていく中で常に信頼という行為を行い続ける必要がある私たちにとって、このことが生涯を通して出され続ける課題であると考える。

【参考資料】

ニクラス・ルーマン『信頼 社会的な複雑性の縮減メカニズム』勁草書房、1990
Nature HP（https://www.natureasia.com/ja-jp/）
Science HP（http://www.sciencemag.jp）
須田桃子『捏造の科学者 STAP 細胞事件』文藝春秋、2018
橘敏明『医学・教育学・心理学にみられる統計的検定の誤用と弊害』医療図書出版社、1986

原子力発電と
サイエンス・コミュニケーション

中澤惠太

はじめに

東日本大震災による福島第一原子力発電所の事故以降、日本ではこれからの原発との付き合い方について多くの論争がなされています。事故後、全国の原子力発電所は停止に追い込まれたものの、現在いくつかの原発は再稼働に至っています。その再稼働の是非を巡って選挙が行われることも多いです。選挙などで原発再稼働の是非を問われたとき、私たちはどう判断すればよいのでしょうか。なんとなく賛成、なんとなく反対、といった感情的な判断をする人がほとんどでしょう。その“なんとなく”を全て否定することはしません。人間は感情と切り離して生きることのできる生物ではないし、常に合理的な判断ができるものでもありません。けれど常に意識していなければいけないことがあります。正しい知識を持っていないと、悪意のある人物に利用されてしまうということです。原発再稼働反対派はとにかく恐怖を煽るでしょう。逆に賛成派は安全性と有用性ばかりを主張するでしょう。敢えて難しい用語をたくさん使用することで我々の思考を麻痺させ、そして誘導することもあり得ます。私たちに必要なのは、正しく評価し、正しく恐れるための知識を身に着けることです。原発のリスクと有用性の双方を理解することで、周りからの扇動に惑わされないようにすることが大切です。

ただし原発関連の資料は基本的に小難しく、またその情報量も多いです。自分で情報を得ようとしても、専門用語だらけの分厚い資料では途中で挫折してしまう、もしくはそもそも読む気を無くしてしまうといったことも多いでしょう。筆者も現在大学生のため難しい書物を読まなくてはいけない場合があり、途中で投げ出したくなる気持ちは痛いほどわかります。しかし、難しい話題を簡単に、かつ短く説明することにも限度があり、その限度を超えると今度は内容の精度を保つことが難しくなります。科学的な内容を広く一般に理解してもらうように説明することがサイエンス・コミュニケーションです。話の精度が落ちない範囲で内容を絞り、専門用語などもかみ砕いて説明することをこころがけました。また、原発がどういうものなのか、メディアで耳にする単語はどういう意味なのか、何が問題となっているのか、などを理解するにあたっての重要度、関心度の高いであろう話題をなるべく前半部分に集中させ、後半部分では日本が原発を導入することになった背景を歴史的な事柄と絡めて説明していきます。これを読むことで、少しでも原発についての理解を深め、これからの私たちがどのように原発と付き合っていくべきかを真剣に考える、そのきっかけになっていただければ幸いです。

原子力発電所とはどのようなものなのか

原子力発電所でエネルギーが取り出される仕組みを簡単に説明すると、「ウランが核分裂したときに生じる熱でお湯を沸かし、その蒸気でタービンを回して発電する」というものです。火力発電も、石油、石炭、天然ガスを燃やす火で生じた熱でお湯を沸かしてタービンを回すことで発電しているため、その意味では似ています。

日本に存在する一般的な原子力発電所は大きく2種類あります。PWR（加圧水型）の軽水炉を用いたものとBWR（沸騰水型）の軽水炉を用いたものです。世界的にはPWRの軽水炉がスタンダードとなっています。

まず軽水炉とは、核分裂によって生じた熱を伝える対象の水が普通の水（軽水）である原子炉のことです。原子炉というのは、核燃料が起こす核分裂の連鎖的な反応を制御しながら持続し、エネルギーを取り出す装置のことです。軽水を利用する軽水炉が存在するなら、もちろん重水を利用する重水炉というものが存在しますが、世界の原子炉の8割が軽水炉であり、一般的ではないため省略します。

次に、世界的に最もスタンダードな加圧水型炉（PWR）原子力発電についてですが、これはもともと原子力潜水艦のために作られたもので、炉がコンパクトで高出力であるという長所があります。世界の原子炉の8割が軽水炉であると先に述べましたが、その軽水炉の8割がPWR（加圧水型）となっています。仕組みはやや複雑です。核燃料が浸かっている1次冷却水は、加圧水型という名の通り、高い圧力を加えられています。気圧の低い山の上では水が低い温度で沸騰するためにおいしくご飯が炊けないという話がありますが、逆に高い圧力の下では高温でもなかなか沸騰しなくなります。核燃料によって超高温となった、液体の状態を保っている１次冷却水は、蒸気発生器という部分で、圧力を加えられていない２次冷却水に熱を伝えます。２次冷却水には圧力が加わっていないため、１次冷却水から伝えられた熱によって普通に沸騰します。あとは先に述べたように、そのとき発生した蒸気でタービンを回して発電するだけです。ちなみに、タービンを回した蒸気は冷やされて水に戻り、再び２次冷却水として使われますが、このとき蒸気を冷やす役割を担うのは海水です。この冷却水としての海水を大量に必要とするため、原発は海岸沿いに建てられています。日本の電力会社では、関西電力、北海道電力、四国電力、九州電力がPWRのタイプの原子力発電所を採用しています。

沸騰水型炉（BWR）原子力発電は、PWRのタイプに比べて炉のサイズが大きくなるものの、仕組み自体はシンプルでわかりやすくなっています。核燃料を浸している冷却水をそのまま沸騰させ、蒸気にしてタービンを回しているのです。その蒸気も、例によって海水で冷却して液体に戻し、再び冷却水として利用します。日本の電力会社としては、東京電力、東北電力、中部電力、北陸電力、中国電力がBWRのタイプを採用しています。東京電力が採用していると聞けば気づくかもしれませんが、2011年に事故の起きた福島第一原子力発電所は、BWRのタイプの原子力発電所です。

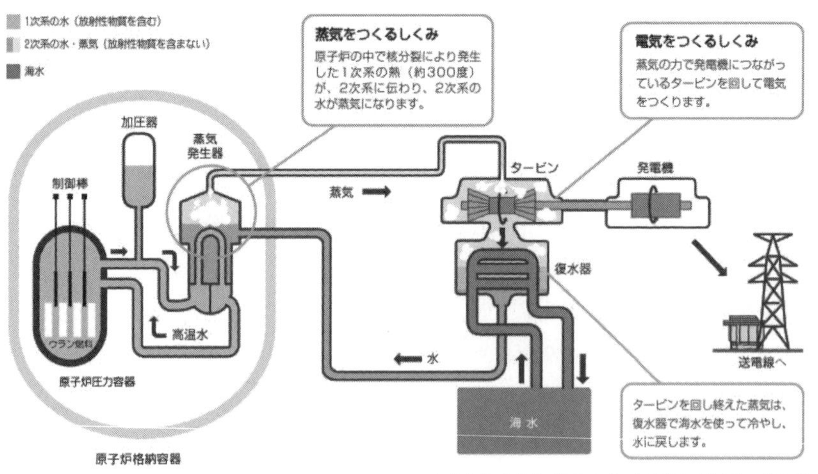

加圧水型炉（PWR）原子力発電の概要

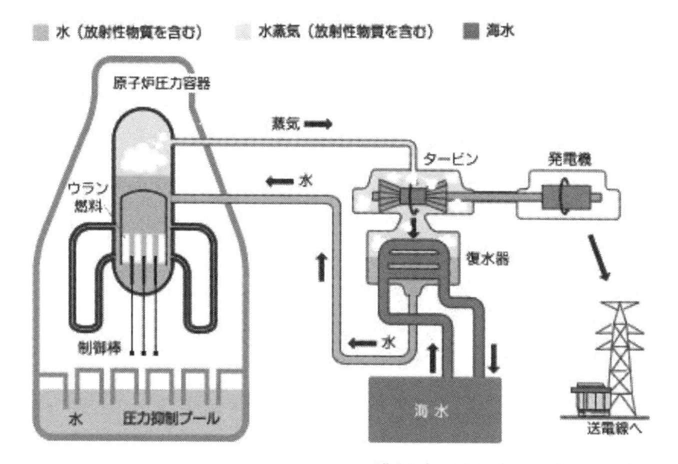

沸騰水型炉（BWR）原子力発電の概要

PWR と BWR の違い
PWR は原子炉の中で発生した高温高圧の熱水を利用して蒸気発生器で蒸気を発生させます。BWR は原子炉の中で直接蒸気を発生させます。　（出典：関西電力）

核分裂とは

原子力発電所のおおまかな仕組みについては示しました。では、そもそも核燃料から熱が発生するのはなぜなのでしょうか。一言で理由を説明するならば、ウランの核分裂によって生じたエネルギーが熱になっているから、と言うことができます。

ウランと一口に言っても、自然界にウランは3種類存在します。そのうち、原発について理解を深めるために知る必要があるのは、ウラン235とウラン238の2種類となります。原子番号を決める陽子の数は同じものの、電荷を持たない中性子の数が異なる同位体の関係にある2種類です。その天然存在比はそれぞれ、ウラン235が約0.7%、ウラン238が約99.3%となっています。わずかに存在するウラン235が核分裂しやすく、たくさん存在するウラン238は核分裂しにくいという認識を持っておいてください。

原子の中心部には、陽子と中性子からなる原子核というものが存在します。ウランの原子番号は92のため、プラスの電荷を持つ陽子が92個原子の中心に集まっています。当然プラスとプラスは反発しあいますが、電荷を持たない中性子が仲介をすることで原子核としてまとめられています。ウランの隣に書かれている数字は質量数というものであり、原子核中の陽子の数と中性子の数の和です。つまり、ウラン235の原子核には陽子92個と中性子143個が、ウラン238の原子核には陽子92個と中性子146個がまとまっていることになります。核分裂しやすいウラン235は、ぎりぎりのバランスでその存在を保っているようなもので、分裂したほうが安定な物質になることができます。陽子と中性子がぎりぎりのバランスでまとまっているところに、外から無理に中性子を吸収させたらどうなるでしょう。もちろんバランスが崩れ、より安定な形をとるように原子核が分裂します。これが核分裂です。

ウラン原子核

ウラン235＝陽子92個＋中性子143個　　天然存在比　約0.7%
ウラン238＝陽子92個＋中性子146個　　天然存在比　約99.3%

核分裂が起きた際に解放されるエネルギーを「核エネルギー」と言います。普段私たちが「原子力」と言っているのが、この核エネルギーであり、厳密には原子力というエネルギーは存在しません。ただ慣例的によく使う言葉のため、サイエンス・コミュニケーションの場ではうまく使い分けた方が相手に理解してもらいやすいかもしれません。

ウラン235の原子核に中性子を吸収させて核分裂が起こると、2種類の核分裂生成物と余った中性子が飛び散り、エネルギーが発生します。核分裂によって生じる2種類の核分裂生成物の組み合わせは数多く存在し、それ故、余る中性子の数もまちまちです。しかし、分裂してできる核分裂生成物の多くが有害な放射性物質であり、余って放出される中性子の数は平均して約2.5個であることはわかっています。有害なのは核分裂によって生じる核分裂生成物であって、核分裂エネルギー自体は有害ではないということは大切なポイントでしょう。

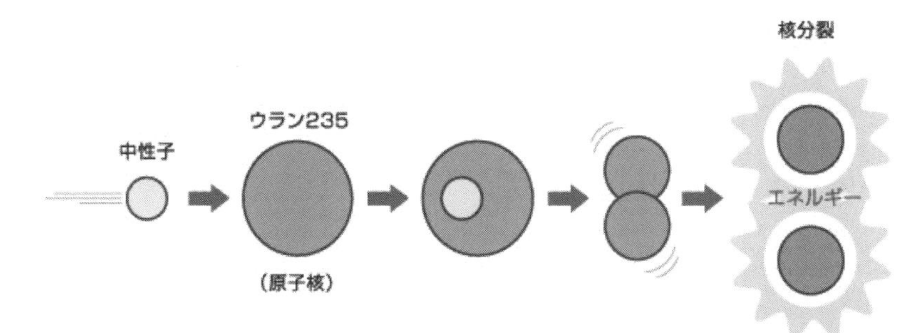

（出典：関西電力）

では、そもそもなぜ、ウラン 235 の核分裂が起こるとエネルギーが発生するのでしょうか。核分裂エネルギーの正体は、「ウラン 235 の原子核をまとめていたエネルギー」という理解でよいでしょう。核分裂によって原子核のまとまりが無くなり、今まで原子核をまとめていたエネルギーが放出されるのです。もう少し理解を深めるために、アインシュタインの特殊相対性理論の帰結である、かの有名な「$e=mc^2$」の式と絡めて考えてみましょう。

まず、$e=mc^2$ はいったい何を示しているのでしょうか。それはずばり、質量とエネルギーの等価性、そしてその定量的関係性です。e はエネルギー、m は質量、c は光の速さを意味します。c は光の速さのため、c^2 は定数で具体的な数字であると考えましょう。すると、$e=mc^2$ の式が、ただの e と m の比例式に見えてきます。つまり、この式をわかりやすく言葉に訳すなら、「質量とはエネルギーである」という意味になります。具体的には、「質量が失われると、失われた質量分に相当するエネルギーが発生する」ということを示しています。

ではこの式がどうして核分裂エネルギーに関係してくるのでしょうか。一度、ウラン 235 の核分裂に話を戻しましょう。ウラン 235 の原子核に中性子を吸収させると、原子核のバランスが崩れて分裂し、2 種類の核分裂生成物と余った中性子が飛び散ります。このとき、ウラン 235 と吸収させた 1 つの中性子を合わせた分裂前の状態の質量と、2 種類の核分裂生成物と余った中性子を合わせた分裂後の状態の質量は、驚くことに、わずかではあるものの異なります。分裂前の状態の質量より、分裂後の状態の質量の方が小さいのです。この質量の減少量を質量欠損といいます。$e=mc^2$ は、質量とエネルギーの等価性を示しています。質量が消失すると、失われた質量分のエネルギーが発生するのです。ここまでくれば、核分裂エネルギーと $e=mc^2$ の式を結び付けて考えることができると思います。ウラン 235 の核分裂によって質量が失われたことで、その質量欠損の分のエネルギーが発生するのです。式の m に質量欠損の値を代入すれば、発生するエネルギーの量も求めることができます。この核分裂による質量欠損の分のエネルギーは、ウラン原子核をまとめていたエネルギーに他なりません。

臨界

核分裂とそれによって発するエネルギーについて述べました。ですが、これまで着目していたのは、あくまで 1 つのウラン原子の核分裂でした。当然たった原子 1 つ分の核分裂エネルギーで発電できるはずがありません。実際の核燃料では、一定の規模で核分裂が連鎖的に継続しています。この核分裂が穏やかに継続している状態のことを臨界といいます。では、原子炉内ではどのようにしてこの臨界状態を保っているのでしょうか。

ウラン 235 の原子核に中性子を吸収させて核分裂が起こると、2 種類の核分裂生成物の他に、平均 2.5 個の余った中性子が飛び散ります。このとき飛び散った中性子を利用し、まわりに存在するウラン 235 の原子核に吸収させることができれば、核分裂の連鎖反応を引き起こすことができ、その結果、膨大なエネルギーを獲得することができるようになります。

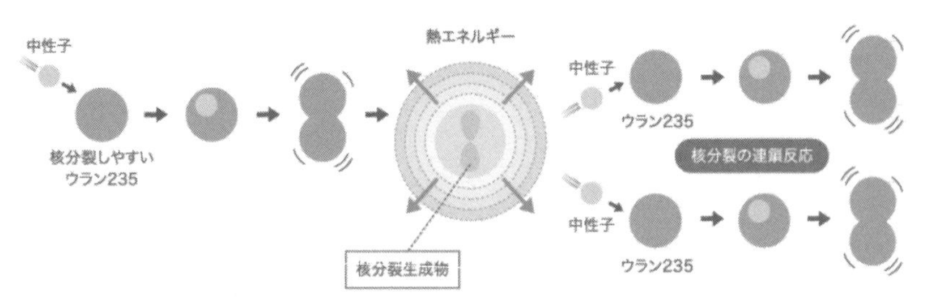

（出典：中部電力）

しかし、ここで思い出さなくてはいけないことがあります。天然ウラン中のウラン235の存在比のことです。核分裂しやすいウラン235は約0.7%しか存在せず、天然に存在するウランのほとんどが核分裂しにくいウラン238なのです。人間がウランを利用するためには、核分裂が連鎖的に行われるように、ウラン中のウラン235の割合を高める必要があります。この、ウラン235の割合を高めることをウラン濃縮、それを行う施設をウラン濃縮施設といいます。では、軽水炉で用いる核燃料中のウラン235の割合はどの程度なのでしょうか。実は、割合としては3%~5%程度と、そこまで高くする必要はありません。ウランをその程度の割合に調整して燃料として加工すると、原子炉で利用したときに臨界状態を起こすことができるようになります。具体的には、平均2.5個の飛び散った中性子のうち、約1個がまわりのウラン235の原子核に吸収されて、それがまた核分裂を起こすというサイクルが核燃料内で保たれるようになります。では約1.5個の余分な中性子はどうなっているのでしょう。これらは、別の物質に吸収させることで処理しているのです。燃料棒の中に95%以上存在するウラン238や原子炉の中の軽水（普通の水)、中性子数を調整するための制御棒が余分な中性子を吸収しています。

ちなみに、ウラン濃縮を徹底的に行い、ウラン235の割合を100%に近いものにすれば、中性子が他の物質に吸収されることがなくなり、核分裂が次々と起こり、一瞬で爆発的なエネルギーが放出されることになります。そして、それがウラン型の原子爆弾の材料となるのです。

原発の是非についての議論は多くなされますが、臨界状態にあるウラン235からは膨大なエネルギーが抽出できるのは事実です。燃料の効率に関して言えば、現状の火力発電と比較すると圧倒的に優れています。具体的な数字を挙げると、100万kWの発電所を1年間運転するために必要な燃料は、天然ガスが95万トン、石油が155万トン、石炭が235万トンなのに対して、濃縮ウランは21トンです。火力発電と比べると、必要な燃料の量が比べ物にならないほど少なくて済むということは理解しておかねばなりません。

高速増殖炉について

高速増殖炉という単語は聞いたことがあるかもしれません。2016年の12月に、福井県敦賀市の高速増殖炉もんじゅの廃炉が決定したことで話題となりました。話題性はあった一方で、そもそも高速増殖炉がどういったものなのかについてはあまり知られていません。しかし、日本の原発政策を語る上で、高速増殖炉の話題を避けることはできません。曖昧な情報に惑わされないように、まずは高速増殖炉がどういったものであるかについて理解していきましょう。

では、いったい高速増殖炉とは何なのでしょうか。簡単に説明するならば、核燃料を用いて発電しながら、消費した以上の核燃料を生成することのできる原子炉のことです。これだけを聞くと、とても素晴らしい原子炉のように聞こえると思います。実際、かつての日本は、夢のエネルギーだとして、国を挙げて高速増殖炉の研究開発を進めてきました。優秀な物理学者がこぞって高速増殖炉の研究に従事していたのです。高速増殖炉について知るには、ウランだけでなく、プルトニウムという物質についても理解しなくてはなりません。そのため、まずはプルトニウムについて学んでいきましょう。

プルトニウムという単語は聞いたことがある人もいるのではないでしょうか。長崎に落とされた原子爆弾がプルトニウム型の原子爆弾だったのです。ウランと同じく核分裂をする物質ですが、ウランとは決定的に異なる点があります。プルトニウムは天然には存在しない、人工的な物質であるという点です。

実は、プルトニウムはウランからできます。それも、天然に多く存在し、核分裂を起こさないウラン238がプルトニウムに変化するのです。ウラン238に中性子を吸収させると不安定な物質になるものの、核分裂は起こしません。その代わりに、ガンマ線とベータ線という2種類の放射線を出すことで安定化します。その安定化した姿がプルトニウム239なのです。そして、このプルトニウム239はウラン235よりも核分裂しやすい性質を持っており、核分裂をすると、ウラン同様にエネルギーを取り出すことができるようになります。つまり、核分裂しにくくエネルギーを取り出せないウラン 238 が中性子を吸収することで、核分裂しやすくエネルギーを取り出すことのできるプルトニウム 239 ができるのです。一般的な原子力発電所で使用されているウラン燃料の中でも、運転中にプルトニウムは生成されており、そのプルトニウムの一部が核分裂するときに発生する熱が発電に役立っています。

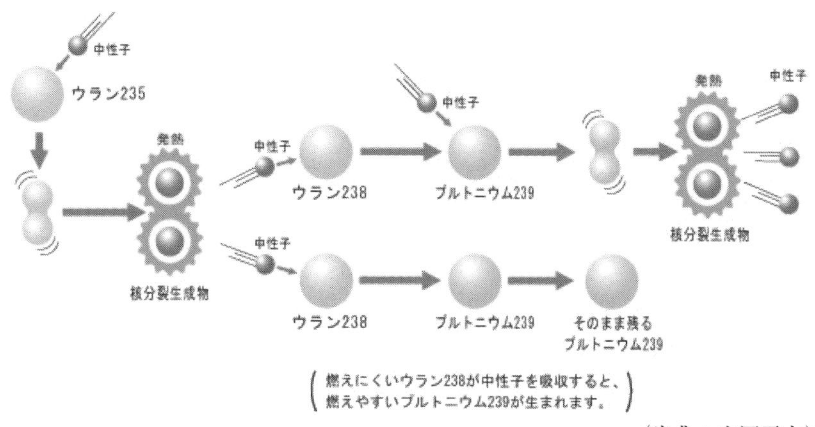

（出典：中国電力）

一般的な核燃料のウラン 238 の割合は 95%~97%、核分裂するウラン 235 は 3%~5% です。ウラン 235 が核分裂すると、平均 2.5 個の中性子が飛び散ります。普通の軽水炉では、そのうち約 1 個の中性子が、他のウラン 235 に吸収されることで臨界状態を保っています。残りの中性子は、ウラン 238 や制御棒、まわりの水に吸収されていました。ウラン 238 は中性子を吸収すると、エネルギーを取り出すことのできるプルトニウム 239 になります。そう考えると、残りの中性子をウラン 238 以外に吸収させるのがもったいなく思えてこないでしょうか。それどころか、残りの約 1.5 個の中性子を全てウラン 238 に吸収させることができれば、使った分よりも多くの核燃料（プルトニウム 239）が手に入るとは考えられないでしょうか。その考えを実現させようとしたのが高速増殖炉です。

ウラン 238 がプルトニウム 239 になる反応を積極的に起こすために、高速増殖炉は一般的な軽水炉とは異なる設計がされています。そして、そもそも用いる燃料棒も異なります。高速増殖炉で用いる核燃料は、MOX燃料といわれる、ウランとプルトニウムが混合されたものです。MOX燃料において、エネルギーを取り出す対象はウラン235とプルトニウム239です。ウラン235とプルトニウム239を核分裂させてエネルギーを取り出し、飛び散った中性子をウラン238に吸収させることで、新しく燃料となるプルトニウム239が生成されるのです。燃料棒の配置の仕方も異なります。軽水炉も高速増殖炉も複数の燃料棒を配置していますが、高速増殖炉では軽水炉より燃料棒を密集させています。物理的な距離を縮めることで、飛び散る中性子をできるだけウラン238に吸収させようとしているのです。また、一般的な軽水炉では、中性子が燃料棒まわりの水に吸収されていました。そのため、高速増殖炉では冷却材に水を使っていません。冷却材には、水の代わりに液体ナトリウムを使っています。ナトリウムは中性子を吸収しにくく、かつ熱がよく伝わる性質を持つため、高速増殖炉に用いる冷却材として適しているのです。ただし、ナトリウムを利用することにはリスクもつきまといます。ナトリウムは水と触れると爆発するのです。この懸念が現実になった事例があります。1995年12月にもんじゅで起きた、ナトリウム漏洩火災事故です。この事件が尾を引いていることで、高速増殖炉に対しての悪いイメージが未だに残っています。この事故を理解するためには、高速増殖炉の構造についてある程度知っている必要があります。そのため、まずは高速増殖炉の構造について学んでいきましょう。

　軽水炉とは仕組みが異なるといっても、原子力発電所の1種であるため、最終的に水蒸気でタービンを回して発電するところは変わりません。MOX燃料は1次ナトリウムに浸されています。1次ナトリウムは燃料が発する核分裂エネルギーによって高温になります。高温になった1次ナトリウムは、その熱を中間熱交換器という部分で、しきりを隔てた2次ナトリウムに伝えます。そして、その2次ナトリウムが蒸気発生器という部分で、薄い鉄板越しの水に熱を伝えることで蒸気が発生します。このとき発生した蒸気でタービンを回しているのです。ちなみに、高速増殖炉も軽水炉と同様、このときの蒸気を海水で冷却して水に戻して再利用しています。日本に存在する高速増殖炉は2つです。1つは、茨城県東茨城郡大洗町にある「常陽」です。常陽は、高速増殖炉開発のための研究を行う実験炉で、日本で最初の高速増殖炉として建設されました。もう1つが、福井県敦賀市にある「もんじゅ」です。もんじゅは、常陽でのデータをもとに日本で2番目に建設された高速増殖炉です。常陽が実験炉であったのに対して、もんじゅは高速増殖炉の実用化のための原型炉でした。ここまでの事柄を踏まえた上で、もんじゅ事故がどういったものだったのかを確認してみましょう。

もんじゅ事故

1991年から運転開始したもんじゅでしたが、1995年12月に、ナトリウム漏洩火災事故を起こします。1次ナトリウムから受け取った熱を水に伝える2次冷却系、つまり2次ナトリウムが流れている部分でナトリウム漏れが起きました。どうしてこのようなことが起きたのでしょうか。問題は、配管内に存在する温度計を守るための保護管の設計にありました。配管内には、流れている液体ナトリウムの温度を調べるための温度計がいくつも存在します。温度計は金属製の丈夫な保護管に包まれ、配管を垂直に貫通する形で設置されています。もちろん、ナトリウムの温度を測るために、温度計の先端部は配管内に流れているナトリウムにさらされています。ここで、温度計を守っている保護管の設計に問題が無ければ良かったのですが、事故を起こした温度計の保護管の設計には問題がありました。保護管が脆弱だったため、常に流れた状態にあるナトリウムからの刺激に耐えられず、保護管が壊れてしまったのです。温度計は配管を貫通するように設置されているため、保護管が壊れてしまったことでナトリウムが漏れだしてしまうようなすき間が生じ、そのすき間からナトリウムが漏れだしました。配管の外に漏れだしたナトリウムは、空気中の水分と酸素に反応して燃焼しました。これが、もんじゅで起きたナトリウム漏洩火災事故です。

ナトリウムが漏れたのは核燃料とは直接の接触がない2次冷却系からであり、放射性物質が放出されることはありませんでした。炉心や1次冷却系には一切の異常がなく、実は事故の程度としてはあまり重大なものとは言えません。あまり知られてはいませんが、事故が起こる前の1994年にはもんじゅで臨界試験にも成功しており、発電もできていました。では、なぜここまでもんじゅの事故に対して悪いイメージがつきまとっているのでしょうか。

これはひとえに、事故後の対応がことごとく悪かったからだといわざるを得ません。事故の発生直後に当時の運転員がとった処置としては、ゆるやかに原子炉の出力を低下させ、時間をかけて原子炉を停止させるというものでした。たしかに、原子炉を緊急停止させるのは炉に負担をかけます。しかし、火災警報が発せられたときは速やかに原子炉を緊急停止させるという対応をとることがマニュアルで定められていました。事故発生当初は、マニュアルに違反する対応がとられていたのです。しかも、その後結局緊急停止をせざるを得ない状況に陥り、それから慌てて緊急停止することになったのです。

悪かったのは事故そのものの対応だけではありませんでした。事故後に公開された検証ビデオが短く編集されたものであったため、すべてを公開するよう指摘を受けたにもかかわらず、映像の公開は少しずつ、小出しになされていったのです。この対応がメディアなどに情報の隠蔽だと激しく批判されました。メディアの報道が過熱したことで多くの国民が不信感を抱くに至り、もんじゅに大量の税金が投入されていたことまでも広く知られるようになったことで、もんじゅに対するネガティブなイメージが形成されていきました。

もんじゅの開発をした動力炉・核燃料開発事業団（動燃）も批判にさらされました。設計図面の検討の段階で、事故の原因となったナトリウム温度計の保護管の脆弱性を見抜き、改善することは可能だったかもしれなかったからです。激しい批判を受けたことで動燃は解体させられ、最終的に別の機関に再編されるまでになりました。

事故を起こすだけでなく事故後の対応までことごとく誤ったことでメディアから激しく批判され、それによって多くの国民がもんじゅと高速増殖炉に強い不信感を覚えました。この不信感を、今なお多くの人々が引きずっているのでしょう。

批判にさらされながらも、1995年12月の事故以降も長い間、もんじゅは維持されてきました。その間、運転が再開できるように工事も行い、一時は運転再開に至りましたが、その後すぐに他のトラブルで再び運転停止することになりました。つまり、もんじゅは存在している間のほとんどの期間、運転停止の状態にあったのです。そして、もんじゅは運転していない間も維持管理に大量の費用を必要としました。原子炉と配管の中の液体ナトリウムは放っておくと凝固して固体になってしまうため、常に電熱器で加熱して液体に保ち原子炉と配管の中を流れ続けさせる必要があったのです。電気代を含む維持管理費に、1日約5千万円、年間で約200億円に及ぶ税金が使われていたとされます。この維持管理費が明らかになったときにも、もんじゅは多くの批判にさらされました。さらに、福島第一原子力発電所の事故を受けて全国の原発の安全対策が見直されたことによって、もんじゅの安全対策費も大きく高騰することになりました。その結果、これ以上のもんじゅの維持はもはや採算が合わないとして、2016年12月、ついに廃炉が決定しました。2019年現在、もんじゅの廃炉作業は今も進められています。

一連のもんじゅのトラブルによって、もんじゅだけでなく、高速増殖炉そのもののイメージもあまり良くないのが現実でしょう。しかし、依然として国は高速増殖炉の開発を目指しています。資源のない日本としては、高速増殖炉の開発は悲願であるからです。原子炉からエネルギーを取り出す理屈に関しても理路整然とはしています。より高速増殖炉についての理解を深める、もしくは日本が目指す原子力政策について知るためには、「核燃料サイクル」というものについて理解しなければなりません。核燃料サイクルについて理解するために、まずは使用済み核燃料の「再処理」とは何なのかについて確認してみましょう。

使用済み核燃料の再処理とは

メディアなどで原発関連の話題がなされるときに、再処理工場という言葉を耳にしないでしょうか。その再処理工場というものが、高速増殖炉を運用して核燃料サイクルを成し遂げるために必須となるのです。

では、再処理工場というのは何をする施設なのでしょうか。簡単に説明するならば、再処理工場では、使い終わった核燃料から不要な物質を取り除き、燃料として再利用することができる物質をまとめなおす、という作業を行っています。具体的な再処理の手順に触れる前に、まず使用済み核燃料について理解しておきましょう。

一般的に、軽水炉で用いられる核燃料は、核分裂しやすいウラン235が3%~5%、核分裂しにくいウラン238が95%~97%の割合で混合した状態にあることは確認しました。その核燃料を核分裂させてエネルギーを取り出す作業を進めると、当然ウラン235は減り、代わりに核分裂生成物が発生します。一部のウラン238は中性子を吸収してプルトニウム239となり、そのプルトニウム239の一部もまた核分裂して、その分の核分裂生成物が生じます。そのため、軽水炉で核分裂エネルギーを取り出し続けると、核分裂するウランとプルトニウムは減少し、それに伴って飛び散る中性子の数と発熱量も低下していきます。その一方で、放射能を持ち毒性のある核分裂生成物は蓄積し続けます。そのため、核分裂性のウランなどを使い切ってしまう前に、原子炉から使っていた核燃料を取り出し、新しい核燃料と交換します。このとき取り出された核燃料が、使用済み核燃料と呼ばれるものです。使用済み核燃料を構成する物質を整理するなら、ウラン235、ウラン238、プルトニウム239、有害な核分裂生成物、燃料被覆管の金属、となります。燃料被覆管というのは、核燃料や核分裂生成物が漏れるのを防ぐために核燃料と原子炉冷却材とを隔てている金属のことです。使用済み核燃料は取り出された後、冷却のために原発内の貯蔵プールに数年保管され、その後に再処理工場に輸送して再処理することになります。

使用済み核燃料について確認したところで、いよいよ具体的な再処理の手順についての説明に入りましょう。まず、使用済み核燃料は機械でばらばらにせん断されてから、熱で溶かされます。その後、被覆管などの金属片が最初に分離されます。被覆管などの金属片は再利用できない上に放射線に汚染されているため、容器に入れて貯蔵庫に保管されます。次に、有害な核分裂生成物が分離されることになります。ここで分離される核分裂生成物は「高レベル放射性廃棄物」とも呼ばれ、強い放射能が極めて長い時間持続する、とても危険な物質です。分離した後にガラス固化して安全に保管されますが、高レベル放射性廃棄物の処理は原発が抱える問題の中でも群を抜いて頭を悩ませるものといっていいでしょう。被覆管などの金属片と種々の核分裂生成物を取り除いたら、あとに残っているのはウランとプルトニウムだけです。その状態から、ウランはウランだけ、プルトニウムはプルトニウムだけに一度精製します。その後、精製されたプルトニウムに、精製されたウランの一部を適切な割合で混合することで、再び核燃料として利用することができるようになります。このウランとプルトニウムが混合された状態のものが、高速増殖炉において燃料として用いられる MOX 燃料の元となるのです。精製されたウランの一部はプルトニウムと混合するために使用されますが、それ以外のウランはウランのみでまとめられて軽水炉で利用するための核燃料の元となります。

日本の政策としては、使用済み核燃料は全量再処理することになっています。資源の無い国としては、できるだけ無駄なくウランとプルトニウムを利用してエネルギーを取り出したいと考えているのです。しかし、再処理工場には問題点も存在します。なにより一番の問題は、コストがかかるということです。使用済み核燃料を再処理せずに直接処分する場合と比べると、その費用の差は莫大となります。また、高レベル放射性廃棄物を取り扱うため、もし事故が起きた場合の環境汚染は原発よりも大きくなるというリスクもあります。

現在の日本の再処理工場の主力は、日本原燃という企業が所有する青森県六ヶ所村の再処理工場です。ただ、この再処理工場について驚きの事実があります。2019 年時点で既に 23 回の完成延期がなされており、未だに正式な稼働に至っていないということです。茨城県の東海村には稼働している再処理工場が存在しますが、再処理施設としての規模は小さく、あまり多くの使用済み核燃料を再処理することができていません。そのため、日本は使用済み核燃料の再処理の多くを今までフランスやイギリスに委託してきたという事実があります。23 回も延期がされたという事実を聞くと、本当にその工場は完成するのか甚だ疑問に思う人が多いと思います。

ですが、23回の完成延期よりもショッキングな事実が存在するのです。

使用済み核燃料が一定期間、原発内の貯蔵プールで冷却されることは確認しました。もし貯蔵プールがいっぱいになってしまったらその原発はどうなってしまうのでしょうか。この場合、それ以上の使用済み核燃料を貯蔵する場所がなくなるため、その原発は稼働できなくなってしまいます。再処理工場が正式に稼働していれば使用済み核燃料を移動させられるため特に問題はありませんが、まだ六ヶ所村の再処理工場は完成すらしていません。ではなぜ日本では現在も原発を稼働させることができているのでしょうか。結論から言うと、再処理施設内にある貯蔵プールに原発の使用済み核燃料を移動させることで、原発内の貯蔵プールを満杯にさせないようにしているのです。再処理施設内の貯蔵プールは再処理予定の使用済み核燃料を貯蔵するためのものであり、日本の全量再処理という政策を理由として、全国の原発が使用済み核燃料の移動先として、完成の目処が立たない再処理工場の貯蔵プールをあてにしているのです。つまり、現状としては、再処理施設というのは体のいい使用済み核燃料の移動先として利用されていると言えましょう。もちろん実際に再処理できるのが最善としながらも、たとえそれができなくても、原発の貯蔵プール内の使用済み核燃料を、全量再処理という大義を持って他の貯蔵プールに移動させ、既存の原発を動かし続けることができればよい、という考えが透けて見えてしまいます。日本がこれからも原発を使っていきたいと思っているのなら、これ以上の再処理工場の完成延期はやめ、次の完成予定時期以降は正式に使用済み核燃料の再処理作業を進める必要があるでしょう。

核燃料サイクルとプルサーマル計画

これまでに再処理工場と高速増殖炉について確認してきました。これらについて知っていれば、現在の日本が目指している核燃料サイクルについてはほとんど理解できてしまいます。軽水炉の使用済み核燃料を再処理するとウラン燃料とMOX燃料の元ができます。ウラン燃料は再び軽水炉で利用し、その使用済み核燃料を再処理してまた利用するのが軽水炉サイクルと呼ばれます。同じように、MOX燃料は高速増殖炉で利用して、その使用済み核燃料を再処理して再び高速増殖炉で利用することを高速増殖炉サイクルと呼びます。この軽水炉サイクルと高速増殖炉サイクルの2つのサイクルを回していくことが、日本が理想としている核燃料サイクルなのです。実際、この2つのサイクルをしっかりと回すことができれば、ウランとプルトニウムを無駄なく使うことで、より少ない原料からより多くのエネルギーを取り出すことができることになります。

しかし現実は理想通りにいかないものです。高速増殖炉はうまくいっておらず、また世間からの風当たりも強い。再処理工場の主力としている六ヶ所村再処理工場はいつまでも完成せず、再処理の多くをイギリスやフランスに委託していることも説明しました。ただ、規模は小さいとはいえ、茨城県東海村の再処理工場で再処理はできています。動かせていないのは高速増殖炉です。再処理工場が稼働しながら高速増殖炉が稼働していないとどうなるのか想像できるでしょうか。情報を整理して考えれば、それがプルトニウムの蓄積につながることがわかると思います。軽水炉では、ウラン燃料を消費していくうちに、燃料内にプルトニウムが蓄積していきます。再処理工場では使用済みの燃料からプルトニウムを抽出してMOX燃料の元を作ります。高速増殖炉では、プルトニウムを増やしながらも、最終的にはプルトニウムを消費してエネルギーに変えます。これらを踏まえると、高速増殖炉を稼働できないことがプルトニウムの蓄積につながることがわかります。

エネルギーに転換しないにもかかわらずプルトニウムを国内にため続けてしまうと、外国からとある疑いをかけられてしまいます。核武装の疑いです。プルトニウムは原爆を作る材料となるため、基本的にプルトニウムの抽出は核保有国以外には認められていません。ですが、日本は日米原子力協定によって、高速増殖炉の開発とプルトニウムの抽出が特別に認められています。その代わりに、日本は核拡散の阻止などを目的としているIAEA（国際原子力機関）という機関に対してプルトニウムの申告をきちんと行い、再処理工場などの査察も受け入れています。核物質の申告と査察の受け入れを真摯に行っているため、日本はIAEAの優等生として認識されています。それでもアメリカなどが日本のプルトニウムの保有に対して、核不拡散に関する懸念を示しており、プルトニウムの削減を日本に要求しているという事実があります。あまり核武装の疑いを持たれたくない日本としては、高速増殖炉が利用できない中でなんとかプルトニウムを消費する方法はないかと考えました。そこでプルトニウムを消費する次善の方法として立ち上がったのがプルサーマル計画です。

プルサーマル計画とは、既存の軽水炉でMOX燃料を使用することでプルトニウムを消費するという計画です。軽水炉はウラン燃料を使用することを想定しているため、MOX燃料を用いて運転させるのは、ややリスクがあります。そのため、青森県下北郡大間町には現在、MOX燃料の使用を想定した大間原子力発電所が建設されています。

軽水炉サイクルと高速増殖炉サイクルの2つのサイクルを回すことが国のエネルギー政策としては理想とされていて、それが実現しないためプルサーマル計画が持ち上がったことは確認しました。ではプルサーマル計画が順調に進んでいるかというと、そうとも言えません。使用済み核燃料の再処理、つまりプルトニウムの抽出にかかるコストが大きいため、なかなかプルサーマル計画が進展していないのが実状です。ですが一部実施されてはいます。そのため、現状の核燃料サイクルとしては、再処理してできたウラン燃料を再び使用する軽水炉サイクルを回しながら、再処理してできたMOX燃料を軽水炉で使用し、その使用済み核燃料を再び再処理し、MOX燃料にして軽水炉で利用するという、プルサーマル計画を組み込んだもう1つのサイクルを回しているといった状況です。プルサーマル計画を組み込んだサイクルでは、高速増殖炉サイクルのようにプルトニウムを増やしながら消費するといったことはできませんが、たまったプルトニウムを消費することだけならできます。こうしてプルトニウムを消費していくことで、他国から受ける核武装や核拡散の疑念を払拭しようとしているのです。ただ、依然として国内にたまっているプルトニウムの量は莫大であり、また、日本は高速増殖炉の開発と運用をあきらめていないという点は認識した方が良いでしょう。

放射性廃棄物の処分について

今までに、原発がどういったものなのか、高速増殖炉や再処理工場とは何なのか、核燃料サイクルやプルサーマル計画といった言葉がどういう意味なのかについて確認してきました。今回は、原発をエネルギー源として利用するなら決して避けられない問題である、放射性廃棄物の処分について説明していきます。

原発の最終廃棄物の問題は、原発に賛成か反対かを問わず取り組まなくてはならない問題です。なぜなら、たとえ将来の日本が原発をエネルギー源として利用することがなくなろうとも、これまで数十年間原発を動かし続けてきた事実は変えられず、今までに生成された放射性物質は大量に存在するからです。筆者自身、原発を利用する上で最も厄介だと感じるのが、放射性廃棄物の処分の問題です。

原発から出る放射性廃棄物の中でも特に問題となっているのは、ウランとプルトニウムが核分裂をしたときの核分裂生成物です。使用済み核燃料の再処理の説明で述べたように、この核分裂生成物がいわゆる「高レベル放射性廃棄物」と呼ばれています。ウランとプルトニウムの核分裂には様々なパターンが存在するため、その核分裂生成物は元素としては40種類以上にも及び、その多くが強い放射能を持っているとされます。高レベル放射性廃棄物はガラス原料と混ぜられてから高温で溶かされ、その後キャニスターというステンレス製容器に流し込まれて固められます。その状態のものを「ガラス固化体」といいます。ガラス固化体の表面は、1本で約14,000シーベルト毎時という線量率だとされます。シーベルト毎時というのは1時間あたりの放射線量のことですが、致死量の放射線量が7シーベルトであるとされていることを考えると、14,000シーベルト毎時というのは2秒程度で致死量に達するという計算になります。もちろん14,000シーベルト毎時というのはガラス固化体表面でのことであり、表面から1メートル離れた位置では約420シーベルト毎時であるとされ、距離によって大きく線量は異なります。とはいえ、やはり生成直後のガラス固化体の周りの放射線量は莫大であり、天然ウラン鉱石レベルの放射能になるまでには

10万年程度が必要だとされています。

それでは、これほど危険な高レベル放射性廃棄物はどのように処分されるのでしょうか。実は処分方法はすでに決まっています。「地層処分」です。宇宙に捨てるなど、より良い処分方法がないのか考えられたものの現実的な案は出ず、結局、国際的にスタンダードな高レベル放射性廃棄物の処分方法である地層処分を日本でも採用することが決定されました。では、地層処分に至るまでの処理方法について順を追って確認していきましょう。

まずは、前で述べたように、ガラス固化体の製造から始まります。使用済み核燃料の再処理を行う際に、再利用できるウランとプルトニウムを抽出し、使い道が無く有害な核分裂生成物は分離されます。再処理を行う際に使用済み核燃料は溶解されるため、分離された核分裂生成物は廃液として扱われます。その廃液はガラス原料と混ぜ合わされ、高温で溶かされます。その状態のものを厚さ5ミリのキャニスターと呼ばれるステンレス製容器に流し込み、冷やして固めます。これが「ガラス固化体」です。ガラス固化体は、直径0.43メートルで高さ1.34メートルの円柱型です。重さとしては約500キロだとされます。製造直後のガラス固化体は熱く、200度にも及ぶとされ、まずは冷却のために30年~50年貯蔵されます。

その後、ガラス固化体をキャニスターごと、「オーバーパック」という厚さ20センチの金属製の容器に入れます。このオーバーパックのサイズは、直径が0.82メートルで高さが1.73メートルとなっています。重さとしては、この時点で5トン以上にもなります。ここまでしてようやく地層処分の準備が整います。

オーバーパックにガラス固化体を入れた後、本格的に地層処分の作業に入ります。地層処分は、地下300メートルから1000メートルの安定した地層中の岩盤を選んで行います。適した岩盤がある場所に広い地下処分場を作り、その地下処分場までをアクセス坑道という地上からの道でつなぎます。実際に地下処分場に埋める際はオーバーパックの周囲70センチ程度をさらに粘土で取り囲み、この粘土までを高レベル放射性廃棄物の「人工バリア」として機能させます。この状態で、地下の処分場に間隔をあけて4万本のガラス固化体を約4平方キロメートルの範囲に埋める計画となっています。埋めるのには無人機が用いられることになっており、1日に数本ずつ、年間で1000本程度のペースで埋設される予定です。そのペースだと4万本を埋設するのに40年以上かかる計算となります。放射性廃棄物の埋設が終了すると、地下処分場は完全に埋め戻すことになります。その埋め戻し作業には10年ほどかかるとされ、実際に計画が実施されてからも先が長い話となります。

今まで処分方法について述べてきましたが、日本は処分する対象であるガラス固化体をどれくらい保有しているのでしょうか。2011年12月時点の話となりますが、国内には1780本のガラス固化体が保管されています。他に、イギリスとフランスに使用済み核燃料の再処理を委託してから未返還となっているガラス固化体が約872本相当、国内の未処理の使用済み核燃料をガラス固化体に換算すると24,700本相当だとされています。つまり、日本としては合計で28,000本程度のガラス固化体を保有している計算になります。

では、そもそも高レベル放射性廃棄物を地層処分にする狙いは何なのでしょうか。ガラス固化体はオーバーパックという金属製の容器に入れられ、さらにその周りを厚く粘土で覆われます。この粘土までがガラス固化体の人工バリアであることはすでに確認しました。この状態で地下数百メートルの場所に廃棄することで、放射性物質が人間の生活圏にまで移動するまでに、ガラス固化体が天然ウラン鉱石レベルの放射能に落ち着く10万年という期間をかせがせるというのが地層処分の狙いなのです。人工バリアが壊れてしまっても上部数百メートル分の土が放射性物質を捉える「天然バリア」となって地表への影響が抑えられる、また、地下深くで流れている水の流れは遅いため、仮に地下水が汚染されてもその水が人間に影響を及ぼすことは考えにくい、というのがその狙いの根拠となっています。

地層処分がどのようなものなのか理解したところで、日本が地層処分を選ぶまでの経緯を、時系列を踏まえて確認していきましょう。

高レベル放射性廃棄物の処分方法についての議論のスタートは諸外国より遅れていました。60年代には原発の建設が始まっていたにもかかわらず、原発導入当初は放射性廃棄物の問題には触れてこなかったのです。

1976年になってようやく原子力委員会による「放射性廃棄物対策について」の議論が始まりました。議論を進める中で、1980年に行われた「高レベル放射性廃棄物研究開発の推進について」の議論で地層処分の検討がなされることになりました。このとき始まった地層処分の検討から決定までには時間がかかることになります。協議会や準備会などを経て、1995年に原子力委員会が「高レベル放射性廃棄物処分懇談会」を設置することになりました。懇談会では会合が何十回も行われ、全国5か所で意見交換会もされました。その後、1998年に「高レベル放射性廃棄物処分に向けての基本的考え方について」というこれまでの懇談会の報告書が完成します。このプロセスを見ると、決して地層処分という方法が勝手に決められたものではないということが分かります。しかし、この時点で諸外国に比べ、地層処分の方針が固まるまでに10年から20年の遅れを見せてしまいました。さらに、まだ事業主体も資本確保もない状態だったため、これらを解決するためにも法律が要請されました。ここから法制化まではあっという間に進むことになります。現状の技術の延長線上で日本でも地層処分が可能であるとして、2000年6月に国会で「特定放射性廃棄物の最終処分に関する法律」が制定されました。つまり、高レベル放射性廃棄物は地層処分にすることが既に法律で決められているのです。法律が制定された同月には、原子力環境整備機構（NUMO）という地層処分を日本で唯一実施する組織が設立されました。

懇談会の報告書が出されてから法制化までが急ピッチで進められた背景には、青森県の意向があったとされます。青森県六ヶ所村の再処理工場が着工されたのは1993年でした。再処理工場について説明したときにも触れましたが、原発は使用済み核燃料の貯蔵プールが満杯になると稼働できなくなってしまいます。そして日本の政策としては、使用済み核燃料は全量再処理です。つまり、再処理工場に使用済み核燃料を集約させて原発の貯蔵プールが満杯になることを防ぐことで、既存の原発を動かせる態勢を整えている側面があるのです。そのため、全国の原発から六ヶ所村に使用済み核燃料が集められます。そこで再処理が行われればよいのですが、仮に再処理ができなくなったら、なし崩し的に六ヶ所村が使用済み核燃料の最終処分地にされてしまう可能性が考えられました。青森県はそれを避けるために最終処分の枠組みを法律で求めたのです。実際、六ヶ所村貯蔵プールに使用済み核燃料の搬入が開始されたのは2000年12月からであり、地層処分の法律制定とNUMOの設立がなされた半年後となっています。法律制定の前にも、1995年に当時の青森県知事は科学技術庁長官に、知事の了承が無ければ最終処分地にはしないという旨の確約書を書かせました。1998年には、青森県と六ヶ所村、そして六ヶ所再処理工場を所有する日本原燃との間で、再処理を断念した場合には使用済み核燃料を県外に搬出するという覚書も交わしています。最終処分地ではないことを強調する青森県を納得させるために、地層処分の立法が急がれたのです。青森県の立場が、日本政府の原発政策を規定している側面があることは認識しておいてよいでしょう。

日本では高レベル放射性廃棄物が地層処分されることが法律で決まっています。この話題で最も重要なのは、処分地をどこにするのかという問題です。処分地を選定する調査方法とその手順はすでに決められています。まずは、その土地の過去の履歴などを調べる文献調査が行われます。文献調査で問題が見つからなかった場合、ボーリング調査などで地盤を調べる概要調査が行われることになります。概要調査でも問題がなければ、調査としては最終段階である精密調査に入ります。ここでは地下調査施設を作り、そこで試験や調査を行うことになります。精密調査をクリアすれば、ようやく施設建設に入ることができます。処分地決定までには、文献調査、概要調査、精密調査、施設建設というステップが存在するのです。また、知事や市町村長が反対した場合は、たとえ調査をクリアしても次の段階に進めないことになっています。

処分地の候補を決めるため、2002年に文献調査の公募が開始されました。2007年1月に高知県東洋町の町長がこれに応募したところ、地域住民の猛反発を受け、わずか3か月後に応募の撤回に追い込まれた事例があります。この事例から考えてみたいこととして、NIMBY（ニンビー）の問題があります。NIMBYはNot In My Back Yardの略です。意味としては、「施設の重要性は認める一方で、自らの居住地域周辺にその施設を建てることは拒絶する」というものです。

原発に賛成か反対かを問わず、私たちは今まで原発が生み出したエネルギーの恩恵を何十年にもわたって受けてきました。日本が何十年も原発を利用してきて、使った分だけ放射性廃棄物がたまっているという事実からは逃げられません。必ず日本のどこかに処分地を作り、そこに放射性廃棄物を捨てなくてはいけないのです。私たちはそのことを意識しなければなりません。いつまでも問題を先延ばしにはできないのです。

また、施設の安全性の程度には、どこかで妥協が必要です。永久の安全など存在しません。どの人工物もいつかは壊れます。地層処分の狙いは、放射性物質が人間の生活圏に移動するまでに、人工バリアで1000年程度、天然バリアで10万年程度もたせることです。実際に10万年もつかどうかは疑わしいものですし、何を根拠に10万年や1000年といった数字を出しているのかもわかりません。ですが、適切な場所に処分すれば、相当の期間高レベル放射性廃棄物を封じ込めることができるのは確かでしょう。1000年前や1万年前、10万年前というのを具体的に想像することができるでしょうか。1000年前の日本は平安時代で紫式部が活躍していた時代です。1万年前は石器時代で、日本では縄文時代です。10万年前はホモ・サピエンス（現代人）がアフリカから世界に進出を始めたとされる時代です。1000年後の人々のために責任を持つことは大切かもしれませんが、数万年後の人々に対して私たちがどこまで責任を持つ必要があるのでしょうか。数万年後に人類が存続しているかどうかもわかりません。人類以外の生命体に対しても責任を持たなくてはいけないのでしょうか。そもそも高レベル放射性廃棄物は100年もすれば放射能はかなり弱くなりますし、放射性物質と銃を比べれば遥かに銃の方が危険です。

北欧のフィンランドでは、高レベル放射性廃棄物を処分するための地層処分場の建設が始まっています。それに比べ、日本では文献調査すら行われていません。それどころか、高レベル放射性廃棄物の問題を認識している人がほとんどいないのが実状でしょう。問題が解決に向かわないのは、政治にも責任があると思います。地層処分が法律で決まっていることを知っている人がどれだけいるでしょうか。原子力業界の有識者は真面目に放射性廃棄物の対策を考え、地層処分という決定を出しました。しかし専門家が真面目に考えたからといって、それで国民の納得を得られるかは別問題です。事実、国民の間で地層処分の合意が形成されているとは言えません。どこかのタイミングで必ず、国が前面に立って地層処分の必要性を国民に説明しなくてはいけません。それが今まで先延ばしにされています。逆に、私たち国民も問題をしっかりと認識し、処分地の決定に関しても、拒絶や押し付け合いにならないように理解を深めていく必要があります。

処分地を決めようとも、文献調査に応じる市町村がまず存在しません。そんな中、私たち国民側にできることは地層処分についての理解を深めることしかありません。ですが、市町村が文献調査を受け入れるのかどうか検討する際に、1つ参考にできるものがあります。「科学的特性マップ」というものです。これは、既存のデータを基に、高レベル放射性廃棄物の処分地に適していると思われる場所を示したマップであり、2017年7月に経済産業省資源エネルギー庁が提示したものです。インターネットで検索すればすぐに見つけることができます。私たちも一度そのマップを見てみるべきでしょう。自分が住んでいる地域が処分地に適している可能性があるのかどうかについて知るだけで、問題をより深く理解し、よりリアルに捉えることができると思います。

処分地決定の問題は、ただ話し合ったところで解決しがたい問題ではあります。ですが、そのような問題こそ話し合いの場に引っ張り出してくることが大事です。そんな場面における話し合いにおいて、科学的な事柄をわかりやすく説明するサイエンス・コミュニケーションは必須になると考えます。

放射線と人間の健康

ここまで放射性廃棄物の処理という重たい話題に触れてきました。しかし、原発が抱えるリスクは基本的に放射性廃棄物の処理と事故時の放射線の拡散という2点に集約されるため、これらの話題から逃れることはできません。実際、人間が大量の放射線を浴びると様々な悪影響を受けます。

福島での原発事故以降、日本では放射線の問題が数多く取り上げられました。ただ、その中で人の不安を煽るような不確かな情報が出回ってしまったこともあります。人は知らないものに対して必要以上に恐怖を覚えるものです。さらに、知識がない状態ではエセ情報に対する耐性がなく、ウソに振り回されてしまうかもしれません。放射線が私たちの身の回りに普通に存在していて、また、医療や農業、工業において広く利用されていることをどれだけの人が知っているのでしょうか。ここでは放射線が人体に与える影響についての話に絞りますが、放射線に対する正しい理解をして、必要以上に不安を感じることなく正しく放射線と向き合えるよう説明していきます。

放射線には様々な種類が存在しますが、高エネルギーの粒子線と高エネルギーの電磁波の2種類に大きく分けることができます。粒子線の方には核分裂に重要な中性子線などが含まれ、電磁波の方には体内の診断のときに用いるX線などが含まれます。放射線は高エネルギーであるため、物質を通り抜けたり、物質を構成する原子や分子を電離させることができます。電離というのは、中性の原子や分子が電気を帯びた原子やイオンに分かれることを意味します。物質を通り抜ける性質を「透過力」、原子や分子を電離させる性質を「電離作用」といいます。そして放射線が人体に影響を及ぼすのは、これら2つの性質が要因となっています。

ただし、放射線の種類ごとに透過力も電離作用も異なります。透過力の弱いα線は紙1枚で遮ることができるのに対し、透過力の強い中性子線を止めるには水やコンクリートを必要とします。つまり放射線から身を守るためには、放射線の種類ごとに適切なバリアの材料とバリアの厚さを選ぶ必要があるのです。そして、実際に人体に影響を与えるのは電離作用です。放射線が持つ電離作用が遺伝子を傷つけ、細胞に影響を及ぼしています。

ここで、よく用いられる用語の確認をしましょう。「放射線」は高エネルギーの粒子線か電磁波、「放射性物質」は放射線を出す物質、「放射能」は放射線を出す能力を意味しています。放射性物質の放射能は時間とともに弱まっていくため、あるとき放射能が最初の半分になる瞬間が訪れます。この、放射能が半分になるまでにかかる時間を「半減期」といいます。半減期は放射性物質の種類によって決まっています。放射能と（放射）線量を表す単位は異なり、放射能の強さの単位に「ベクレル」、人体への影響を表す線量の単位に「シーベルト」が使われています。また、時間あたりの放射線量を「線量率」といい、単位には「シーベルト毎時」などが用いられます。他に、医療などで人体が放射線を受けることを「被曝（被ばく）」、原子爆弾などで放射線の被害に合うことを「被爆」として使い分けてもいます。被曝の曝は常用漢字ではないため、通常は被曝の意味で使うときは「被ばく」と書かれます。

用語の確認をしたところで、放射線がどれだけ身近なものであるかの説明に入ります。私たちの周りには、常に天然物から発せられる放射線が飛び交っています。宇宙からは宇宙線という放射線が降り注ぎ、大地に微量に含まれるウランや空気中のラドンというガスは放射性物質であるため、常に放射線を出しています。地球に住んでいる限り、放射線からは逃げられません。食べ物にも放射性物質は含まれています。海藻やほうれん草などに含まれる必須栄養素であるカリウムが代表です。すべてのカリウムが放射能を持つわけではありませんが、カリウム約１万個のうち１個が放射性のカリウム 40 であるとされます。呼吸や飲食で取り込まれた放射性物質は時間がたてば体外に排出されるものの、私たちは常に体の内外から被ばくをしているのです。なお、私たちが普段から受けている自然放射線と放射性廃棄物などから発せられる人工放射線の物理的性質は同じであり、人体に対して与える影響にも変わりはありません。

面白い事実があります。地域や場所、周りの条件などで自然放射線の飛び交う量はかなり異なるということです。地下やトンネル内では大地からの放射線が全方向から出ているため放射線量が高くなっています。上空では、高度が高いほど宇宙線を遮る空気が少なくなるため放射線量が高くなります。また、花崗岩はウランを多く含むため、花崗岩が多い地域や花崗岩が多く使われた建物の近くも放射線量は多いです。それに対して、海や湖の上などでは、水が大地からの放射線を遮るために放射線量は少なくなります。国によっても自然放射線の量は異なります。日本の自然放射線の線量率は１ミリシーベルト毎年程度だとされていますが、世界には日本の

10倍以上の線量率となる地域がある国も存在します。

しかし、それで普段の生活や海外旅行に神経質になる必要はまったくありません。被ばく線量が100ミリシーベルトに満たない程度では人体への影響は確認できないのです。日本人が通常の生活を送る中で、なかなか100ミリシーベルト以上の被ばくに至ることは考えられません。被ばくが100ミリシーベルトを超えるとがん死亡のリスクが徐々に上がっていくとされていますが、たとえ100ミリシーベルト以上の放射線を受けたとしても、それが長期間の被ばくの蓄積によるものであるなら、一度に受けている被ばく線量は低いため、影響は少ないとされています。

では、実際に健康に影響を及ぼしてしまう被ばく線量の目安を、簡単に確認していきましょう。被ばく線量が100ミリシーベルトを超えるとがん死亡のリスクが高まり、500ミリシーベルトを超えると白血球が減少し始めます。白血球は免疫作用に重要なため、減少すると感染症にかかりやすくなるなどの影響があります。1000ミリシーベルトを超えると自覚症状が現れるとされ、自覚症状には二日酔いに似た症状や脱毛などがあります。そして4000ミリシーベルトを超えると被ばく者の半数が骨髄障害で死亡してしまいます。少量の放射線なら問題はないものの、やはり被ばくが少ないに越したことはありません。そこで、受けていい放射線の線量率が法律で決まっています。その線量率を「線量限度」といいます。私たち一般人の線量限度は1ミリシーベルト毎年です。そして、原発作業員のように職業として放射線を扱っている人々の線量限度は、1年間で50ミリシーベルト、5年間では100ミリシーベルトと定められています。ただし、線量限度を超えたら直ちに危険が訪れるわけではないことは認識しておきましょう。放射線を受けたときに症状が出始める最小の放射線量を「しきい線量」といいますが、線量限度はしきい線量よりもさらに低いところに設定してあります。線量限度はルールではありますが、神経質になりすぎる必要はありません。

被ばく線量が100ミリシーベルトを超えるとがん死亡のリスクが徐々に高まるといいましたが、そもそも放射線とがんにはどのような関係があるのでしょうか。実は、放射線が健康に影響を及ぼす理由のほとんどは、放射線が細胞のDNAに傷をつけることにあります。人体が放射線にさらされると、放射線自体が直接DNAを傷つけたり、放射線の電離作用によって体内の水などが電離したことで生じるラジカルという不安定な物質や電子がDNAを傷つけます。ラジカルは不安定な状態にあるため、少しでも安定化しようと様々な物質とめちゃくちゃな反応をしてしまいます。そのラジカルがDNAと反応した場合、DNAは切断されてしまうのです。

放射線がDNAを傷つけるといっても、DNAの損傷は日常的に起こることです。活性酸素や紫外線、化学物質などによって比較的簡単にDNAは傷ついています。しかし、私たちの体にはしっかりとした防御機構が存在します。傷ついたDNAのほとんどはすぐに完全に修復されるのです。もちろんまれに修復にミスすることもありますが、その場合は傷ついたDNAを持つ細胞が死に至ることで影響が抑えられます。ただし、死んでしまった細胞が少ない場合は問題ないものの、大量の放射線などによって無視できない量の細胞が死んでしまうと白血球の減少などの症状が出てきてしまいます。

ごくまれに、修復にミスしたDNAを持つ細胞が生き残ってしまうことがあります。DNAとは私たちの体の設計図です。その設計図に誤りがあると、当然本来の目的とは異なる産物が生まれます。その産物ががん細胞なのです。

ただし、発がんの原因がすべて放射線にあるとは考えないでください。DNAが傷ついて発がんに至る原因は、喫煙や飲酒、運動不足などの生活習慣、大気汚染や紫外線などの環境要因、先天的な遺伝子異常、特定箇所への慢性的な刺激など、放射線以外にも数えたらきりがありません。被ばくがすぐに発がんにつながるわけではなく、発がんの原因は多岐にわたることを理解した上で、放射線が発がんの原因の１つであるとして被ばくを少なくすることが大切です。

被ばくすると細胞が死んだり、がん化したりすることは説明しましたが、どの細胞が被ばくするかによって、被ばくを大きく３つに分類することができます。「体細胞への被ばく」、「生殖細胞への被ばく」、「胎児への被ばく」、の３つです。体細胞への被ばくにおいて影響を受けるのは被ばく者本人だけですが、生殖細胞と胎児への被ばくにおいて影響を受けるのは被ばく者の子孫です。また、被ばくによる障害も、受けた放射線量とその影響によって大きく2つに分類されます。「確率的影響」と「確定的影響」の2種類です。確率的影響とは、被ばく線量に比例して発生確率が増えていく障害のことであり、がんや遺伝的影響がこれにあたります。被ばくしたらすぐにがんになるわけではないものの、多くの放射線を受ければそれだけリスクが上がるため、がんは確率的影響に分類されます。遺伝的影響とは、生殖細胞の遺伝子が放射線によって傷つき、それによる遺伝子の損傷が子孫に受け継がれてしまうことです。遺伝病やその他の異常が症状として考えられます。しかし、被ばくしたら必ず遺伝的影響が出るわけではありませんし、放射線だけが生殖細胞を傷つけるわけではありません。そのため、これもがん同様に確率的影響に分類されます。それに対して、確定的影響は、受けた放射線量の増加にしたがって重症度が増す障害のことを意味します。二日酔いに似た症状や脱毛、白血球の減少などが具体例としてあげられます。これらは被ばくによって様々な細胞が死ぬことによって起こる症状ですが、実際にはかなり大量の放射線を浴びなければ発症することはありません。つまり、被ばく線量を下げることで、確率的影響は減少し、確定的影響については防止できるのです。前で述べた線量限度も、確率的影響と確定的影響を考慮して設定されています。

最後に胎児への被ばくについてですが、これは一般的な被ばくより深刻に認識する必要があります。胎児は私たちよりもはるかに細胞増殖が盛んであるため放射線への感受性が高く、同じ被ばく線量であっても成人の数倍の影響が出てしまいます。着床前期で被ばくすると出生前死亡する恐れがあり、それ以降の被ばくでは胎児の形態異常や機能異常を引き起こす可能性があります。そこで日本産婦人科学会が提唱している胎児の被ばく安全限界は50ミリシーベルトです。普通に生活していたら、妊婦が50ミリシーベルト以上の被ばくをするようなことはあまり考えられませんが、胎児が大人よりも放射線に対して敏感であることは覚えておいた方がよいかもしれません。

福島第一原子力発電所の事故について

ここまでは、原発やそれに関連する諸問題についての細かい説明ばかりしてきました。しかし、そもそも日本でここまで原発が社会的な問題として取り上げられるようになったのは、2011年3月11日の東日本大震災に伴う福島第一原子力発電所の事故が起きてからでした。そのため、原子力の問題について理解しようとする中で、当時福島第一原発で何が起きていたのか、という話題を避けて通ることはできません。ここでは、2016年3月13日にNHKで放送された「NHKスペシャル 原発メルトダウン 危機の88時間」を参考に、最も現場が緊迫していた地震発生から88時間までの状況を、時系列を踏まえて説明していきます。

福島第一原発は、6つの原子炉を抱える世界でも有数の原発でした。2011年3月11日の午後2時過ぎ、マグニチュード9.0の大地震が起きました。このとき運転していたのは6つある原子炉の内、1号機、2号機、3号機の3つでした。地震直後、運転していた全ての原子炉は自動で緊急停止させられました。緊急停止というのは、中性子を吸収して核分裂の連鎖反応を抑えるための制御棒を全て核燃料の間に挿入することです。しかし、原子炉を緊急停止させた後すぐに核分裂が収まるわけではなく、しばらくの間、核燃料は極めて高い熱を放出し続けます。このときの対応として最も重要なのは、原子炉の冷却でした。原子炉を緊急停止させた後、1号機でイソコンという非常用の冷却装置が自動で起動しました。イソコンは、原子炉から発せられた蒸気をタンクの水の中に循環させることで冷却することのできる装置のことで、福島第一原発の稼働が始まって以来40年間、一度も使ったことがないものでした。地震の影響で外部電源は喪失してしまいましたが、当初は非常用ディーゼル発電機が起動しており電源には困っていなかったため、イソコンによる冷却作業はつつがなく行われ、原子炉内の状況を示す計器も作動していました。原子炉の冷却が最重要だった一方で、急な冷却は原子炉に与えるダメージが大きくなってしまいます。1号機はイソコンによってかなり冷却されたため、原子炉へのダメージを鑑みて、イソコンの起動と停止を繰り返すことで冷却のバランスを保っていました。そのとき突然、非常用ディーゼル発電機が停止しました。これによって1号機の全交流電源が喪失してしまいました。イソコンは、起動と停止の切り換えにのみ電気を必要とし、一度起動すれば冷却に電気を必要としないシステムです。そのため、イソコンが起動しているタイミングで電源が失われていたのであれば、原子炉の冷却は行われます。ただし、このときはイソコンの起動と停止を繰り返す状況だったため、電源が喪失したときにイソコンが起動していたのか停止していたのかがわからなくなってしまいました。

その頃、2号機ではRCICというイソコンとは別種の非常用冷却装置を起動したところでした。RCICも、イソコンのように一度起動すればそれ以降は冷却に電気は必要としないシステムを持っています。RCICの起動直後に2号機でも全電源が喪失しました。実はこのとき、地震によって起きた津波が原発を襲っていたのです。津波は建物のシャッターなどを打ち破り、建物の中に侵入してきました。そして津波は地下にあった非常用のバッテリーや電源盤などを次々に水没させていきました。これによって1号機と2号機の非常用電源が使い物にならなくなってしまったのです。幸い3号機の非常用バッテリーだけは一部水没を免れ、冷却装置を動かすことができていました。しかし、1号機と2号機は完全に電源が失われたことで、新しく冷却装置を作動させることはできなくなり、原子炉内の状況の確認もできなくなってしまいました。

原子炉の冷却ができなくなるとどうなるのでしょうか。核燃料は冷やされることなく温度を上昇させ続け、原子炉内の水は蒸発します。水が蒸発して核燃料が露出すると、核燃料は自らの熱で溶けてしまいます。これを「メルトダウン」といいます。メルトダウンが起こると発生した蒸気によって原子炉内の圧力が高くなり、原子炉の一番外側を覆って放射性物質が漏れないようにしている「格納容器」を破壊する恐れがあるため、原子炉内は常に水で満たされていることが求められます。しかし津波によって電源は失われてしまい、原子炉内の水の状況を確認するための計器は働かなくなってしまったのです。

最初に問題となったのは1号機でした。原子炉内の水の状況も、原子炉を冷却するイソコンが起動しているのかもわからなくなったため、まずはイソコンの状況を目視で確認することが必要となりました。しかし、当時は大きな余震が頻繁に起きており、安全性の観点から建物内部からの確認は避けられました。そこで建物の外からイソコンの状況を確認することになりました。イソコンは原子炉内の熱された蒸気をタンクの水で冷やすため、熱を受け取ったタンクの水は蒸気となって建物の外に排出されます。このときの蒸気の排出口は豚の鼻と呼ばれています。もしイソコンが動いているのなら、豚の鼻からは水蒸気が勢いよく吹き出しているはずです。職員が建物の外で確認したところ、豚の鼻からはモヤモヤとした蒸気が出ている状態でした。勢いよく蒸気が吹き出していないことから、イソコンの働きが低下している、もしくはイソコンが働いていない可能性が考えられました。

その後、偶然1号機のバッテリーが一時的に復旧して計器が確認できたことで、原子炉内の水が蒸発して水位が下がっていることが確認できました。バッテリーの復旧は一時的だったものの、あと1時間程度で核燃料が露出する可能性があることが分かりました。しかし、このとき現場が対処しなければならない問題は数多くあり、混乱した状況の中で水位の情報は忘れられていきました。しばらくして一部のバッテリーが再び一時的に復旧し、イソコンが止まっていることが確認されました。つまり、1号機では電源喪失したタイミングからずっとイソコンが動いておらず、全く冷却されていない状態だったのです。実は、イソコンが動いていなかったことがわかった頃にはすでにメルトダウンが起きていました。地震発生からこのときまで、わずか5時間足らずでした。

一度メルトダウンが起きてしまうと、あとは最後の砦である格納容器が破壊されて放射性物質が流出することを防げるかどうかが至上命題となります。1号機でメルトダウンが起きた当初は、計器で原子炉内の状況がわからなかったため、現場はメルトダウンの事実を知りませんでした。そのため当時の職員は1号機の状況を原子炉建屋に入って確認しようとしました。しかし、職員が建屋の扉を開けた途端に1.2ミリシーベルトという線量が計測されたため建屋内を確認することができず、その結果1号機の建屋は一時入域禁止とされました。その後、小型の発電機を計器につなぐことができたため１号機の状況を確認することができましたが、原子炉内の圧力は600キロパスカルを示していました。この圧力はメルトダウンによるものであり、設計限度圧を超えたものでした。つまり、いつ格納容器が壊れて放射性物質が拡散してもおかしくない状況になっていたのです。とにかく１号機の圧力を下げる必要があります。ここで当時の職員は「ベント」という対応をとることを決めました。ベントというのは、格納容器内の圧力を下げるための手段です。格納容器内の放射性物質を含んだ蒸気をいったん水にくぐらせることで大半の放射性物質を取り除き、その状態の蒸気を外に排出することで格納容器内の圧力を下げるというものです。大半の放射性物質が取り除かれているとはいえ、原発の周囲を汚染する可能性が高いため、緊急時のみ許される対応でした。ですがベントをするにはいくつか準備が必要であり、その中には周辺住民の避難も含まれます。また、電気がないため、ベントをするには高い線量を覚悟して現場で直接バルブを開ける必要がありました。

ベントの準備に動き出した頃、待望の電源車が到着しました。今の悪い状況は、すべて電源喪失によって冷却作業ができなかったことに起因するため、電源を供給してくれる電源車があればすべての問題が解決すると思われました。しかし、余震や津波の余波で、しばらく電源車のケーブルを原発につなぐ作業はできませんでした。

現場がこのようにギリギリの状況の中、あり得ない事態が発生します。なんと、当時の内閣総理大臣である菅直人氏が急遽視察に来ることになったのです。視察に対する対応も福島第一原発の職員にまかせっきりとなりました。現場の職員たちにそんなことをしている時間的余裕も人的余裕も当然ありません。菅直人氏としては、ベントがなかなか進まないことが気になったらしく、現場が意図的にぐずぐずしていると疑っていたとされます。東京にある東電の本店に現場の危機感は全く伝わっておらず、菅直人氏に至っては怒りながらベントを早くするよう指示だけして帰っていきました。総理大臣の視察は、時間的ロスと人的ロスを生むものにしかなりませんでした。現場と上層部の認識や危機感の違いがネガティブに作用する典型的な事例となってしまいました。

総理大臣の視察が終わった後、ついにベントを行うための準備が終わり、実際にベントの作業に入ることになりました。ベントをするためには2か所のバルブを開ける必要がありました。もちろん電気がないため手動で開ける必要があります。1か所は開けることができました。しかし、もう1か所のバルブがある場所は線量が高く、担当の職員は途中で引き返さざるを得ませんでした。緊急時の被ばく限度は100ミリシーベルトだとされていますが、そのとき引き返してきた職員の被ばく量は89ミリシーベルトと95ミリシーベルトであり被ばく限度に近いものでした。建物の中からバルブを開けてベントをすることはあきらめざるを得ず、建物の外から遠隔でベントを試みることになりました。その結果、なんとかベントに成功し、1号機の格納容器内の圧力を低下させることができました。電源車のケーブルもつなぐことができ、冷却装置で原子炉を冷却させる算段もついたことで、すべての問題が解決すると思われました。

現場が安心しきったその直後、1号機の建屋が大爆発しました。建屋の上部が吹き飛び、骨組みが見えるまでになってしまいました。けが人こそ出なかったものの、電源ケーブルをつなぐ作業員などが周りにたくさんいたため、危険な状況でした。このときの爆発は水素爆発でした。メルトダウンが起きた際に核燃料から大量の水素が発生したことが原因でした。爆発の直前にベントで格納容器の圧力を下げることに成功していたため、幸い格納容器が破壊されることは免れ、放射性物質がまき散らされることはありませんでした。しかし、爆発によって電源車のケーブルが損傷してしまい、電源復旧作業は一からやり直しとなってしまいました。

1号機の次に危機が訪れたのは3号機でした。3号機は1号機や2号機と違い、津波の際にも一部の非常用バッテリーが水没を免れていました。そのため冷却装置をしばらく動かすことができていたのです。しかしそれにも限界が訪れ、ついに3号機でも1号機に続いて冷却機能が停止してしまいました。このとき3号機は真っ当な冷却の手段を失ってしまったため、原子炉の冷却にはマニュアルにない対応が求められました。そこで職員が選んだのが、消防車で外部から原子炉に注水する消防注水という手段でした。注水するための水は、津波によって敷地内のくぼ地にたまった海水が用いられることになりました。しかし、消防注水するためには若干の電源が必要でした。注水するためのバルブを開けるのに電気が必要だったのです。当初はこの電源の目途が立ちませんでした。非常用のバッテリーの輸送はずいぶん前から頼んでおり、実際近くまで輸送車で送られてきたものの、1号機の水素爆発によって施設が汚染されたことを恐れ、輸送してくれるドライバーがいなくなってしまったのです。そのため、急遽敷地内の車からバッテリーをかき集めて対応することになりました。これが功を奏し、消防注水のためのバルブを開けることができました。その後、様々な配管をつないで注水口から原子炉までの一本道も作りました。これで消防車から原子炉まで海水を届けることができるはずです。実際、消防注水は行われました。1時間に20トンのペースで海水を注入することができ、現場も少し落ち着くことができました。3号機の冷却が当然なされていると判断した現場は、職員に3号機建屋の様子を見に行かせます。すると、3号機建屋の入り口を開けた途端に高線量が検出されてしまいました。この事実から、1号機同様に3号機でも核燃料がメルトダウンして水素が発生しているということが推察され、水素爆発の危険性を鑑みて消防注水を含む屋外の作業がすべて一時中断されました。また、この一時中断の判断をした後に原子炉内の水位を確かめたところ、水位が上がっていないことがわかりました。後の調査で判明したことですが、当時すでに3号機はメルトダウンしており、また、注水もうまくいっていなかったのです。消防車から原子炉まで一本道を作ったつもりが、その道が複数箇所分岐しており、合計4か所から海水が漏れてしまっていました。そのせいで、注水した量の半分以下しか原子炉に海水が注がれなかったとみられています。つまり、消防注水では原子炉はほとんど冷却されていなかったのです。

屋外での作業はしばらくして再開され、再びほとんど意味のない消防注水がされました。この作業再開から3時間後、3号機で1号機以上の水素爆発が起きてしまいます。運よく犠牲者が出ることはなかったものの、相当危険な状況でした。当然注水は中断されることになりました。不幸中の幸いとして、1号機同様に水素爆発の前にベントに成功していたため、格納容器内の圧力は下げることができたために格納容器は破壊されず、放射性物質をまき散らすことはありませんでした。

この次に問題となったのは残る2号機です。そしてこの2号機が現場に最も緊張感をもたらすことになります。2号機は津波によって非常用電源が失われていましたが、電源喪失の前に一度起動すればそれ以降に電気を必要としないRCICという冷却装置を起動していたため、奇跡的に3日間ほど持ちこたえることができていました。ですが、そのRCICも3日間の連続稼働によって限界を迎えてしまい、ついに冷却機能は失われてしまいました。この後取るべき対応は2つありました。1つは、なんとかベントして格納容器の破壊を防ぐこと、そしてもう1つは、メルトダウンを防ぐために消防注水をすることです。現場ではベントと消防注水のどちらを優先して行うかが話し合われ、その結果、当初はベントを優先することに決定しました。

消防注水をするためにはSR弁というバルブを開ける必要があります。このバルブを開けると原子炉内の圧力が下がるため原子炉内の水は蒸気に変わり、バルブを開けた管からその蒸気が逃げ出します。このとき注水がうまくいけば問題ないのですが、仮に注水に失敗したら原子炉内の水は一気に失われて空だきになり、メルトダウンが急速に進んでしまいます。しかし、ベントを優先して行えば格納容器の破壊は防ぐことができ、たとえ注水に失敗してメルトダウンが起きたとしても放射性物質が外部に漏れだすことは防げます。現場では、万一の場合に備え、ベントを優先する決定をしたのです。

ここで再びあり得ないことが起きます。急に官邸から電話がかかってきて、注水を優先するように指示されたのです。その指示を出したのは、その時官邸にいた当時の原子力安全委員長と東電の本店の社長でした。この期に及んで現場の危機感が全く伝わっていなかったのです。いくら注水に失敗したときのリスクを伝えても、全く聞く耳を持たれませんでした。現場としては従う他なく、最終的にやむなく注水を優先することになってしまいました。

現場の懸念は現実のものとなります。SR弁を開けたものの消防車の水は原子炉に入らず、原子炉内の水位は下がり続けました。消防車のエンジンが止まってしまい、ポンプで水を原子炉に送り届けることができなくなるという不測の事態が起きてしまったのです。ベントをしない状態で注水に失敗したため、2号機までもがメルトダウンしてしまいました。メルトダウンの熱によって格納容器内の圧力は上がる一方となってしまい、現場の職員は、格納容器の破壊という最悪のケースが頭をよぎったそうです。もはや事態が好転するとは思えず、このとき6400人ほどいた従業員や作業員は、700人ほどを残して帰宅することになりました。

この後、現場の職員は禁じ手とも言える対策を打つ計画をしました。その計画の名は「ドライウェル・ベント」です。ドライウェル・ベントとは、格納容器内の蒸気を直接大気に放出することで圧力を下げる手段のことです。通常のベントでは格納容器内の蒸気を一度水にくぐらせることで大半の放射性物質を取り除いてから大気に放出しますが、ドライウェル・ベントでは蒸気を水にくぐらせることがないため、周囲にばらまかれる放射線量はまさに桁違いとなります。東京からまたも連絡があり、そこでもドライウェル・ベントをするよう急かされました。

悪夢はまだ終わりません。ドライウェル・ベントすらうまくいかなかったのです。当然格納容器内の圧力は高まり、設計限度圧を大きく超える750キロパスカルという値が示されました。1号機がベントを決めたときの格納容器内の圧力が600キロパスカルであり、それでも設計限度圧を超えていていつ壊れてもおかしくない状況だったことを考えると、750キロパスカルがとてつもない圧力であることがわかります。さらに、このときの2号機の格納容器内の線量率を調べたところ、24シーベルト毎時という値を示しました。これは人間が浴びれば15分で死ぬ線量率です。しかも線量率の値はまだまだ上がり続けていました。もはや打つ手は無く、現場にいた誰もが絶望の底に叩き落とされました。東日本の壊滅が現実のものになろうとしていたのです。

しかし、最後の最後で奇跡が起こりました。2号機からの放射線量は上昇し続けたものの、格納容器の大規模な破壊は免れたのです。今もまだ直接の確認はできていませんが、偶然格納容器のつなぎ目から蒸気が漏れ出したことで大規模な破壊に至らなかったのではないかと推測されています。2号機において、現場が最大の危機を迎えていたのが地震発生から88時間後のことでした。

最大の危機を免れた後、自衛隊と消防が放射線の大量放出を防ぐための作業を決死の思いで成し遂げました。最終的に、3つの原子炉が冷温停止状態に至るまでに9か月を要してしまいました。

福島第一原発の事故は私たちに多くの教訓を残し、また、日本人が抱いていた原発の安全神話を壊しました。福島での事故以降、世界でも原発政策を見直す動きがあります。ただし、正しい理解のために敢えて留意しておいてほしいこととして、福島の事故は、連鎖的にメルトダウンが起きてしまった事故としては世界最悪レベルであり、世界初のケースでもあった一方、原子炉が暴走してそもそも止められない事故ではなかったということがあります。もし津波で非常用電源が使い物にならなくなることがなければ、適切に冷却の作業がなされ、このような悲劇は起きませんでした。人間は原発をコントロールできないという考え方をする人もいますが、それは違います。電源が喪失してしまったり、または軍事攻撃やテロの被害にあうといった緊急時にリスクが生じるのであり、普通に運用する上では特に安全面での問題はありません。

福島第一原発の廃炉作業について

これだけの事故が起きてしまった福島第一原子力発電所は、もちろん1号機から6号機まですべての廃炉が決定しています。2019年3月時点で、廃炉が決定もしくは検討中の原発は、高速増殖炉もんじゅを含め24基に及びます。今までに廃炉が決定されてきた理由には、単純な老朽化であったり、福島での事故後に新しく策定された新規制基準をクリアできる見込みが立たなかったことなどがあります。福島での事故後、一度全国の原発はすべて稼働が停止させられました。その後、原子力規制委員会が新規制基準というものを導入したのです。新規制基準では安全対策が大きく見直されており、この基準を満たさないと再稼働させることができません。そしてこの安全対策基準をクリアするためには莫大な費用がかかる場合がほとんどであり、採算が合わないと電力会社が判断した場合、廃炉が決定されることになります。2019年3月時点で基準をクリアして再稼働に至っているのは5原発9基のみです。

驚きの事実があります。何をもって廃炉のゴールとするのか、という問いに対しての明確な答えが出ていないのです。一般的に、廃炉のゴールはどのようなものだと想像するでしょうか。通常は、完全な解体を行い、土地を更地に戻すことだと考える方が多いと思います。実際、福島第一原発以外の廃炉が決定された原発は、更地に戻すことがゴールとなるでしょう。しかし福島第一原発の廃炉については、先行きが不透明かつゴールが未定です。東電は当初、廃炉の最終工程は「原子炉施設の解体等」であると明確に意思表示していました。そして廃炉は事故から40年ほどで完了するという見込みも立てていました。それが今では、東電の廃炉責任者が廃炉の最終工程が未定であると急に強調し始め、廃炉の完了時期も40年程度ではすまないことがわかってきました。

福島第一原発の廃炉を進める上で何が問題となっているのでしょうか。廃炉作業で最も難関だとされているのは「デブリ」の取り出しです。デブリとはメルトダウンによって溶け落ちた核燃料のことです。デブリは強い放射能を持つため、デブリを取り出す前に原子炉を解体することはできませんし、取り出し作業には細心の注意を必要とします。通常の使用済み核燃料の取り出しとはわけが違うため、原子炉内のデブリの様子を確認した上で専用の取り出し機器を開発する必要もあります。1号機から3号機まで合わせて計880トンほどのデブリがあるとされますが、東電は当初このデブリの取り出しを甘く見ていたために40年ほどで廃炉が完了すると見込んでいたのでしょう。

2019年2月、東電は初めてロボットを用いてデブリに接触するという調査を行いました。デブリの感触などを確かめ、つかんで外に取り出すことができるかを調べるための調査でした。小石のような形状のデブリについては持ち上げることにも成功しました。もし880トンすべてのデブリが簡単に持ち上げ可能であったら特に問題はありませんでした。しかし現実としては、大量のデブリが原子炉圧力容器の内外に粘土状になって堆積していたのです。大量に広がっている粘土状の堆積物を普通に持ち上げることができるはずありません。底にたまった堆積物を削ったり切断したりするなどして取り出し可能な形と大きさにできる機械を新しく開発する必要があることがわかりました。さらに、そのような機械の開発に成功したとしても、880 トンというデブリの量を考えると取り出し作業は難航することは想像に難くありません。

問題はデブリだけではありません。日々新しく生まれる汚染水と、それに伴って増え続ける汚染水を浄化処理した後の処理水も先行きの見えない課題となっています。福島第一原発は太平洋に面して立地しており、海の反対側には山があります。そして、その山から海には地下水が流れています。この地下水が地下から原子炉建屋などに入り込み、放射性物質と直接触れてしまったり、もともと存在した汚染水と混ざり合ってしまうなどして汚染され、汚染水が増加し続けているのです。もちろん、その汚染水を放置してそのまま海に流すようなことはしていません。汚染水は浄化処理装置によってほとんどの放射性物質を取り除かれてから巨大なタンクに入れられます。タンク 1 基の容量は水 1000 トン ~1200 トン程度であり、1 週間くらいで 1 基が満杯となるペースで処理水が発生し続けています。2019 年現在、すでに処理水のタンクは 1000 基弱が満杯となっており、その全てが福島第一原発の敷地内に置かれています。敷地内でタンクが占める面積は広大であり、その面積は増え続ける可能性が高くなっています。これが新たな問題を生むのです。

処理水はトリチウム以外の放射性物質のほとんどが除去されたものであり、危険性はあまり高くありません。トリチウムは水素の放射性同位体であり放射能はあるものの、他の放射性物質より人体への毒性は弱く、また、人体に入ったとしてもすぐに排出されるため、高濃度でもない限りそこまで危険視する必要がないのです。処理水の 9 割程度はトリチウムを含むとされていますが、このような処理水は国内外の原発では希釈して海に放出されています。ただし、科学的に危険性が少ないことと心理的に安心であることとの間には大きな溝があるため、風評被害を懸念した地元の漁業協同組合などは処理水の海洋放出に反発しています。処理水の処分方法はすでに何年も議論されていますが、いまだに結論は見えません。このままでは敷地内の処理水のタンクは増え続け、敷地面積は減る一方です。ですが、これから廃炉作業が進むにつれ、廃炉のための新しい設備が必要になっていくでしょう。もしデブリの取り出しに成功したら、デブリのための保管設備が必須となってきます。このままではいざ設備が必要となったときに、その設備のためのスペースが無くなってしまうかもしれません。どこかのタイミングで必ず処理水の処分方法を決めなければならないのです。国と東電は今の状況を国民にしっかりと説明する必要がありますし、私たち国民も完全かつ永久的な安全性に固執していてはいつまでも問題が解決しないということを理解せねばなりません。

デブリと処理水以外にも問題が発生していました。1号機から3号機の建屋内に貯蔵されている使用済み核燃料の取り出しが、相次ぐトラブルによって延期されていたのです。使用済み核燃料はまだ1500本以上残っています。放射能の強い使用済み核燃料を取り出さずに解体作業を進めるわけにはいきません。2019年4月にようやく3号機の使用済み核燃料の取り出し作業が始まりましたが、これは本来2014年末に始められているべき作業であり、実に4年以上も作業が遅れてしまっていたのです。東電はこれ以上の遅延が不信感や不安を広げる一方となることを意識して作業しなければならないでしょう。

デブリなどの困難な課題によって、福島第一原発の廃炉のゴールが未定となってしまっていることは理解できたと思います。しかし地元自治体が求めている廃炉の最後の姿は、当初から変わっていません。施設を完全撤去して更地に戻すことを求め続けているのです。ここで、海外の事故が起きてしまった原発の廃炉の例を確認することで、福島第一原発の敷地を更地にすることがどれだけ困難なことか想像してみましょう。1957年に火災事故を起こして放射能汚染をもたらしたイギリスのウィンズケール原子力施設は、廃炉作業が行いやすいようにまずは100年以上放置することになりました。100年以上待ち、放射能が半分程度になってから施設の解体に取り掛かることになっているのです。1986年にメルトダウンを起こしてしまった旧ソ連のチェルノブイリ原発では、解体すらしないことになっています。メルトダウンによって大量に発生したデブリの取り出しは断念されました。その代わり、石棺というコンクリートの構造物で原子炉を覆うことで放射線の拡散を抑えながら、そのまま半永久的に保存するという廃炉の形をとることになっています。このように、廃炉の定義やその工程は決まっているものではなく、様々な廃炉の形があるというのが現実です。そして、そもそも福島第一原発でデブリの除去を行うこと自体が人類で初めての試みであり、前例があてにならない状況であるため、福島第一原発の廃炉は具体的に先が見通すことができなくなっているのです。

福島第一原発の廃炉にかかる費用は8兆円ほどだと試算されていますが、デブリの除去などが想像以上に難航すれば費用はさらに膨らむことが予想されます。難航の度合いによっては、廃炉の完了が予定の40年を大きく超えてしまうことも考えられます。さらに、廃炉作業の途中で予想もしなかったトラブルが起きる可能性も考えられます。困難な状況の中で国と東電が福島第一原発の廃炉をどのように決着させようとするのか、私たちは注視していく必要があります。

原発事故の損害賠償について

福島第一原発の事故によって、周辺の土地は汚染され、農業や漁業は風評被害を被り、住んでいた人たちは避難を余儀なくされてしまいました。国土は台無しになり、人々の生活は破壊されてしまったのです。当たり前の毎日を失ってしまった人が多くいる中で、当然、損害賠償は大切なものとなっています。ここでは原発事故が起きた場合の損害賠償の制度について確認していきます。

福島第一原発事故の損害賠償は基本的に東電が行っています。事故費用に関しても、廃炉・汚染水対策と除染にかかる費用は東電が支払っています。ただし、放射能汚染された物質の中間貯蔵にかかる費用は政府が支払うことになっています。

実は、原子炉が事故を起こして損害が生じた場合の損害賠償は、ある1つの法律に基づいて行われています。1961年に制定された「原子力損害の賠償に関する法律」という法律です。通常は略して「原子力損害賠償法」か「原賠法」と呼ばれるため、ここでは原賠法で統一します。原賠法は被害者の保護を図ると同時に、原子力事業の健全な発展に役立たせることを目的として、原発の導入時期に制定されました。この法律の特筆すべき点は、事故が起きた際に原子力事業者側に無過失責任を認めているところです。つまり、事故が故意や過失によるものではなかったとしても、被害者は何も立証せずに損害賠償を受け取ることができることになっているのです。ただし、原賠法は損害賠償に対する免責条項も同時に示しており、原発事故が「異常に巨大な天災地変又は社会的変動によって生じたものであるときは、この限りでない」としています。

原賠法には、原発事故が起こった場合に賠償をするための資金的な措置を取らなければ原子炉を運転してはならないと記されています。具体的には、民間保険会社との間で原子力損害賠償責任保険契約を、政府との間で原子力損害賠償補償契約を締結しなければならないとしています。原子力事業者は、民間と政府に対して保険をかけることで、万一原発事故が起きた場合に被害者に対して迅速かつ確実に損害賠償を行う体制を整えておくことが求められているのです。原発1か所に対して最大で1200億円が保険から下りることになっています。事故が一般的な要因によるものだった場合は民間の保険が適用され、自然災害によるものだった場合は政府の補償が適用されることになります。では、賠償金が1200億円を超えた場合はどうなるのでしょうか。実は、原賠法には原子力事業者の賠償措置額に上限を設けている規定がないのです。そのため、基本的には原子力事業者には「無限責任」が課されると解釈されています。その代わり、賠償金が多額になった際は政府が必要な援助を行うことが決められているのです。ここで忘れてはならないのが、激しい自然災害などで免責条項が適用された場合のことです。免責条項が適用されると、原子力事業者は損害賠償をする必要がありません。しかし、それでは被害者があまりにも救われないため、政府が必要な措置を講ずるものとされています。つまり、原賠法では原子力事業者に対して「無過失責任」と「無限責任」を認め、異常な自然災害のときに限ってそれを免責するとしているのです。賠償金が多額になった場合と免責条項が適用された場合は政府が援助するとはいえ、法律の上ではかなり原子力事業者に厳しいものとなっています。それでは福島事故発生後の実際の損害賠償はどのような形になったのでしょうか。

事故発生当初から、当時の政権は損害賠償資金が3兆円~5兆円必要になるだろうという認識を持っていました。事故発生当時の東京電力の総資産は13.8兆円で、負債は10.8兆円という状況でした。損害賠償額は1200億をはるかに大きく上回ることが予想され、東電の資産状況を考えてもすべて自力で損害賠償を片づけることは困難だということが明白でした。そのため事故発生からまだ間もない3月31日には、メインバンクである三井住友銀行の6000億円をはじめとして、8金融機関から合計で1兆9000億円にも及ぶ無担保での緊急融資がなされました。無担保でこれだけの融資がなされたことには驚きますが、当時の経済産業事務次官が、「この融資には事実上の政府保証がついている」という旨の発言をしたとされ、それによってこのような強引な融資が達成されたようです。この融資からすぐの4月11日には経済被害対応室というものが設置され、そのときすでに何兆円とかかるであろう損害賠償を払うための仕組みがおおよそ決まっていたとされます。事故発生からひと月程度の間に、当時の官僚がかなりのスピード感をもって損害賠償の問題に取り掛かっていたことがうかがえます。

ただし、そこまでしたとしても、東電と東電に融資する金融機関としては何兆円にも及びそうな損害賠償を払い続けることは難しいと感じていました。そのため東電と金融機関は、大震災と巨大津波が原賠法の免責条項にある「異常に巨大な天災地変」であるとして、福島事故の無過失責任に対する免責を要望しました。仮に無過失責任が免責された場合、損害賠償問題に適用されるのは原賠法ではなく、民法709条となります。民法709条では故意または過失がある場合のみ損害賠償を払う必要があるとされているため、原賠法を適用した場合より賠償額が少なくなると考えたのです。実際、東日本大震災とそれに伴った大津波は悲劇的な天災であり、まさに「異常に巨大な天災地変」と呼べるものでした。しかし、国側の政策担当者は、当初から免責条項の適用が不可能であると考えていました。もし免責条項が適用されたら、多くの原発事故の被害者が立て続けに訴訟を起こし、結局その混乱によって東京電力が潰れてしまう可能性があったのです。さらに、国側の立場としては、東電の無過失責任が免責された場合は国が必要な措置を講ずることが原賠法で定められているため、被害者に対しての損害賠償に巨額の税金が投入されてしまうことを恐れていたのです。最後まで国側と東電側が折り合うことはなく、免責条項の適用がなされることはありませんでした。

次善の策として東京電力が持ち出したのは、会社更生法の適用です。会社更生法とは、経営破綻してしまった企業を潰さずに再建させるための法律のことです。この法律が適用された場合、まず裁判所が会社を更生させるための更生管財人を選任します。会社の経営陣は基本的にすべての権限を失うことになり、会社の管理は更生管財人に一任されることになります。更生管財人は最初に会社の資産と負債についての調査を行い、今後の事業と借金返済の予定として更生計画をまとめます。その後、まとめた更生計画を裁判所に提出して認められた場合、その計画に従って会社の事業と借金返済がなされます。これによって、事実上会社は一度生まれ変わることになるのです。東京電力は会社更生法で生まれ変わることによって、原賠法の無過失責任と無限責任から逃れようとしていたのです。これが現実となっていたら、生まれ変わった「新東京電力」の負担上限を超えた損害賠償は、政府が負担することになったでしょう。さらに、会社更生法が適用されてしまったら、事故の被害者が東電から損害賠償金を受け取れなくなる可能性すらありました。これには電力会社の社債である「電力債」が関係しています。

社債とは企業が必要な資金を得るために発行する有価証券のことであり、借用金額と返済日、利息があらかじめ明示されたものです。それに対して、株式投資は株価の変動具合によっては高配当を得られる可能性があるものの、同時に損失リスクも高くなる特徴があります。ここから判断すると株より社債の方がリスクが少ないように見えますが、社債は企業が破綻した場合返済されなくなるリスクをはらんでいます。例外が電力会社の社債である電力債です。電力会社は社債を発行する際に自らの資産を担保にせねばならず、万が一会社が破綻したとしても、社債権者は他の債権者より優先的に会社の資産から返済を受けられることが法律で決まっています。つまり電力会社の場合、社債の返済が被害者への損害賠償より優先して行われるのです。

会社更生法を適用したら更生管財人は電力債の返済に注力することになり、もし東電の弁済能力が途中で尽きてしまったら、電力債の返済が滞るだけでなく損害賠償が支払われなくなるかもしれません。さらに、そのようなことになったら電力債の信用は大きく低下してしまい、保険会社や銀行などの大口投資を行う機関投資家は電力債の購入を控えることになります。すると電力会社はより一層資金の調達が困難となり、ますます弁済が進まくなる悪循環に陥ってしまうかもしれません。

このような形で被害者への損害賠償が進まなかった場合、被害者救済は東電ではなく国が行うことになったかもしれません。当時、東電を会社更生法で生まれ変わらせるべきだという社会的な空気があったかもしれませんが、政策担当者としては東電が損害賠償から免れようとすることは認められませんでした。

免責条項の適用も会社更生法の適用も認められなかった東京電力が次に政府に要請したのは、損害賠償の負担に上限をつけることでした。東電が提示した具体的な上限の金額は、1兆円または3兆円というものでした。また、あれだけの事故が起きてしまった福島第一原発の廃炉にはとてつもない金額が必要となることが当時からわかっていたため、廃炉の費用負担は官民合同の基金を設立することで、東電から切り離そうともしていました。当然これらも東電からの支払いを少なくしようとする案であり、政策担当者が受け入れることはありませんでした。

結局、最後まで免責条項の適用も会社更生法の適用も賠償負担に上限を設ける案も採用されることはなく、国は東電に対して無限責任を課すことになります。2011年5月10日、当時の東京電力社長の清水正孝氏が首相官邸に訪れ、「原子力損害賠償に係る国の支援のお願い」と題した要望書を提出しました。要望書の内容は原賠法に基づいたものであり、自らの無過失責任と無限責任を認め、賠償措置額の1200億を超える部分は政府に援助してもらいながら損害賠償を行っていくというものでした。政府はこの要望書を受け入れ、最終的に政府決定として公式に周知されることになりました。

東電が国の援助を受けながら被害者に補償金を支払うための枠組みは、実は2011年4月時点でその原案が固まっており、2011年8月には「原子力損害賠償支援機構法（現在の原子力損害賠償・廃炉等支援機構法）」という法律が公布、施行され、実際にその枠組みが活かされていくことになりました。この法律は、国と全国の電力会社が共同で出資することで設立された「原子力損害賠償支援機構（現在の原子力損害賠償・廃炉等支援機構）」を利用することで東電の損害賠償を援助するためのものです。ここで、被害者が補償金を受け取るまでの流れを確認してみましょう。

まず政府が「交付国債」というものを発行し、それを支援機構に与えます。交付国債は通常の国債とは全く異なるものです。通常の国債は国家が発行する社債のようなものであり、国が資金調達のために発行し、一定の期間を経ると国家が破綻しない限り債権者が利益を享受できるようになるものです。それに対して、交付国債では国が発行収入を得ることができません。交付国債はもともと、国が金銭の給付の代わりに発行するものなのです。支援機構は交付国債を受けた段階ですぐに現金化はしません。支援機構は国と東京電力の仲介役です。国からの交付国債という形での援助を現金化し、交付金として東京電力に回すことが支援機構の役割なのです。支援機構は東京電力に資金を交付しなくてはならなくなった段階で初めて交付国債を現金化し、東京電力に交付します。東京電力はその交付金をもとに被害者へ補償することになります。支援機構にお金を出しているのは国だけではありません。東京電力以外の8電力が「一般負担金」という名目で支援機構にお金を拠出しているのです。8電力が支払っているお金も東京電力に流れ、被害者への補償金に充てられています。8電力は、もし8電力の内のどこかが今の東京電力のような状況に陥った場合もこのように救済するからと説得され、東京電力のためにお金を負担している状況なのです。

ここまでの情報では、東京電力が努力することなく、ただ国と他の電力会社から回ってきたお金を補償金に充てているだけに思えてしまいます。ですが、実際は国に対しては適宜お金を返しています。東京電力は自らの利益の一部を「特別負担金」として支援機構に支払い、支援機構はそのお金を「国庫納付金」として国に支払っています。こうして国は、交付国債という形で東京電力に貸したお金を国庫納付金という形で回収しているのです。当然ではありますが、東京電力が特別負担金を払うためのお金を、電気料金を値上げすることによって生み出すことは禁止されており、特別負担金は利益から捻出することが決められています。

簡単にまとめると、国と8電力が支援機構にお金を支払い、支援機構がそのお金を東京電力に回し、東京電力は回ってきたお金で被害者に補償金を支払っているということになります。そして、東京電力は会社の利益の一部を、事実上の国からの借金の返済に充てているのです。東京電力は被害者に対しての無限責任を負っているため、被害者がいる限りこの関係は続くことになるでしょう。

もしかしたら、ここまでの説明を読んでややこしく感じている人がいるかもしれません。国と東京電力の間に支援機構が挟まっているため、お金の流れが複雑になっているのです。とはいえ、国と民間企業の間で直接お金の貸し借りが行われることはあまり良くないため、官民共同出資で設立された支援機構を間に挟むことは仕方のないことではあります。

もし原子力産業がすべて国有化されれば、このように複雑な補償のための枠組みを維持する必要はありません。福島事故以降、損害賠償や廃炉問題などの大規模な事案が次々と発生したため、原子力産業を国有化すべきだという意見もあがりました。しかし、現在の政治状況では、原子力などの難しい判断が必要な問題は政局や予算獲得の道具として利用されるだけになってしまう恐れがあるため、原子力産業の国有化は難しいと言わざるを得ないでしょう。

日本が原発を導入するまでの背景

ここからは、今までの話題とは少し毛色が違います。今までは、原発がどういうものなのか、何が問題となっているのか、ということについて確認してきました。もちろんそれらのすべてについて詳細に説明できたわけではありませんが、ここまでのことを理解してもらえれば、一定の知識に基づいて原発の是非について考えたり、メディアなどで原発の話題がなされたときに理解しやすくなったりすると思います。

ここからの話題は、日本が原発を導入するまでの背景についての確認がメインとなります。原発について学ぶ中で必ず必要となる知識とは言えないかもしれませんが、原発導入までの流れを大きく捉えることでここまでの知識を補完することにもなるため、もう少し読んでもらえたらと思います。

科学者（scientist）の誕生

原子力発電が生まれるまでの流れを簡単に説明します。まずは19世紀の科学者（scientist）の誕生から始まります。その流れで20世紀初頭に原子物理学が急激に発展し、第二次世界大戦が始まるとマンハッタン計画によって原子爆弾が発明されることになりました。その後、その技術が民生転用されて原子力発電が生まれたのです。この流れを時系列順に確認していきましょう。

最初に、19世紀に「科学（science）」と「科学者（scientist）」が成立したことから確認していきます。科学者というと誰を思い浮かべるでしょうか。力学を数理化し、万有引力の原理を導入したイギリスのニュートンを思いつく人もいるでしょう。彼は微積分法の開発を行った人物でもあり、間違いなく近代科学を創り上げた偉人ではあります。しかし、ニュートンの本分は錬金術であり、数学や物理の探求ではありませんでした。そして、そもそもニュートンがいた17世紀、18世紀に科学者（scientist）は存在しません。17世紀に近代科学が成立したといっても、17世紀や18世紀の科学は余暇の楽しみの域を出ず、科学（science）と科学者（scientist）という単語すら存在していなかったのです。

17世紀、18世紀は欧州に啓蒙思想が普及しつつある段階でした。啓蒙思想というのは、宗教的権威に反対して理性と合理性を重んじるという、当時にしては革新的な思想のことです。啓蒙思想と近代科学が登場する以前は、土・空気・火・水の四元素が本来の場所に戻ろうとすることが物体の自然運動だと信じられていたのです。啓蒙思想が広がりを見せることで、ようやく科学（science）が生まれる土壌が築かれていきました。

科学（science）が生まれた19世紀に科学が発展したのはドイツでした。それまではイギリスが近代科学をけん引してきた部分があり、ドイツはどちらかと言えば科学の後発地域でした。それを一変させ、19世紀がドイツの時代となったのは1810年にベルリン大学が設立されてからです。ヨーロッパの初期の大学は神学者、法学者、医学者の三大専門職を育てるための養成機関としての働きが強く、純粋に学問を追究する機関としての役割はほとんどありませんでした。しかし、ベルリン大学は教育と研究に重きを置き、純粋な学問を追究するための大学として設立されました。その結果、熱学・光学・電気学・磁気学などが物理学として成立し、その成果によってドイツはイギリスを押しのけてヨーロッパ随一の工業国となりました。この成功によって国家から科学に対しての支援が始まるようになり、ベルリン大学は近代大学の範型と呼ばれるようになりました。ドイツ型の大学が国家からの支援を受けて人材育成をするようになったことで、ついに科学が余暇の楽しみという地位を脱し、1840年頃にようやく科学者（scientist）という言葉が生まれたとされます。

19世紀に科学者が次々と誕生したことで科学者集団独自の価値観というものも形成されました。その価値観は主に普遍主義、共有制、利害の超越といったものです。簡単に説明すると、科学は国籍や人種、信条から独立した全人類の共有財産であり、また必ずしも役に立つ必要はないとする価値観でした。ただし、この頃からすでに大学は国家から研究のためのお金を受け取っています。そして研究費が潤沢なほど有利であることは当然です。そのため、利害の超越とはいえども、科学者はより多くの研究費を獲得するために自らの研究の意義や成果をアピールする必要がありました。つまり現実的には、科学が誕生した19世紀から現在に至るまで、科学の裏には常に研究費獲得の利害が存在しているのです。ちなみに、「*Nature*」や「*Science*」などの科学雑誌はまさに研究のアピールの場として生まれ、その研究のアピールの場で行われるのはサイエンス・コミュニケーションに他なりません。

原子物理学の発展

20世紀が始まると、原子物理学が急速な発展を遂げます。物質を構成する単位の中でも原子はかなり小さいものです。その原子の構造と仕組みが約40年で一気に解明され、1938年には核分裂が発見されるに至りました。

すべては19世紀の終わり頃である1897年にさかのぼります。この年にイギリスの物理学者であるトムソンは電子を発見します。電子とは負の電荷を持つ原子の構成単位のことです。電子という考えが受け入れられるまでには10年ほどかかりましたが、その後はすぐ原子の構造が解明されるまでになります。1911年にはイギリスのラザフォードがもう1つの原子の構成単位である原子核を発見し、1913年にはデンマークのボーアが原子核の周りを電子がまわっているという原子構造を解明しました。

原子構造の解明が一段落すると、原子物理学は20年ほど停滞してしまいました。しかし、1932年にイギリスのチャドウィックが原子核を構成する中性子を発見すると、あっという間に核分裂の発見まで進むことになります。1934年にはイタリアのフェルミが原子核に中性子を吸収させて人工同位体を作ることに成功し、1938年にはついに、ドイツのハーンとシュトラスマンが核分裂を発見することになりました。

約40年の間に起きた20世紀前半の原子物理学の大発展は、人類の純粋な知的好奇心が原動力となって引き起こしたものです。また、名前を挙げた中ではシュトラスマン以外のすべての研究者がノーベル賞を受賞しています。実はノーベル賞が権威を持つようになったのは、このときの偉大な研究者たちが立て続けに受賞したことがきっかけだとされています。

もし話がここで終わったとしたら、純粋に偉大な発見だと手放しで称賛できたのかもしれません。しかし、そうはなりませんでした。核分裂が発見された次の年から第二次世界大戦が始まり、偉大な発見は多くの命を奪った原子爆弾を開発するために利用されることになったのです。

マンハッタン計画と原子爆弾

1938年に核分裂が発見され、翌1939年には核分裂の連鎖反応を人為的に引き起こすという発想が生まれました。1940年には核分裂の連鎖反応を利用したら原子爆弾ができる可能性が示唆され、その結果アメリカは原子爆弾の開発を決定し、1942年からマンハッタン計画が実際に始まりました。

マンハッタン計画とは、第二次世界大戦中のアメリカで秘密裏に進められた原子爆弾製造計画のことです。計画推進の事務所がニューヨークのマンハッタンにあったため、計画そのものを「マンハッタン計画」と呼び、計画推進組織は「マンハッタン工兵管区」と呼ばれました。この計画は最高機密の軍事プロジェクトとして厳しい情報管理が行われており、その存在自体がルーズベルト大統領や陸軍長官などの限られた関係者のみにしか知らされていませんでした。その一方で、大統領直轄の重要プロジェクトとして膨大な国家資金と人材が投入されており、最終的には60万人の人材と約20億ドルの資金が投入されたとされています。もちろん科学者も大量に動員されており、その中には原子構造を解明したボーアや中性子を発見したチャドウィック、中性子を吸収させる実験を行ったフェルミもいました。

原子爆弾の開発と口で言うことは簡単かもしれませんが、核分裂を発見したからといってすぐに原子爆弾が開発できるはずがなく、乗り越えるべき難題はいくつも存在しました。ウランを爆弾にするためには自然界には0.7%の割合でしか存在しないウラン235を100%にまで濃縮する必要がありますが、当初それは困難を極めました。マンハッタン計画ではその濃縮法として提案された気体拡散法、遠心分離法、電磁分離法の3案はすべて実行されることになりました。また、プルトニウムを爆弾にすることも難題でした。プルトニウムを核爆発させるにはプルトニウムを大量生産する必要があります。そしてプルトニウムは天然には存在しない物質であり、人工的にウランから生み出す必要があるのです。ウラン238からプルトニウム239を大量生産するためだけの原子炉が建設されることになり、反応させたウランからプルトニウムを分離抽出するための方法を開発する必要もありました。プルトニウム型の爆弾を開発する上で大変だったのはプルトニウムの大量生産と分離抽出だけではありませんでした。プルトニウム239はウラン235よりも核分裂しやすいという特徴があったため、ウラン型よりも爆弾の構造を複雑にする必要があったのです。マンハッタン計画では、これらの困難な課題を大量の資金と人材にものを言わせて解決していきました。

結果としてマンハッタン計画は実を結び、原子爆弾は完成しました。人類が初めて原子爆弾を使ったのは、1945年7月16日にプルトニウム型原子爆弾の核実験をアメリカのニューメキシコ州で行ったときです。その後、1945年8月6日にウラン型原子爆弾が広島に投下され、3日後の8月9日にプルトニウム型原子爆弾が長崎に投下されました。これがきっかけで日本は降伏するに至り、第二次世界大戦は終結しました。

戦後のアメリカでは、戦争に勝利し、長期化を防ぐことができたのはマンハッタン計画の功績によるところが大きいと考えられました。そのため、戦後は物理学者の地位が大幅に向上することになりました。また、基礎研究が国力に直結するという価値観も築かれたため、物理学をはじめとする基礎研究に対して戦前をはるかにしのぐ国からの資金投下がなされました。その結果として、科学の恩恵による戦後の世界的な経済成長が起きたのです。

科学者集団独自の価値観もマンハッタン計画をきっかけに少し変化しました。もともとは科学の共有制や普遍主義、利害の超越が大切にされていましたが、戦後は国家が科学を莫大な資金力で囲ったことで、科学が所有的で権威主義的なものに変容していきました。

軍産複合体と原子力発電の誕生

マンハッタン計画を機にアメリカが社会の中に抱えて込んでしまったものがあります。巨大な軍産複合体です。軍産複合体とは、軍需産業、軍部、政府が形成する政治的・経済的集団のことです。

マンハッタン計画達成のためにはアメリカ中にたくさんの工場を作って大量の人材を投入する必要があり、そのために必要な大量の資金を国が支払っていたため、アメリカには巨大な軍産複合体が形成されてしまいました。軍産複合体は政治的にも経済的にも影響力が強くなりすぎてしまい、アイゼンハワー大統領が退任挨拶の中で軍産複合体の危険性に触れるほどでした。しかし第二次世界大戦が終わるとすぐに冷戦が始まったことで、アメリカはソ連との間で軍拡競争を繰り広げざるを得ませんでした。結果として軍事体制は長期継続してしまい、軍産複合体の存在は確固たるものになってしまいました。

ここで何もせねば軍産複合体はただの社会の病変となっていたかもしれませんが、アメリカが積極的に軍事部門の成果を民間で利用する方針をとったため、軍産複合体はイノベーションの源泉にもなりました。軍事部門での成果を民間に転用することを「スピンオフ」と言います。そして、このスピンオフの一例が原子力発電なのです。原子力発電は核分裂を利用してエネルギーを取り出す発電方式のため、マンハッタン計画が直接的にスピンオフされた例だとも言えます。スピンオフの例は原子力発電の他にも、コンピューター、オペレーションズリサーチ、インターネット、スーパーコンピューター、GPS、自動運転、ビッグデータ、人工知能などがあり、いずれも私たちの生活スタイルや世界のあり方を激変させたイノベーションとなっています。

正力松太郎と日本の原発導入

スピンオフを進める中で、アメリカが原子力発電を他国にまで提供する方針を示したのは1953年でした。1953年12月8日にアイゼンハワー大統領が国連で「原子力の平和利用（Atoms for Peace)」をテーマに演説を行い、そこから日本が原発を導入する流れが始まったのです。

日本に原発が周知され受け入れられていく過程を学ぶ上で知っておかねばならない人物が存在します。「正力松太郎」という人物です。正力松太郎氏は日本初の民放である日本テレビを創業した人物であり、彼とアメリカの思惑が交錯したことによって日本における原発の周知と受け入れが大きく進むことになりました。

まず正力松太郎氏について簡単に説明します。正力氏は東大法学部を卒業後に警視庁に入りましたが、1923年に起きた皇太子（後の昭和天皇）暗殺未遂事件、俗に言う虎の門事件の責任を取り辞職します。その翌年、正力氏は読売新聞社社長に就任し、当時は小規模だった読売新聞の部数を地道に増やして、読売新聞を日本を代表する新聞にまで押し上げました。また、日本にプロ野球を根付かせた立役者でもあり、実に様々な顔を持った人物と言えるでしょう。

正力氏が原発と関わりを持つようになったのは、彼がテレビに進出したことに起因します。テレビといったらNHKしかない時代に、正力氏は民放のテレビ放送を始めようとしたのです。しかし、急にテレビ放送を始めたいといっても援助してくれる団体が無ければどうにもなりません。そこで正力氏が援助を受ける相手として選んだのがアメリカのCIA（中央情報局）でした。当時テレビ放送を独占していたNHKは労働組合が強く、どちらかと言えばソ連寄りの姿勢でした。冷戦が激化する国際状況の中で、アメリカとしては日本がソ連側に傾くことは避けたかったため、日本に反共プロパガンダを流せる媒体ができることは好ましいことでした。正力氏個人も大のソ連嫌いであったことから利害は対立せず、結果1952年に日本初の民放である日本テレビが創業し、1953年からは実際に放送が開始されることになりました。

ではそもそも正力氏がテレビ会社をほしがったのはなぜなのでしょうか。その理由は正力氏自身の野望と関係していました。正力氏はテレビ・ラジオ・FAX・無線・電話などのあらゆるメディアを手中に収めて「マイクロ波通信網」をつくり、それをアジアにまで展開することでアジアのメディア王になろうとしていたのです。ちょうどそのとき在日米軍もマイクロ波通信網の建設を計画していたため、ゆくゆくは正力氏がそのまま頂くつもりだったのかもしれません。日本テレビの正式名称が「日本テレビ放送網株式会社」であるところにはその名残も残っています。

しかし、野望達成には障害が存在していました。電話に関しては電電公社（現在のNTT）が実権を握っていたということです。電電公社は有力政治家とつながっていたため、正力氏がマイクロ波通信網をつくろうとしても、それが国会で承認される目処が立ちませんでした。そこで正力氏は、自らが総理大臣になれば国会承認の問題が解決できるのではないかと考えたのです。

総理大臣になるためにはまず衆議院議員になる必要があります。そこで正力氏が衆議院選挙に打って出るときに掲げた公約の1つが、アイゼンハワー大統領が唱えた「原子力の平和利用」でした。日本テレビが放送を開始した1953年にアイゼンハワー大統領が原子力の平和利用を唱え、CIAと協力関係にあった正力氏は1954年1月から読売新聞で「ついに太陽をとらえた」という原子力特集を始めました。しかし、1954年3月にアメリカがビキニ環礁で水爆実験を行った際に日本の第五福竜丸が被爆したことで、日本で原水爆反対運動が盛り上がることになってしまいます。運動の盛り上がりと同時に反米感情も高まってしまい、冷戦中のアメリカとしては頭の痛い問題となってしまいました。そこで再び正力氏がアメリカの意向に沿うように原子力の平和利用キャンペーンを大々的に行い、それと同時に、正力氏が出馬する1955年の衆議院選挙においても原子力の平和利用を自らの選挙公約として利用しました。

正力氏の選挙公約は、原子力の平和利用以外にもう1つ存在しました。それが、「保守合同」です。当時の政治状況では、保守政党である自由党と日本民主党が分裂しており、革新政党である社会党と共産党が協力した場合は革新勢力が与党になってしまう可能性がありました。ソ連嫌いの正力氏としては革新勢力が政権を担うことは受け入れがたく、自由党と日本民主党を合併させてしまいたいと考えていたのです。さらに、保守合同が成功した場合は、その手柄によって総理大臣になりたいという考えもありました。

選挙の前後も読売による原子力の平和利用キャンペーンは続きました。1955年2月に正力氏は衆議院議員に当選することになります。選挙当選後にはアメリカから「原子力平和利用使節団」を招いており、また、原発への経済界からの指示を取り付けることで経団連が「原子力平和利用懇談会」を立ち上げることにも携わりました。しかし、正力氏がここまでアメリカの意向に従ったり総理大臣を目指したりしていたのは、すべてマイクロ波通信網を建設してアジアのメディア王になることが目的です。そのため、この頃正力氏はCIAにマイクロ波通信網の建設を再打診します。ですがそのときもアメリカには断られるという結果になってしまいました。その後もめげずに、CIAの協力のもと原子力の平和利用キャンペーンを続け、キャンペーンが終わる頃には日本国民の原子力発電への期待が高まっており、また、第五福竜丸事件によってくすぶってしまった反米感情も抑えられることになりました。

保守合同の件も進むことになります。1955年5月に正力氏の計らいによって、都内の高級料亭で保守合同のための会談が行われることになったのです。そして1955年11月15日に自由党と日本民主党が合併し、自由民主党（自民党）が結成されることになりました。この日の出来事によって、与党第一党として自民党が君臨するという政治の1955年体制が築かれることになりました。自民党が結成された日に、自由党を率いていた緒方竹虎氏か日本民主党を率いていた鳩山一郎氏のどちらが自民党総裁になるのかは決まりませんでした。正力氏にとっては総理大臣になるための絶好のチャンスでした。とにかく注目を浴びる必要があると考えた正力氏はCIAに対して自宅に原子炉を作ってほしいというむちゃくちゃな要求も口にしたそうです。正力氏としては原発は自分の野望達成のための道具に過ぎず、原発がどのようなものなのかがよくわかっていなかったのだろうと考えられます。正力氏は1956年1月1日に発足された原子力委員会の初代委員長に就任し、物理学者の湯川秀樹を始めとする他の委員の反対を押しのけて「5年以内に商業用原子炉」を導入したいということも発表してしまいます。

ここまでしても正力氏の夢が叶うことはありませんでした。1956年1月28日に自由党を率いていた緒方竹虎氏が急死したことで、同年4月5日には日本民主党を率いていた鳩山一郎氏が初代自民党総裁の座につくことになったのです。このときに正力氏が総理大臣になる可能性は潰えてしまい、それと同時にアジアのメディア王になるという最大の野望も叶わなくなってしまいました。

アジアのメディア王になるという夢が叶わなかった正力氏は、日本の原発導入にすべてを捧げることになります。1956年5月頃から、イギリスが日本に対して英国炉をアピールし始めました。正力氏もアメリカの言うことばかり聞く人物ではなく、なかなか日本に原発を作ろうとしないアメリカに対して、イギリスへのくら替えを示唆することで譲歩を引き出そうともしていました。それでもアメリカが軽水炉の開発まで5年待ってほしいという考えを示すと、正力氏はあっさりと英国炉路線に切り替えてしまいました。マイクロ波通信網も原発も作ってくれなかったアメリカに嫌気が差したのか、読売新聞で猛烈なアメリカ批判を展開してCIAを激怒させたりもしました。1956年11月には英国炉の輸入を正式決定することになり、その輸入する原子炉の種類もアメリカとしては気に入らないものでした。その原子炉の種類はコールダーホール型原子炉というもので、発電と同時にプルトニウムの生産にも適したタイプであるため、核拡散の観点からアメリカは容認し難いことでした。ウラン型よりプルトニウム型の方が原子爆弾としては扱いやすいため、世界に存在する原子爆弾の主流はプルトニウム型なのです。コールダーホール型原子炉が導入されたのは茨城県東海村の東海発電所でした。日本初の商業用原子力発電所として1966年から運転が開始されましたが、1998年には運転停止し、現在は廃炉作業が行われている原発です。

正力氏は国内での原子力事業の主導権争いも繰り広げました。自民党の河野一郎氏が、原発は国の電源開発として政府主体で取り組むべきだと主張したのに対し、産業界の意向を受けていた正力氏は原発を民間（9電力）主導にすることを主張していました。このときの争いは「正力河野論争」と呼ばれています。この論争の結果生まれたのが半官半民の「日本原子力発電株式会社」でした。通称「原電」と呼ばれており、英国炉を導入した東海発電所を運営していたのがこの会社です。

ここまで一連の正力氏の働きを確認すると、正力氏がどれだけ日本の原発導入にインパクトを与えたかがわかると思います。原発だけではなく、現在の政治体制やテレビ、プロ野球などにも多大な影響を与えた人物です。

また、ここまでの流れを違った角度から見ると、メディアを利用したキャンペーンなどで世論操作がいかに簡単にできてしまうかの教訓にもなると思います。

財閥再編と日本の原発導入

ここでは財閥再編と原発導入の関係を確認していきます。歴史の教科書などで財閥解体という単語を覚えた人は多いと思いますが、それにしては街中で四大財閥系の名を冠する建物などを目にするのはなぜなのでしょうか。実はこの問いの答えと日本の原発導入にはつながりがあります。このことについて順を追って確認していきたいと思います。

戦前の1929年に、世界は大規模な経済恐慌に見舞われました。いわゆる「世界大恐慌」と呼ばれたもので、数年間世界中の人々を苦しめ続けました。当然日本もその影響を受け、「昭和恐慌」というものが訪れました。昭和恐慌後、苦しい経営状況に追い込まれた企業は財閥へと集中していくことになりました。戦争が始まってからもその動きは続き、戦争が終わった1945年時点で、三井・三菱・住友・安田からなる四大財閥の傘下企業だけで全国の会社の払込資本金の約4分の1を占めるようになっていました。払込資本とは、株主によって払い込まれた資本のことです。

戦争が終わると、GHQは日本が戦争を起こした元凶の1つに財閥の存在があると考えました。財閥は、戦争が儲かるものだとして戦時中も大規模に活動していたのです。経済的支配力を持ち、戦争の原因にもなったと指摘された財閥は解体を命じられました。これが財閥解体です。

しかし、財閥解体がやり遂げられることはありませんでした。これは第二次世界大戦が終わるとすぐに冷戦が始まったことと関係します。1949年には中華人民共和国が成立し、ソ連は原子爆弾の開発に成功しました。1950年からはアメリカ・ソ連間の対立を背景に朝鮮戦争が始まるまでになってしまいます。このような時代背景の中、アメリカとしては日本を徹底的に弱らせてしまうよりも自らの仲間にしてしまった方が戦略的には良いと考えました。その結果、1948年3月以降、日本の賠償金は大幅に緩和されることになり、財閥解体も14社にとどまることになりました。

ただし、逆に言えば14社は解体されてしまったとも言えます。当然四大財閥は優先的に解体されていました。解体された財閥は危機に瀕することになりました。財閥解体によって持株会社や財閥家族の所有株式が株式市場に流出してしまったため、旧財閥系企業を対象とする乗っ取り事件が多発してしまうことになったのです。

それを嫌った者たちは対策を立てました。同じ旧財閥系のグループ企業同士で株式を持ち合うことで安定的な株主を確保し、外部からの乗っ取りを回避しようとしたのです。この株式の持ち合いについて連絡協議を行うために、同じ旧財閥系のグループ企業の社長が集まる場として「社長会」というものが結成されました。解体された財閥のグループ企業の社長は追放されて表面的活動を禁止されていることが多かったものの、秘密裏に会合を重ね続けていました。1952年にサンフランシスコ平和条約が発効され、社長たちがGHQの束縛から解放されると、今度は堂々と社長会が開かれることになりました。この社長会が功を奏し、一度解体された財閥は再編を成功させました。現在街中で旧財閥系の建物を見ることができるのは、このときの再編に成功したからなのです。

サンフランシスコ平和条約が発効された翌年の1953年、アイゼンハワー大統領が国連で「原子力平和利用」について演説します。その後、正力松太郎氏による大々的な原子力の平和利用キャンペーンが行われ、その影響によって経済界は原発が儲かるものだと判断し、1955年には経団連が「原子力平和利用懇談会」を立ち上げました。ちょうど再編の時期と重なっていた旧財閥系の企業は原子力に飛びつき、旧財閥系を中心とした原子力産業グループを形成することになりました。つまり原子力産業は政治的意図や巨大企業などの思惑が先行して始められた産業であり、技術的進歩を基盤に成長していった産業とは性格の異なるものだったのです。

原子力平和利用懇談会の立ち上げから1年あまりの間に5つの原子力産業グループが形成されました。5つのグループはそれぞれ、三菱系の「三菱原子動力委員会」、日立・昭和電工系の「東京原子力産業懇談会」、住友系の「住友原子力委員会」、三井・東芝系の「日本原子力事業会」、古河・

川崎系の「第一原子力産業グループ」というものでした。いくら原子力産業が政治的意図や金融資本の思惑が先行した産業だったとしても、資源の無い国である日本としては、原子力発電が大事な電源開発となると考えていたことは間違いありません。当時開発されていた軽水炉は2種類でした。アメリカのウエスチングハウス社（WH）が開発したPWR（加圧水型）のタイプと、アメリカのゼネラル・エレクトリック社（GE）が開発したBWR（沸騰水型）のタイプの2種類です。今でこそ世界で利用されている原子炉の主流がPWR（加圧水型）であることがわかっていますが、原発の導入期であった当時はどちらの方が良いのかわかっていませんでした。そのため、日本は国としてPWRとBWRの双方を導入することに決定し、2つそれぞれを複数ある原子力産業グループに割り振りました。その割り振りとしては、PWRを三菱原子動力委員会に、BWRを東京原子力産業懇談会と住友原子力委員会と日本原子力事業会の3グループに、というものでした。また、国はそれぞれの原子力産業グループがどの電力会社と結びつくのかについても割り振りを行いました。具体的には、PWRを導入する三菱原子動力委員会と関西電力、北海道電力、四国電力、九州電力を結びつかせ、BWRを導入する3グループは東京電力、東北電力、中部電力、北陸電力、中国電力と結びつかせるというものでした。

ちなみに、これらの割り振りを見てもらえればわかるように、事故を起こしてしまった東京電力の福島第一原子力発電所は主流ではないBWRのタイプの原子炉を用いた原発です。2019年現在再稼働が認められた9基の原発はすべて主流であるPWRのタイプの原子炉であり、結果的にはBWRのタイプを振り分けられてしまった原子力産業グループと電力会社は貧乏くじを引いてしまった形になります。実は、このことと東芝が経営破綻してしまった事件が関係しているのです。東芝はBWRを割り振られた日本原子力事業会のメンバーです。そのため、東芝が原発を世界に輸出しようとするならば、世界的に主流なPWRのタイプの原子炉を手に入れる必要がありました。そのため、東芝はPWRを開発したウエスチングハウス（WH）を買収したのです。しかし、結果としてはこの買収が東芝を追い込むことになってしまいました。

原子力産業グループと結びつく電力会社の割り振りが終わると、いよいよ本格的に原発が建設されていきました。日本の発電用原子炉の建設は1960年代後半から本格的に始まり、短いスパンで何十年もの間にわたり進められてきました。その結果、全国に50基以上もの原子炉ができることになり、今もまだ建設途中の原発が存在するという状況になっています。ここで理解しておかねばならないこととして、電力が必要であったから大量の原発を建設したわけではないということがあります。大量建設の理由としては、電力が必要であったというよりも、電力自体の需要喚起と国内産業の育成という部分が大きかったのです。

また、一つ一つの原子炉を建設された順番通りに確認してみると、PWR系の関西電力の原子炉とBWR系の東京電力の原子炉がほとんど交互に建設されている時期があることがわかります。これは偶然ではなく、当時の通産省による割り振りだとされています。政府としては、特定の企業を一人勝ちさせるのではなく、業界全体が守られるようにバランスよく配分していたのです。現在このようなことをすれば間違いなく談合だと非難されるでしょうし、実際自由競争の観点からも問題がある行為ではあります。しかし、戦後のまだ貧しかった日本では似たようなケースは珍しくなかったようです。

電源三法と高速増殖炉

本格的に原発の導入が進み始めたのは1960年代後半からであることは確認しました。この頃の日本は高度成長の真っただ中です。急速な工業化による公害が社会問題化していました。大衆の公害への問題意識が高まったことで、放射線被害を恐れた人々による原発建設に反対する運動が多発していました。このとき、国が反対する人々を抑えるために制定した「電源三法」という制度があります。

「電源三法」は、電源開発を促進するために1974年に制定された3つの法律を総称するものであり、「電源開発促進税法」、「電源開発促進特別会計法」、「発電用施設周辺地域整備法」の3つからなります。「電源開発促進税法」は電力会社から販売電力量に応じて税金を徴収するための法律であり、これによって徴収した税金を歳入とする特別会計を設けるための法律が「電源開発促進特別会計法」です。そして、この特別会計から、発電用施設が設置される地域周辺の公共施設を整備するための費用を工面し、関係地方公共団体に交付金として交付するための法律が「発電用施設周辺地域整備法」なのです。「電源三法」は、原発建設を受け入れれば、道路、港湾、漁港、都市公園、水道などが整備されて地域が豊かになることを示すことで、建設反対の声を鎮静化させるために制定されたものでした。

ただし、電源開発促進税法で徴収された税金のすべてが交付金に回るわけではなく、徴収された税金の一部は高速増殖炉の開発のために用いられていました。現在、電源開発促進税法によって徴収されている金額は、ひと月の電気料金が6000円だった場合は100円程度です。個別でみると少なく感じるかもしれませんが、これを全国から徴収すると年間で3000億円~4000億円程度集まるとされています。法律が少し変更された2007年までは、集められた金額の半分強が「電源立地勘定」として発電所周辺地域への交付金として利用され、残りの約半分が「電源利用勘定」としてエネルギー問題解決のための研究開発費として利用されていました。2007年の法律改正からは、電源開発促進税法によって徴収した税金はいったん一般会計に入り、そこから財政需要に合わせて特別会計に繰り入れられるようになっています。

電源開発促進税法で徴収される税金は、私たち国民からすると間接税が表示価格に含まれた内税であり、そもそもの税率がかなり低いこともあいまって痛税感があまり生まれません。そのため、税率は少しずつ上げられていくことになりました。ただし、得られる税収が増えていく一方で、あるときから原発建設の勢いも落ち着き、余剰金が発生するようになりました。余剰金が発生したことで税金の使い道も拡大していき、原発の立地自治体だけでなく、その周辺自治体にも交付金が交付されるようになっていきました。このことによって、原発立地地域周辺は本当に豊かになっていきました。しかし、交付金ありきでの街づくりを行う自治体が徐々に現れ始め、自治体が自分たちで努力することを考えなくなってしまう場合もありました。また､電源三法の交付金はあらかじめ使い道が決められており、施設や設備を作ることはできてもその修理には使えないという、いわゆる「ヒモ付き補助金」や「箱もの補助金」の典型でもありました。そのため、交付金で建設した施設の維持・管理費は自治体の一般会計から捻出する必要があり、それが地方の財政を圧迫してしまうこともありました。

徴収された税金の半分は、電源利用勘定としてエネルギー問題解決のための研究開発に利用されていました。電源利用勘定の大半は原子力につぎ込まれ、その半分は高速増殖炉の開発費に充てられました。エネルギー資源の無い日本としては、使った分よりも多くの燃料を得ることができる高速増殖炉の開発はまさに悲願であり、軽水炉は国産の高速増殖炉が完成するまでのつなぎだと考えていたのです。

もんじゅ事故以降、日本では高速増殖炉に対する風当たりが強く、2016年12月にはもんじゅの廃炉が正式決定しました。しかし、日本政府はいまだ高速増殖炉の将来的な利用をあきらめるには至っていません。実際、茨城県にある常陽という高速増殖炉はまだ廃炉の判断がなされていないのです。高速増殖炉をあきらめることができない理由としては、「夢のエネルギー源であるという思いを捨てきれない」、もしくは、「今までに大量の税金を研究開発に投じてしまったためもはや引けない」といったことが考えられます。また、日本が核兵器製造の技術的ポテンシャルを保持するために高速増殖炉にこだわっていると指摘する声もあります。1988年に発効された「日米原子力協定」によって、日本は高速増殖炉の開発を認められています。高速増殖炉の開発が認められているということは、原子爆弾の材料となるプルトニウムの抽出（使用済み核燃料の再処理）が認められていることと同義です。非核兵器保有国の中で、プルトニウムの抽出（使用済み核燃料の再処理）が法的に認められているのは世界で日本だけであり、これは日本外務省が交渉で手に入れた成果です。ただし、日本はIAEA（国際原子力機関）による厳格な査察を常に受け入れており、プルトニウムに関する詳細な報告書も毎年公表しています。さらに､日本は｢核兵器不拡散条約（NPT）」に非核保有国として加わっており、日米同盟が堅持されているうちに日本がNPTから脱退することはないでしょう。そのため、日本が核兵器製造の技術的ポテンシャルを持っていることが事実だったとしても、実際に核兵器を製造して核武装に至るというのは現実的には考えられません。

福島県と原子力発電所

前の章までで、日本が国として原発を導入するまでの流れが大まかには確認できたと思います。この章では、2014年1月4日にNHKで放送された「戦後史証言プロジェクト 日本人は何をめざしてきたのか 福島・浜通り 原発と生きた町」を参考に、2011年に大規模な原発事故が起きてしまった福島県に絞り、地域としてどのように原発が導入されていったかを確認していきたいと思います。

原発事故のあった福島県東部は10基もの原子炉が建つ日本有数の原発立地地域であり、「浜通り」と呼ばれています。原発が建設される以前の浜通りは高さ30メートルもの断崖が続く土地でした。戦時中の浜通りは陸軍の飛行場として利用され、戦争が終結すると今度は塩田として利用されることになりました。浜通りに住む人々は製塩の仕事で貴重な現金収入を得ることで生計を立てていました。戦後すぐの時期は統制が無く、塩を作れば作るほど収入を得ることができていました。しかし、統制が始まると塩を自由販売することができなくなってしまったため、人々は塩田をやめてしまうことになりました。塩田をやめた後、浜通りの住人は生活を農業に頼ることになっていきます。ただし海岸近くの農地は塩害がひどく、農業で生活を営むのは大変なことでした。多くの人々は出稼ぎや集団就職を余儀なくされ、非常に貧しい生活を強いられていたのです。そのようなとき、浜通りの暮らしを一変させるきっかけとなる人物が現れました。地元選出の衆議院議員であり、後の福島県知事となる木村守江氏です。木村守江氏は、農地に適さない浜通りを有効利用し活性化させる手段として原発建設を思いついたのです。

この頃の日本ではエネルギー問題についての議論が活発でした。資源が少なくエネルギーのほとんどを化石燃料の輸入によってまかなっていた日本では、火力発電以外に将来性のあるエネルギー源が求められていたのです。そんな中で、正力松太郎氏を筆頭に政治の世界から原子力発電の導入を訴える人たちが現れ、1956年には国によって原子力開発利用長期計画というものが策定されました。その内容は、準国産エネルギーとなる原子力を実用化することで産業の急速な進展を目指すというものでした。エネルギー問題について考えていた人々は皆原子力に夢中になり、原子力によって訪れる輝かしい日本の未来を信じて疑わなくなりました。

電力会社は社員をアメリカに派遣し、原子力発電の日本導入を目指しました。東京電力は具体的に原発立地用の土地を探すことも始め、候補地を吟味していました。当初の候補としては、東京湾沿岸、神奈川県、房総地区などが考えられていましたが、どこも人口密集地であるため広大な用地獲得は困難でした。そのため、東京電力は候補地として茨城県や福島県沿岸にも着目することになり、これをきっかけに東京電力と木村守江氏が関係を持つことになりました。

木村守江氏には浜通りの双葉郡を何とか発展させたいという思いがありました。工場誘致を行っていたもののうまくいかず、そんなときに海岸が原発立地に適しているのではないかという考えが生まれたのです。木村守江氏が原発誘致を考えたタイミングと東京電力が福島県沿岸に着目した時期が重なり、双方に思惑が一致したことで両者の距離は急速に縮まっていきました。そして1963年に、東京電力が大熊町と双葉町にまたがる用地の取得を福島県に申し入れることになったのです。このとき建設しようとしていたのが福島第一原子力発電所です。

用地買収と原発建設は地域住民の反対もなくスムーズに進みました。東京電力、あるいは誘致した企業の人々の生活基盤を整えるためのインフラが整備されることで地域が活性化すると考えたからです。双葉郡の住民は、原発建設によって苦しい状況から脱出できるかもしれないと歓喜しました。実際に、原発の建設が始まると町の人々の生活は大きく変化しました。建設によって雇用が生まれ、町の人々は出稼ぎすることなく家族を養っていくだけの収入を得ることができるようになりました。町の住民は皆原発に感謝するようになっていきました。

1963年から放送開始し、平均視聴率が30%にもなった国産初のテレビアニメ「鉄腕アトム」も原発のイメージを上げることにつながっていました。主人公の鉄腕アトムは原子力を動力源としている設定だったのです。鉄腕アトムによって、原子力は国民全体にも広く夢のエネルギーとして認知されていきました。

時代は年平均10%も成長していた高度成長期であり、福島第一原発の建設が進むにつれ町は活気づいていきました。町が活気づくにつれ多くの人々が町に集まり、人口も増えていきました。また、町には原発の仕事を請け負う関連会社が多く作られていくことにもなり、当初は貧しい地域であったことが信じられないほど町は様変わりしていきました。

この成功を受けて木村守江氏はさらに浜通りに原発を増やすことを考え、1968年に浜通りの富岡町と楢葉町に福島第二原子力発電所を誘致することを発表しました。しかし、福島第一原発のときとは違い、富岡町と楢葉町の住民は原発建設に反対しました。1960年代後半は公害が社会問題となっており、放射能汚染などに不安を感じた人々が原発の建設を認めなかったのです。そのような状況の中、木村守江氏は東京電力から用地買収を委託されます。そこで木村守江氏は自らの部下に福島第二原発建設予定地の住民を説得するよう命じました。命令を受けた部下は、建設予定地の地権者たち約150人を福井県の敦賀原子力発電所に案内することで原発の安全性を訴えました。さらに、その足で1970年当時開催されていた大阪万博にも案内し、万博の呼び物の1つでもあった「原子の灯」を見せました。その「原子の灯」は先に案内した敦賀原発で得られたエネルギーによって灯されていたものだったのです。敦賀原発と大阪万博を見学し、原発の魅力と安全性を説かれた地権者たちの意見は180度変わりました。土地の売却に前向きとなり、東京電力や関係する企業に就職させてほしいとまで言うようになったのです。最後は木村守江氏が直接建設予定地に足を運び特別配慮金を1億円上積みしたことで、最後まで建設に反対していた一部の住民も応じざるを得なくなってしまいました。その結果、1971年に福島第二原発の用地買収は完了することになります。

福島第二原発の用地買収が完了した1週間後、福島第一原発が営業運転を開始しました。しかし稼働直後から、放射能廃水の漏れ、制御棒の欠陥、原子炉周りの配管のひび割れなどのトラブルが続出してしまい、不安を覚えた地域住民は抗議の声を上げました。その中でも、組織的に反原発を訴える「双葉地方原発反対同盟」という団体が存在しました。その団体を率いていたのは、「核と人間は共存できない」とする信念を持つ岩本忠夫という人物でした。岩本忠夫氏は社会党から立候補して県議会議員になってまで原発の安全性を問いただし始めました。また、原発の安全性について語られる公聴会をデモによって阻止しようとするなどの過激な活動も行っていました。次第に反原発の運動は全国にまで広がるようになってしまい、原発推進側は苦境に立たされることになりました。

反対運動が組織的になってきたため、原発推進側は国に原発立地の支援を要請します。当時の内閣総理大臣は、中央と地方の格差是正を唱える田中角栄氏でした。1973 年の第 4 次中東戦争に端を発するオイルショックによって日本が大混乱したことで、国は原発立地の支援に本腰を入れ始めることになりました。田中角栄氏は、いつまでも中東に依存していたらまた同じことが起きてしまうため、早く準国産エネルギーである原子力に切り替えていかなければならないと主張し、原発反対の声を交付金によって抑え込むための法律が考えられました。その後、田中角栄氏は電源三法を国会に上程しました。電源三法は、原発などの発電所を誘致する自治体に対して交付金を給付しようとする法案でした。福島県議会議員であった岩本忠夫氏は国会に招致され、電源三法は反対住民を金でなだめるための法案であるとして政府を批判しました。しかし、結局 1974 年に電源三法は成立することになってしまいます。

電源三法の成立から 5 年後の 1979 年、アメリカのスリーマイル島で原発事故が発生しました。原発の冷却装置が故障したことで核燃料がメルトダウンしてしまった事故でした。この事故の 2 日前に福島県の県議会議員選挙が始まっていたため、前回の選挙で落選し再起をかけていた岩本忠夫氏の陣営はスリーマイル島の事故によって勢いづきました。しかし、あまりに事故を利用して鬼の首を取ったように反原発の主張をした場合、かえって住民に警戒されてしまうことが予想されたため、選挙戦終盤はなるべく反原発の話題を避け、双葉郡の地域振興に訴えを変えていきました。結局スリーマイル島の事故は選挙の中で大きな話題になることもなく、岩本忠夫氏は落選してしまいました。

1980年代に入ると、電源三法の交付金を使った公共施設が浜通りに次々と建設されていきました。原発を受け入れる前は福島県の中でも貧しい方の地域に部類されていた原発立地地域は、原発受け入れ後には福島県で最も豊かな地域となりました。住民は皆原発関連企業などに就職して農業とは比べ物にならないほどのお金を稼ぎ、そのお金が地元で使われることで地元全体としても潤いました。

原発に反対してきた岩本忠夫氏は大きな壁にぶつかりました。あまりの原発景気によって東電に文句を言うことはできなくなってきており、また反対同盟には地域住民からの「原発反対運動をしないでほしい」とする声も届いていました。地域住民は原発関連の職に就くことで安定した生活を送ることができており、そこからはみ出ないように原発反対の人々とは関わらないようになっていったのです。岩本忠夫氏としても、もはや原発反対を貫いていくことは難しくなっていました。

そんな中、当時の双葉町長が公費不正使用疑惑の責任をとって辞職するという事件が起こりました。このとき次期双葉町長として期待されたのが岩本忠夫氏でした。しかし、選挙に連続で落選していた岩本氏としては申し出をすぐに引き受けることはできませんでした。それでも、周りからの多くの期待に後押しされたことで、最終的には町政刷新を訴えて立候補するに至りました。このときの選挙ではもはや岩本氏が反原発の話題を持ち出すことはなくなり、汚職を批判してクリーンな町政を訴えるだけになっていました。当初は「核と人間は共存できない」という信条があった岩本氏も、町民の暮らしのためには「原発と共生していかねばならない」という風に思いが変わってきたのです。その結果、1985年に岩本氏は双葉町長に当選することになります。

岩本氏が町長に当選した頃､双葉町の財政は曲がり角を迎えていました。1974年に電源三法が制定された頃は双葉町に2基の原子炉が建設中であったこともあり、電源三法の交付金や固定資産税などの収入が多く1974年から1982年までの8年間は双葉町の歳入は右肩上がりでした。しかし、その翌年には原子炉の建設がすべて終わったことなどの理由で、町がたのみとしていた原発からの財源が目減りしてしまい、岩本氏が町長になった1985年には双葉町の歳入は下り坂に転じていたのです。原発関連企業も原発の建設が終わると仕事が激減してしまい、町全体の財政は悪化の一途をたどることになりました。原発を誘致してきた福島県も危機感を抱き、電源地域振興だけでは本当の意味での地域の整備や振興にはつながらないとしてポスト原発問題を真剣に考え始めました。

実は福島県は戦後すぐにも似たような失敗をしていました。1954年にも福島県の南西部にある只見川に水力発電用のダムを作ることで地域振興を目指していたのです。5年を超える大事業となることが予想されていたため、過疎地である奥只見の地域振興が期待されました。しかし、ダム建設が終わると何十万人もの労働者は皆いなくなってしまい、持続的な地域振興にはつながっていかなかったのです。電源地域振興をすると、電源開発が行われている段階では大きな経済効果が見込まれるものの、開発が終わった後にその効果を持続させるのは難しいとされているのです。

双葉町を只見の二の舞にしてはならないとして、当初は電源開発に縛られない形でポスト原発の町づくりが目指されました。双葉町は工場を誘致するために工業団地を造設するなどの対策を始め、実際そこに進出した企業も現れました。しかしそれだけではポスト原発の切り札とはならず、他の解決策が必要となりました。

一方で、浜通りには公共施設がさらに建設されていきました。財政効率を考えて、町ごとに同じような施設を作らないように注意されていたものの、結局どの町も競い合うように同じような施設を建てていく結果となりました。財政が悪化しつつある双葉町も同じ状況でした。岩本忠夫氏も双葉町の町長としては、町民に対して隣町の施設を利用するように強いることができなかったのです。

建設した施設の維持管理費は双葉町の財政にさらなる打撃を与えました。電源三法の交付金は使い道があらかじめ指定されており、交付金を施設の維持管理費に回すことはできなかったのです。維持管理の費用は町の一般会計からの持ち出しによってまかなう他ありませんでした。双葉町は交付金によって毎年新しい公共施設が建設され、それに従って年々一般会計から維持管理費の持ち出しが増えていくという悪循環に陥ってしまったのです。

工場誘致政策はうまくいかず、公共施設の維持費によって財政が厳しい状況に陥った双葉町では、議会においてポスト原発の政策について新たな提案がなされました。原発の増設です。原発の増設を求める決議案は満場一致で可決され、双葉町のポスト原発政策は原発増設に決定しました。岩本忠夫氏も、財政的な状況を考えると仕方がないと考えたそうです。双葉町としては電源三法に頼らない町づくりを目指していましたが、一度原発でおいしい利益に浸かってしまったことで結局は原発から抜け出せなくなってしまいました。1991 年、岩本忠夫氏は東京電力を訪れて原子炉の 2 基増設を申し入れ、東京電力もその申し入れを快諾しました。

1993 年に福島第一原発は大きな問題に直面しました。使用済み核燃料が原発内の貯蔵プールにいっぱいになってしまったのです。貯蔵プールに使用済み核燃料がいっぱいになると原発を稼働させることができなくなってしまいます。原発が動かなければ、原発に頼っている地域は生きていけなくなります。原発を稼働させ続けるにはなんとか使用済み核燃料を処分しなくてはなりませんでした。当初の国の計画では、使用済み核燃料は再処理工場に運んでプルトニウムを抽出し、それを燃料に加工して高速増殖炉で利用する核燃料サイクルが実現化しているはずでした。しかし高速増殖炉もんじゅでトラブルが起きたことでその計画は進まなくなってしまい、使用済み核燃料は利用されずにたまる一方になってしまったのです。高速増殖炉以外で使用済み核燃料を減らす方法が模索されました。そのとき考え出された案がプルサーマル計画です。プルサーマル計画の内容は、再処理で取り出したプルトニウムにウランを混ぜ、一般の軽水炉の燃料として利用することで使用済み核燃料を消費するというものでした。

国は福島県をはじめとした原発立地自治体にプルサーマル計画を受け入れるよう伝えました。しかし、当時の福島県知事であった佐藤栄佐久氏は慎重な姿勢を見せました。福島県はこれまで原発推進の立場をとってきましたが、プルサーマル計画自体の安全性への疑問と長期的な核燃料サイクルに対しての問題意識から、いったん計画の受け入れを保留したのです。福島県は1997年に核燃料サイクル懇話会というものを立ち上げ、プルサーマル計画受け入れの是非を地元の市町村と話し合いました。この懇話会で、地域の財政を何とかしたいと思っている双葉町の岩本忠夫氏は、プルサーマル計画の受け入れと原発の増設を訴えました。地元住民からもプルサーマル計画を早く受け入れてほしいという声があがるようになったものの、佐藤栄佐久氏は慎重な態度を崩しませんでした。原発がいらないと言っているときには木村守江知事が強引に原発誘致を進め、原発を推進してほしいと言っているときには佐藤栄佐久知事が慎重になっているということで、浜通りの住民の間には不満がくすぶることになりました。そのうちに、原発の増設を求めていた地域からは経営が立ち行かなくなる会社も現れ始めました。ここまでくると佐藤栄佐久氏も慎重であり続けることはできなくなってしまい、結局1998年に福島県はプルサーマル計画を受け入れ、福島第一原発3号機でプルサーマル計画を行うことを了承しました。

その後、2002年に東京電力で大事件が起きました。東京電力が原発の検査記録を改ざんし、部品の故障などを隠していたことが発覚したのです。原発の安全管理上大変問題のある事件であり、東京電力はプルサーマル計画の年内実施断念にまで追い込まれました。双葉町の岩本忠夫氏も東京電力への不信感をあらわにし、原発増設の決議を凍結するまでに至りました。2005年、5期20年の間双葉町の町長を続けてきた岩本忠夫氏は辞職します。双葉町の財政はその後悪化の一途をたどり、やはり町の財政のためには原発が必要であるとして2007年には原子炉増設決議の凍結を解除しました。そして福島第一原発の増設に向けて準備を進めてきたその矢先、2011年に福島第一原発で世界最悪レベルの事故が発生したのです。

事故発生後、福島県は県内すべての原発の廃炉を求め、東京電力は福島第一原発の廃炉を正式決定しました。浜通りの4つの町は福島第二原発の廃炉も求め、2018年には東京電力が福島第二原発を廃炉にする方針を表明しました。

原発誘致のおかげで40年もの間豊かでいられた浜通りは、今や安心して人が住める場所ではなくなってしまったのです。

最後に

　ここまで読んで頂くと、原発に対して良いイメージを抱くことが難しくなってしまうかもしれません。しかし、福島第一原発の事故が発生する以前の日本を数十年にもわたって支え続けてきたのは原発です。私たちの豊かさを担保しているのは電力であり、その電力をどう確保していくのかという問題についてしっかりと考える必要があります。

　原発事故が起きて以降、日本のエネルギー自給率は10%を下回り、また化石燃料への依存度は80%を超えています。そして現在の日本を支えている化石燃料のほとんどが海外から輸入したものなのです。

　エネルギーの大半を海外に依存している現在の状況は好ましいものではありません。エネルギーの供給が国際情勢に左右されてしまう恐れがあるためです。電力はあらゆる意味で私たちの生活に深く関与しているため、電力の供給に問題が起きた場合は国全体がパニックに陥ってしまいます。

　電力は適切な価格で安定的に得られることが大切です。安価かつ安定的なエネルギーを担保するにはエネルギー自給率を上げる他ありません。資源のほとんどない日本がエネルギー自給率を上げるためには、国産エネルギーである再生可能エネルギーか準国産エネルギーである原子力を充実させていくしかないのです。再生可能エネルギーとは太陽光・風力・水力・地熱・バイオマスなどから得られる温室効果ガスを排出しない国産エネルギーのことであり、現在の日本ではほとんど普及していないエネルギーです。

　もちろん日本では再生可能エネルギーの研究がなされています。もしその研究が大成功して日本のエネルギーの大半が再生可能エネルギーでまかなえるようになったら、日本はためらいなく原発を棄てることができるでしょう。事故が起きたときの被害が甚大となり、また危険な放射性廃棄物を必ず発生させてしまう原発は、続けるメリットが無くなればすぐにやめるべきなのかもしれません。

しかし、現状で再生可能エネルギーは日本にほとんど普及しておらず、まだまだ研究が必要な段階のエネルギー源です。また、仮に良い研究成果が出たとしても、採算がとれて商業ベースに乗せられるものでなければ、国民の生活を支えるほど普及はしません。現在のように、現実的な代替エネルギーが登場していない状況で原発を完全に棄ててしまったら、半永久的なエネルギーの海外依存、もしくは慢性的な電力不足という未来に直面してしまいます。

日本のように資源が乏しい国においては、1つのエネルギー源に頼ることが得策であるとは思えません。万一に備え、複数のエネルギー源を確保しておくことがエネルギーの安定供給のために必要でしょう。複数の電源をバランス良く利用することを「エネルギーミックス」といいます。エネルギーミックスを実現させることができれば、仮に電源を1つ失っても大混乱は避けることができます。エネルギーミックスが実現せず火力発電に頼っている現在、中東の政情不安によって再びオイルショックが起きたらどうなるのでしょうか。その想定は常にしていなくてはなりません。

日本が慢性的な電力不足に陥ってしまった場合、私たち日本人は電気によって担保された豊かさを放棄する必要があります。私たちが豊かさを放棄することはできるのでしょうか。基本的に、人間は一度ぜいたくな暮らしを覚えてしまうと、そこから急に生活レベルを落とすことは難しいとされています。そして、日本人は大量の電気があるという状況に慣れすぎています。原発問題を真剣に語りたいなら、私たちは電気の消費者としての意識と覚悟を持たなければならないのです。

【参考文献】

有馬哲夫『原発・正力・CIA 機密文書で読む昭和裏面史』新潮新書、2008
宇田川勝、生島淳編『企業家に学ぶ日本経営史 テーマとケースでとらえよう』有斐閣、2011
吉岡斉『新版 原子力の社会史 その日本的展開」朝日新聞出版、2011
高木仁三郎『市民科学者として生きる』岩波新書、1999
ロバート・K. マートン『社会理論と社会構造』みすず書房、1961
ジョン ザイマン『縛られたプロメテウス 動的定常状態における科学』シュプリンガー・フェアラーク東京、1995
産経新聞「デブリ持ち上げ成功 2 号機、初の接触調査」2019 年 2 月 14 日付
産経新聞「建屋に向け数歩…線量上昇 たまる処理水 議論迷走」2019 年 2 月 18 日付
産経新聞「廃炉の最終工程「未定」解体、更地など集約できず」2019 年 3 月 11 日付
朝日新聞「国策の果て もんじゅの 20 年 上」2015 年 11 月 19 日付
毎日新聞電子版「3 号機の燃料取り出し開始 福島原発・使用済み燃料プールから」2019 年 4 月 15 日付
関西原子力懇談会「ちょっと詳しく放射線」(http://www.kangenkon.org/houshasen/index.html)
経済産業省資源エネルギー庁「なっとく! 再生可能エネルギー」(https://www.enecho.meti.go.jp/category/saving_and_new/saiene/renewable/outline/index.html)
東京電力ホールディングス「廃炉作業の状況」(https://www.tepco.co.jp/decommission/progress/)
NHK「戦後史証言プロジェクト 日本人は何をめざしてきたのか 福島・浜通り 原発と生きた町」2014 年 1 月 4 日
NHK「NHK スペシャル 原発メルトダウン 危機の 88 時間」2016 年 3 月 13 日

サイエンスコミュニケーターが伝える
人類とウイルス感染症

成山満壽

はじめに

今回私はこの本を通してサイエンスコミュニケーターが担う役割である、科学と一般の人との架け橋を実践するために、私が好きな「ウイルス」とウイルスが原因で起こる感染症について皆さんと共に学ぶ形で紹介したいと思う。

読者の皆さんは「ウイルス」という単語を目にすると、どう思うだろう。実際、私の周囲の友達や家族に聞いてみたところ、大半が「得体のしれないもの、何か怖いもの」という解釈をしているようだ。たしかに、ウイルスは私たちが目にすることができないほど小さなものであり、それが体内に入ることで感染症を引き起こすのだから、そう思うのも当然である。事実、私もウイルスと聞けば、私が好きなゲームに登場するTウイルスを想像してしまい、ウイルスに感染したらみんなゾンビになってしまう、何と恐ろしいものなのだと考えていた。このような悪いイメージを持っていることが多いと思うが、では実際に、ウイルスが何者であるか、またウイルスによる感染症はどのように引き起こされるのかを知っている人は少ないだろう。高校の生物でもウイルスの形やそれがどのようにして感染するかまでは扱わないから、仕方ないと思う。私も大学の講義で病原微生物としてあげられる細菌や寄生虫といった項目の１つとしてウイルスを学んだだけだ。しかし、ウイルスは私たちの身近に存在しており、毎年インフルエンザや風邪のような症状がウイルスによって引き起こされているため、ウイルスを詳しく知ることは、やはり私たちが生活する上で知っておくべき知識なのだろう。ウイルスについての知識を深めることで、ワクチンや抗ウイルス薬への誤解を解き、自分でワクチンを接種するかどうか、抗ウイルス薬を使用するかどうかの判断を行えるようになる、あるいは処方された薬がどのように作用するかを知るだけでも安心感が湧くと思うのだ。

この文章を書くために、ウイルスに関する本を何冊か読んで下調べを行っている際に気づいたことだが、どの本も自身のウイルス研究の進捗や当時の様子を交えて書かれており、読者にも追体験してもらいながら話を展開している。しかし私はまだ生まれて21年しかたっておらず、そのような研究ももちろんしていない。そのため、追体験できるような展開の仕方はできない。また、ウイルスに関する知識をサイエンスコミュニケーターとして皆さんにわかりやすく伝えられるか正直なところ不安である。しかし、サイエンスコミュニケーションを学ぶ上で、実際にこのようなエッセイの執筆を通して実践できる機会は滅多にない。そのため、ウイルスの紹介を通してサイエンスコミュニケーションを実践できているかどうか、読者の皆さんにも判断していただきながら読み進めていただければと思う。それでは、前置きが長くなる前にこのあたりで切り上げて、ウイルスの世界へと歩みを進めよう。

「ウイルスの歴史」

●生物と無生物のあいだ

『生物と無生物のあいだ』という福岡伸一先生が書かれた本を読んだことがあるだろうか。その本の中で、福岡先生は「生物とは構成する分子や原子の動的平衡である」と述べている。動的平衡とは「生物の体内を構成している分子や原子は常に入れ替わっているが、生物を1個体として見た時には、何の変化も起こしていないように見える」ということだ。生命体とは何も変化していないように見えるが、常に変化している分子や原子によって成り立っていると言い換えると理解しやすい。

上述の本は「生物とは何か？」をテーマにして、福岡先生の持論を生物学・物理学・数学といった学問を通して展開しているが、この「生物とは何か」を突き詰めるのが生物学の根底の問いだ。教科書的な「生物」とは、

①：生物は細胞から成り立っている　(細胞膜が内と外を区別している)

②：生物は自らエネルギーを作り出している

③：生物は自ら複製を行う

の3条件から成り立っている。

この3つの条件がそろうことで、初めて生物と呼ぶことができる。私たち人間も、①約37兆個の細胞からなる多細胞生物で、②自らATPとい

う分子を用いてエネルギーを生産しており、③遺伝子の複製と細胞分裂を行っている。生物が生物として存在できるこの3つの条件がそろっていないものが「ウイルス」だ。ウイルスは中心に核酸を持つ粒子であり、細胞ではない。また、自身で複製・増殖することができないため、他の生物の細胞の機能を借りて、初めて増殖することができる。つまり、細胞に寄生しないと生きていけないのである。そのため、ウイルスは生物とは言えないが、無生物とも言い難い、どこまで白線を引けるのかあいまいな存在であることがわかる。一方で、同じ感染症を引き起こす仲間として細菌が挙げられるが、細菌は上記の3条件をすべて満たすため、ウイルスとは違い生物であると認めることができる。(本文中では、ウイルスも生物として扱うことにしている。) では、この生物と無生物の間にいる「ウイルス」はいかにして見つけられたのか？ これから見ていくことにしよう。

●微生物はどのようにして発見されたのか

微妙な生物であるウイルスが発見されるよりもさらに前に、細菌といった微生物は発見された。まずは、生物の条件を満たしている微生物の発見について追っていく。

微生物を一番初めに見つけたのは、オランダの科学者であるアントニ・レーウェンフックで、それは1670年代のことである。彼は自作の顕微鏡を使って微生物を発見したため、後に「微生物学の父」と呼ばれることになった。もともと彼は、高等教育を受けておらず、学問の刺激をあまり受けていなかった。しかし、彼が当時していたカーテンや布の販売という職業の影響で注意深く物を観察する、ひいては物質を拡大するという魅力に取りつかれ、1枚のレンズを磨き上げることでできた「顕微鏡」を作り出した。彼のレンズは当時最高のレベルで物体を観察することができ、約200倍に拡大して観察することができた。その際に発見されたのが微生物である。その後、レンズの質が向上していき、500倍・1000倍と、顕微鏡で見える範囲も拡大していった。こうして、私たちが肉眼では見えない微生物の世界が存在していることがわかったのである。

●微生物の自然発生説

新しく発見された微生物を取り巻く状況で、新たに出てきたのが、微生物の自然発生説だ。これは、微生物が自身の親からではなく、無機物、つまり物質から生まれた生命体であるという内容の説である。現在から見れば「そんなわけないじゃないか」と思えるかもしれないが、この説が唱えられていた当時の19世紀では本当に信じられていた学説の1つである。この自然発生説が違っていることを明かしたのが、フランスの生化学者であるルイ・パスツールである。彼はこの検証を行うために、白鳥の首フラスコ（パスツール瓶ともいう）を用いた。これは白鳥の首のように細く、折れ曲がっているため、塵の混入を防ぐことができるフラスコである。このフラスコにスープを入れ、それをバーナーで加熱し、沸騰させる。その後そのまま放置し、腐敗するかどうかを確かめた。すると、スープは何日たっても腐敗することはなかった。微生物が存在している状況下なら、数日経過すれば微生物が繁殖し、スープは腐ってしまう。つまり、このフラスコから微生物が生じることはなく、またスープに含まれる無機物から微生物は生まれなかったということになる。この実験から微生物は自然発生ではなく、生きた生物から複製されることを証明した。また、この実験から、煮沸を行うことで微生物が死滅することもわかり、手術時に使用する器具の滅菌にも使われるようになった。この煮沸による滅菌技術の確立は、手術の安全性を高め、微生物の純粋培養を可能にした。

●微生物による感染症

19世紀にもう一つ疑問に思われていたのが、感染症は毒物によるものか、微生物によるものかということである。この問いを明かしたのが、ドイツの細菌学者であるロベルト・コッホだ。彼とパスツールは、その業績から「近代細菌学の開祖」と呼ばれることになる。彼は、微生物が病気の原因であるとするために、4つの条件を制定した。それは「コッホの原則」と呼ばれるもので、この4原則は現在でも微生物由来の病気を見分けるための指標として扱われている。

このコッホの原則とは、

①：微生物が病変した組織から観察できること
②：その微生物を組織から分離し、それを純粋に培養することができること
③：微生物を培養したあと、その液体を宿主に投与すると、宿主が病気になること
④：病気になった宿主から、再びその微生物が見つかり、それを分離できること

である。この4原則を満たせば、特定の微生物が特定の病気を引き起こす原因であると言える。この4原則を決めるきっかけは、炭疽病という草食動物の脾臓に腫瘍ができる伝染病を調べることになったことである。彼は、炭疽菌という原因菌の分離に成功し、さらにその分離した菌を用いて、別の個体に同じ伝染病を引き起こすことに成功した。これはコッホの原則を満たすことができた初めての例として知られており、ここからコッホの原則が確立された。

●細菌よりも小さな生物

微生物は光学顕微鏡を用いて発見された。しかし、ウイルスは光学顕微鏡で見られる大きさよりも小さいため、従来のものでは観察できない。では、どのようにしてウイルスを見つけることができたのか？ それを今から見ていこう。

最初にその存在が確認されたウイルスはタバコモザイクウイルスである。タバコは19世紀に大流行しており、その当時はビッグビジネスの1つであった。だが、1880年ごろに、タバコの葉が病変してモザイク状になるという伝染病が流行し、ビッグビジネスに深刻な影響を与えていた。そこで、1886年に、ドイツの農学者であるアドルフ・マイヤーが、この伝染病の調査に乗り出した。この病気になったタバコの葉は、形が通常とは異なり、成長不足でしわしわになる。また、一部に黒い斑点ができ、正常の部分と病変した部分が、ちょうどモザイク状になっているのが特徴的である。彼は、このタバコモザイク病が感染するかを確認するために、以下の方法を行った。まず、タバコモザイク病の葉を刻み、水を加えて

すりつぶした。その後、そのすりつぶした粉と水を試験管に移して放置した。すると、試験管内で重い粉は下の方に、透明な液体が上の方に分離した。この上の液体を正常な10本のタバコの木にかけると、9本がタバコモザイク病になった。このようにして、タバコモザイク病は感染することを彼は証明した。しかし、コッホの原則を満たすように、原因物質を分離しようとしたところ、いくら繰り返しても原因物質を捕まえることができなかった。培養する以前に原因の物質を突き止めることができないため、当然コッホの原則を満たすことができない。現在ではウイルスが原因であると考えることができるが、この時代にはウイルスという存在そのものが知られていないため、この段階では感染性があることしかわからなかった。

●タバコモザイクウイルスの発見

タバコモザイク病の感染性が確認されてから6年後の1892年に、ロシアの科学者であるディミトリ・イワノフスキーは、ある実験を行った。それは、先ほどの工程と同じようにしてできた透明な液体を、最新のバクテリア・フィルターに通して、タバコの木に与えるというものであった。もし、微生物が原因物質なら、このセラミック製フィルター（0.1～0.5μmの穴）を通過することはできないため、タバコの木が感染することはないだろうと考えたのだ。しかし、彼の予想とは反して、またしても正常だったタバコの木は、タバコモザイク病に感染してしまったのである。

彼はこの結果から、タバコモザイク病の原因物質は、

①：細胞のない状態では生きられないが、タバコの葉と一緒なら、つまり細胞があれば生存できる

②：その原因物質はそれまでに見つかっている生物と比較して、一番小さいものである

と結論づけた。

しかし、ここまでの実験結果からこのタバコモザイク病の原因は生物ではなく、毒物であるという可能性も残されている。この可能性を消滅させたのが、オランダの学者であるマルチヌス・ベイエリンクである。1898年、

イワノフスキーの実験から約6年が経過したころ、彼は上記のバクテリア・フィルターを通して得たろ液を、数十倍・数百倍に薄め、それをタバコの葉につけて感染するかどうかを調べた。すると、タバコの葉にこの病気が発症したのである。このろ液をいくら希釈しても病気を引き起こす効果は薄まらないため、タバコモザイク病は毒物によるものではないことが判明した。補足説明を加えておくと、もし、この原因物質が毒物ならば、希釈するたびに薄まるため、その感染性は減少していき、やがて発症しなくなるだろう。しかし、生物が原因となれば、希釈をしてもまた複製・増殖することができるため、その感染性は薄まらず、タバコモザイク病は発症し続けるだろう。このようにして、タバコモザイク病は単なる物質ではなく、れっきとした生物が原因で引き起こされる感染症ということがわかり、この原因物質をタバコモザイクウイルスと呼ぶようになった。これが、世界で初めて発見されたウイルスである。

●ウイルス研究の第一歩

タバコモザイクウイルスの発見後、様々なウイルスが発見されることになった。また、ヒトの感染症の中にもウイルスが原因となって引き起こされるものがあることがわかった。一番初めに発見されたヒトの感染症の原因ウイルスは、野口英世の死因にもなった黄熱病である。この黄熱病は黒色の嘔吐を起こすため、「黒吐病」とも呼ばれており、重症化すると肝炎や腎炎を引き起こし、致死率も25%と高めである。一度発症すると、症状の経過を観察し、あらわれる症状に対してそのつど対処することしかできない。だが、黄熱ウイルスに有効なワクチンは存在するため、現在では流行地への渡航の際にワクチンを接種することが義務づけられている。

1915年ごろには、生物学実験を行う上で重要な1つのツールとして現在も使われているバクテリオファージが発見された。このバクテリオファージは、細菌に感染するという特徴を持っているため、遺伝子増幅といった技術を使う際の大事なツールとして、また病気に対する新たな治療法の可能性を担っているため今日まで重宝されている。

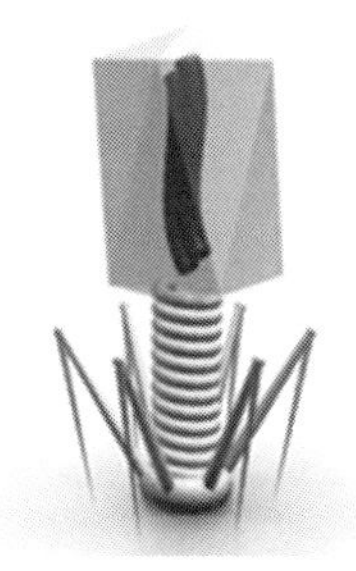

図　バクテリオファージの形（Scitable by natureEDUCATION より引用）

1935年ごろには、ついにロックフェラー大学のウェンデル・スタンレーがタバコモザイクウイルスの結晶化に成功した。この結晶から、生き物としての特徴と、純粋な化学物質としての性質の両方を持っていることがわかり、ウイルスが生物と無生物の間にいることが初めて示唆された。この結晶中には、RNAとタンパク質が存在しており、このRNAが感染する際に重要な役割をしていることもわかった。ウイルスの形状や性質については後ほど詳しく述べるが、この時に見つかったのはウイルス粒子中に存在する遺伝子と、その周囲を覆っているタンパク質であると考えられている。

1952年には、遺伝情報としてRNAを保持するウイルスだけでなく、DNAを保持するウイルスも存在していることが証明され、翌年にはかの有名なワトソンとクリックが、DNAは二重らせん構造をしているということを公表した。また、1955年には、現在でも基本となっているウイルスの一般構造が特定された。その構造は、核酸（DNAまたはRNA）を中心にして、その周りをタンパク質（カプシド）が包み込むようにしたものであり、これがエネルギー的に最も安定した状態なのである。

●ウイルスという言葉

ここまでウイルスがどのようにして発見されたのかということを見てきたが、最後にウイルスという言葉について少し触れておきたいと思う。ウイルスは英語表記で“Virus”となるが、これはラテン語で「毒液・粘液」という意味の言葉である。この“Virus”という表記を初めて導入したのは、先ほど紹介したベイエリンクである。また、日本での正式名称は「ウイルス」であり、すべて大文字からなる。しかし、たまに「ウィルス」という、「イ」が小文字になって書かれている場合がある。私がよく遊んでいるゲームの中でもこの「ウィルス」という表記がされているが、それは正式に言えば間違っている。「ウイルス」が正しい表記となったのは、1953年に日本ウイルス学会が設立されたからだ。それまではウイルスという表記以外にも、ろ過性病原体、超顕微鏡的病原体などの様々な表記の仕方があったが、この学会の設立を機に「ウイルス」という表記に統一することになったのである。

「ウイルスとは何者か」

●ウイルスの種類

ウイルスにもたくさんの種類が存在しており、2018年ではその分類は14目＞150科＞79亜科＞1019属＞5560種となっている。国際ウイルス分類委員会が公表している第8次ICTVレポートでは、ウイルスの総数は30,000を超えるとされている。2014年時点で知られているヒトに感染するウイルスは合計22科存在しており、その内訳はDNAを遺伝情報として持つウイルスが7科、RNAを遺伝情報として持つウイルスが15科である。ヒトに感染するウイルスの大きさは30～300nm程度であり、最少はピコルナウイルス科であり、最大はポックスウイルス科であるとされている。ヒトに感染しないウイルスでは、2014年にシベリアで発見されたピソウイルスが最大とされており、大きさは約2μmで、大腸菌とほとんど同じ大きさである。ピコルナウイルス科に属している代表的なものは、ポリオウイルスや、手足口病の原因であるコクサッキーウイルス、ヒトがかかる風邪の原因の多くを占めているライノウイルスがある。一方のポックスウイルス科に属するものの代表は、やはり天然痘の原因となった痘瘡ウイルスである。天然痘については後ほど詳しく記述する。

●ウイルスの特徴

ウイルスは細胞ではなく、中心に核酸を持つ粒子であることはすでに述べている。また、細胞ではないため、自己代謝、すなわちエネルギーを作ることはできず、自身で分裂・増殖することもない。それは他の細胞に侵入して初めて増殖することができる。他の細胞にある遺伝物質を複製する装置（ポリメラーゼ）や、タンパク質を作る設備（リボソーム）を無断で借りて使っている。このような状態を「寄生」という。この状態では、無断で使用されている細胞には何の利益もない。ここで「寄生」とは逆の概念である「共生」にも触れておき、いかにウイルスが迷惑であるかを読者の方にも知ってもらいたい。「共生」とは共に生きると書くが、その名の通り、お互いに利益を生み出せるようにすることである。『生物多様性　「私」から考える進化・遺伝・生態系』という本の中で共生の一例として、サンゴと褐虫藻の共生関係が挙げられていた。サンゴの内部に存在する褐虫藻は、サンゴに住処や二酸化炭素を提供してもらう代わりに、食べ物や石灰化の物質を提供している。このようにして、お互いが生存しやすいように生活する関係を「共生」という。しかし、ウイルスは「共生」ではなく、「寄生」することを選んだのである。我々に利益ではなく損失を与えてくるため、ウイルスは嫌われるようになってしまったのではないか。このように書いたが、実はヒトが持つ遺伝子の中にはウイルス由来のものもあり、実際に胎盤形成時などに働いている。この場合は共生とは言い難いが、確実にウイルスの恩恵を受けているため、損失だけを与えているとは言えない。ウイルスと人類の歴史は想像以上に深いのである。

ウイルスに寄生される生物を「宿主」または「ホスト」と呼んでいる。すべての生物は細胞からなるため、ウイルスからすれば地球上の生物すべてに寄生することができ、増殖・繁栄しやすいだろう。宿主となる生き物の範囲を「宿主域」と呼び、宿主域が広いほど、より多くの生物の細胞に侵入することができるため、生存には有利である。細胞といっても多くの種類があり、形や役割は異なっている。その中でウイルスが感染できる細胞の種類を「トロピズム」と呼んでいる。宿主域と同じで、トロピズムが広いと増殖もしやすいと考えられる。しかし、宿主域が狭くても繁栄できるウイルスは存在しており、必ずしも広い方がよいということは言えない。

ウイルスに限らず、すべての生物は自身で保持している遺伝情報をもとに種々のタンパク質を作っている。その方法について簡単に説明すると、核内でRNAポリメラーゼと呼ばれる酵素が、遺伝子を転写する。転写された遺伝子はスプライシングという工程を経てmRNA（メッセンジャーRNA）となり、リボソームに移動してきたこのmRNAが翻訳されることで、タンパク質が作られる。ウイルスタンパク質の生産も、生物が行っているこの普遍的な方法を採用している。

●ウイルスの基本構造

感染性を持つウイルス粒子のことを「ビリオン」と呼んでいる。ウイルスの形も多岐にわたっており、様々な特徴がある。最も簡単な構造をとっているのが、最小のウイルスの1つであるポリオウイルスで、遺伝情報の核酸（RNA）と、カプシドというタンパク質のみからなる。この二つをまとめてヌクレオカプシドと呼んでいる。ウイルスによっては、このヌクレオカプシドがエンベロープと呼ばれる脂質二重層に覆われているものもある。例えば、インフルエンザウイルスはエンベロープを持つ代表的なウイルスの1つで、このエンベロープの膜上に数種類のスパイクタンパク質を持っている。このスパイクタンパク質は、突起のように突き出しており、ウイルスの感染能力を上昇させるために様々な役割を持っている。インフルエンザウイルスに存在しているスパイクタンパク質はヘマグルチニン（HA）とノイラミニダーゼ（NA）であり、HAは主にウイルスが標的の細胞に侵入する際に必要なタンパク質、NAは反対に標的細胞から出芽する際に重要なタンパク質である。このインフルエンザウイルスについては、後ほど詳しく解説する。

多くのウイルスでは、エンベロープの内側はマトリックスタンパク質で裏打ちされており、容易に離れないようになっている。また、水疱瘡で有名なヘルペスウイルス科では、ヌクレオカプシドとエンベロープの間に、テグメントというタンパク質の層が存在している。

一部のウイルスでは、寄生先の細胞にはないため、自身の増殖に必要な酵素（RNA ポリメラーゼや逆転写酵素）を粒子内に所有しているものもある。

●ゲノム核酸

ほとんどすべての生物は自身の遺伝情報として DNA を使っている。DNA は二本鎖でらせん構造をとっており、かなり安定しているため変異が起きにくい。DNA は人間の体を作る設計図だと例えられることが多いが、その設計図が頻繁に変わっていると、何を作ればいいかわからなくなる。そのため、多くの生物は安定している DNA を遺伝情報として採用している。太古の昔は、遺伝情報に RNA を採用していた時期もあったみたいだ。その時の状態を RNA ワールドと呼んでいるが、RNA は一本鎖で存在しており、その安定性も低かったのである。すぐ変わる設計図では生存確率に影響が出てしまうため、現在の形がとられるようになったようだ。

一方のウイルスは、遺伝情報として DNA と RNA の両方を採用しており、これは種類によって異なっている。DNA ウイルスとして代表されるのは、ポックスウイルスやアデノウイルスで、RNA ウイルスにはインフルエンザウイルスやエボラウイルスが存在している。DNA は多くが二本鎖で存在しているが､RNA はその逆で､一本鎖で存在しているものが多く、二本鎖で存在しているものは少ない。また、この一本鎖 RNA はさらに 2 種類に分類することができる。それはプラス鎖とマイナス鎖であり、この違いは配列の順序にある。

・プラス鎖：一本鎖 RNA が mRNA と同じ配列を持ち、宿主の細胞内で mRNA として機能するもの。

・マイナス鎖：一本鎖 RNA が mRNA と相補的、つまりタンパク質に翻訳される配列と逆の配列をしており、そのままでは mRNA として機能しないもの。

このように分けられているが、簡単に言い換えるとプラス鎖がそのまま使える情報で、マイナス鎖は一度配列を変換しなければいけない情報であると考えればわかりやすい。プラス鎖 RNA を持つウイルスには、最初に発見されたタバコモザイクウイルスやポリオウイルスがあり、このポリオウイルスは先ほどエンベロープを持たないウイルスの代表としても出ていた。マイナス鎖RNAを持つウイルスの代表格は、インフルエンザウイルスである。インフルエンザウイルスは、一本鎖のRNAを複数持っていて、分節化している。

またRNAからDNAに逆転写できる酵素を持つレトロウイルスのみ2倍体で、あとは1倍体である。これはつまり、レトロウイルスのみが同じ遺伝情報を2つ持っており、あとのウイルスは1つしか持たないということである。ちなみに人間の染色体は2倍体である。

●カプシドタンパク質

カプシドタンパク質は3～6個のペプチドからなるカプソメアと呼ばれる基本単位が、立方対称あるいはらせん対称に配置されていることにより構成されている。こうすることで内部にある核酸を周囲の環境から保護している。立方対称に配置されているカプシドは、正二十面体かそれに近い構造をとっている。一方でらせん対称に配置されているカプシドは、中心軸の周りをカプソメアと核酸がらせん状に囲っており、全体的に見ると円柱状か紐状に見える。カプシドタンパク質がこのような幾何学的な配列を取るのには、それなりの理由がある。まず理由の一つとしてあげられるのは、ウイルスが持っている遺伝情報は他の生物と比較しても少なく、多種類のタンパク質を作り出すことができないということである。そのため、わずかな種類のタンパク質を大量に作り、それを繰り返し使用することでこのような構造をとっていると言われている。また、この対称性をもった規則的な配列だと粒子の安定性が非常に高い。さらに、ウイルス感染は宿主のレセプターとの認識や、タンパク質分解酵素による分解を受けて内部の核酸を露出するという過程が存在しているが、こういった規則的な配列を取っていた方がスムーズに進めやすく、ウイルスの増殖においてかなり有利となる。立方対称とらせん対称が多いのは、ウイルスが進化していく過程で自然淘汰されて生き延びた結果であると考えられる。一方で、非対称にカプシドが配置されるものも存在しているため、ウイルスにとって最適な配置はそれぞれのウイルスで異なる。

●エンベロープ

インフルエンザウイルスなどがエンベロープを持っているが、これはウイルスの感染性を左右する重要な膜である。エンベロープとは、宿主細胞の細胞膜、ゴルジ体膜、小胞体膜などの特定の膜に由来する脂質二重膜であり、ウイルスが宿主の細胞内で増殖する時に、それらの膜をウイルス粒子の構成するパーツの一部分として獲得することで形成される。

このエンベロープ膜上には、ウイルス由来のタンパク質が一定の割合で存在しており、スパイクと呼んでいる。このスパイクタンパク質は、主に宿主の細胞に吸着する際にウイルスと細胞を引き合う役目を担っている。また、出芽の際に細胞とウイルスを引き離す、免疫システムから逃げるためにも使われる。

エーテルやエタノール、胆汁酸成分は脂質を溶かすため、脂質二重層であるエンベロープはこれらの物質によって破壊され、ウイルス粒子自体の感染能力もなくなってしまう。このため、エンベロープを持ったウイルスは乾燥や消毒剤に比較的弱い。つまり、インフルエンザウイルスやコロナウイルスといったエンベロープを持つウイルスは、きちんと消毒液を使って消毒することで感染を抑え込むことができるのである。しかし、エンベロープを持たないウイルスはエタノール等に強く、容易に分解されることがない。乾燥にも強く、宿主の体内から放出されたあとも比較的長く生存している。また、ロタウイルスといった腸管に到達して胃腸炎を引き起こすようなウイルスは、胆汁酸に分解されないようにエンベロープを持たない。

●ウイルスの分類方法

ウイルスの分類は国際ウイルス分類委員会（ICTV）という組織が、そのウイルスが持っているゲノム核酸の性質、カプシドの対称性（らせん対称や立方対称）、エンベロープの有無、ウイルスゲノムがコードしているタンパク質の性質、複製様式などを基準に行っている。ウイルスはその性状から、目＞科＞亜科＞属＞種＞型に分類される。各ウイルス属の中でも特に典型的な性状を示すものを基準種と呼んでいる。

また、臨床現場ではウイルスが標的とする臓器による分類分けもしばしば行われている。具体的な分類としては、①：全身感染性、②：神経親和性、③：呼吸器親和性、④：腸管親和性、⑤：皮膚親和性である。

ウイルスゲノムの転写機構による分類も存在している。これはウイルスの性質を知るためには有用な分類方法であり、①：二本鎖DNAウイルス、②：一本鎖DNAウイルス、③：逆転写ウイルス、④：プラス鎖RNAウイルス、⑤：マイナス鎖RNAウイルス、⑥：二本鎖RNAウイルス、⑦：レトロウイルスの7つに分類される。ウイルスをどのように扱うかによって分類分けは使い分けされているのである。

「ウイルスの増殖」

●ウイルスを増殖・定量する方法

ウイルスは何度も述べたように自己複製できないため、完全に宿主頼りで増殖していく。そのため、19～20世紀初めごろは、ウイルスを増殖させるにはそのウイルスに感受性を持つ動物や植物に直接接種するという方法を用いていた。このころは、まだ増殖技術が確立されていないため、この方法でしか増殖させることができなかった。時代が進むにつれて徐々に技術力が向上していき、ついに1950年ごろには、培養細胞を用いてウイルスを増殖させることに成功したのである。ここから、ウイルス研究はさらに加速していくことになる。ワクチンの生産においてもこの培養細胞は使われることになっていく。この方法では、特定のウイルスに対して感受性を持つ培養細胞を、対象のウイルスに感染させて、円形化・細胞同士の融合・細胞死といった変化を見ることができる。この変化のことを細胞変性効果（CPE）と呼ぶ。この効果を応用して、ウイルスを定量することができる。この培養細胞を寒天培地上で培養していくと、最初にウイルスが感染した細胞から周囲の細胞に広がっていき、上述の細胞変性効果を起こしながら肉眼で観察できるプラーク（斑）を形成する。こうしてできたプラークを数えるプラーク定量法が現在では主流の定量法である。このプラーク定量法は、動物に感染するウイルスの定量として使われる10年ほど前に、細菌に感染するウイルス（ファージ）の定量に用いられていた。ファージによってできたプラークは、ファージが細菌を分解したあとの残り物のようなものである。これが肉眼では培地上で抜け跡として観察できる。ちなみに、このプラーク定量法が確立される前は、ウイルス液の最大希釈倍率を用いて定量していた。たとえば、ウイルス液を高倍率で希釈しても細胞に病変が見られると、それほどこの試料中に多くのウイルスが含まれていると言える。

現在ではプラーク定量法の他にも、電子顕微鏡を用いてウイルスを直接数える方法や、一部のウイルスが持つ赤血球凝集能を用いた定量法が存在している。またポリメラーゼ連鎖反応（PCR）法をもとにしたリアルタイムPCRを用いた定量も行われている。PCRは、自分が欲しいDNAの断片を増幅するために用いられる方法である。その増幅具合を経時的に確認することができる手段として開発されたのがリアルタイムPCRである。経時的に増えた遺伝子の量を比較検討することで、ウイルスの量を推定することができる。このように、ウイルスの性質を応用した定量技術が日々確立されているのである。

●多段増殖と一段増殖

ウイルスが宿主の細胞に侵入し、その内部で子孫ウイルスを作る。その子孫ウイルスは無事に細胞から出芽したあと、また別の細胞へと侵入して増殖を繰り返す。このような増殖の流れを多段増殖という。親ウイルスの遺伝情報をもとに作られた子孫ウイルスが別の細胞へと侵入する過程は、ウイルスの種類によって異なり、また個体差もあらわれるため、均一な増殖は行われない。つまり、この多段増殖を研究しても細胞内での増殖の様子を知ることはできず、十分な結果を得ることができないのである。しかし、1939年にファージを用いて行われた実験から、単一のウイルスがどのようにして細胞内で増殖するのかという一段増殖の過程が解明された。

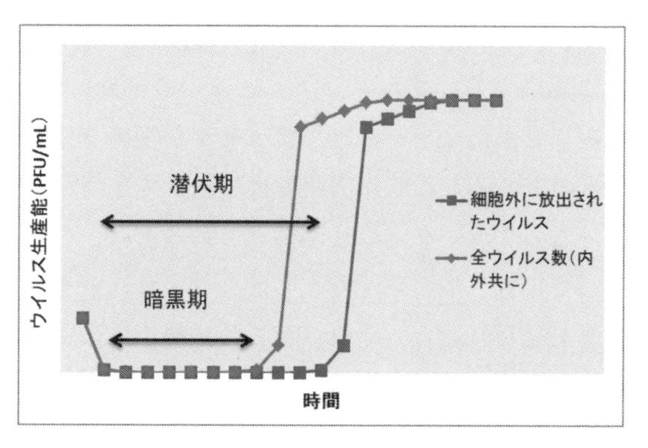

図　一段増殖曲線（『病原微生物学 ―基礎と臨床―』より引用）

図にエンベロープを持たないウイルスの一段増殖曲線を示す。縦軸に書かれている単位のPFUはプラーク定量法によって決められるウイルスの感染力のことである。ウイルスが細胞に侵入してから初めて感染性を持つウイルス粒子ができるまでの期間を暗黒期と呼んでいる。細胞に侵入したウイルスは遺伝子を残してバラバラになり、その後、宿主の複製装置を使って複製、自身の遺伝情報をもとにウイルス粒子を形成するタンパク質を合成する。それらが集合して子孫ウイルスが形成されるが、この過程が暗黒期に該当する。一方の潜伏期とは、感染してから最初に細胞外に子孫ウイルスが出現するまでの期間のことを指す。細胞外のウイルス数と全ウイルス数を比較すると、全ウイルス数の方が先に増加傾向にある。これは、ウイルス粒子は一度感染した細胞内で粒子自体を形成して、その後細胞外へと放出されるが、その粒子も数に含めているからである。

●ウイルスのライフサイクル

ウイルスが細胞内に侵入してから子孫ウイルスを作り、細胞外に放出されるまでの過程を生活環（ライフサイクル）と言う。このライフサイクルはウイルスの種類ごとに多岐にわたっているが、おおまかに4つの過程に分けられる。

1：ウイルスの侵入

2：ウイルスゲノムの転写とタンパク質合成

3：ウイルスゲノムの複製
4：粒子の形成と細胞からの放出

1. ウイルスの侵入

まずは、ウイルスが細胞に侵入する過程を見ていこう。ウイルスが増殖するためには宿主の細胞内に入らないといけない。しかし、ウイルスによって呼吸器の上皮細胞に感染するもの、腸管の上皮細胞に感染するものというように、感染する細胞の種類が異なる。そこで、ウイルスは宿主細胞の膜に存在している種々のレセプターを通して標的の細胞かどうかを判断して、そのレセプターと結合する。ウイルスとレセプターの結合は特異性が高いが、それはウイルス粒子が持つスパイクタンパク質や、ヌクレオカプシド表面上の特異部位と細胞側のレセプターとの間で相互作用が働くからである。ちなみに、このウイルスとレセプターはよく「カギとカギ穴の関係」と例えられることが多い。カギとカギ穴はお互い特定の形をしており、形状が合致した場合のみカギを開けることができる。この仕組みと上記のレセプターとウイルス粒子の結合様式が似ていることから、この例えが良く使用される。

ウイルス種	ウイルスに対するレセプター
アデノウイルス	CARとαVインテグリン、CD46
ポリオウイルス	CD155
インフルエンザウイルス	シアル酸（糖鎖の1種）
ムンプスウイルス（おたふく風邪）	シアル酸
HIV	CD4 ケモカインレセプター（CCR5 or CXCR4）

図　ウイルスとレセプターの関係（『病原微生物学 ―基礎と臨床―』より引用）

このように、ウイルスの種類によって宿主細胞側のレセプターも異なっている。また、HIV は表中2つのレセプターの両方（CD4とケモカインレセプター）を認識して結合しないと、細胞に侵入することができない。HIV については、後ほど詳しく説明する。

ウイルスはレセプターと結合したあとに細胞の中に侵入するのだが、この侵入の仕方もウイルスによって異なっている。エンベロープを持っているウイルスは、脂質二重層からできているエンベロープがヌクレオカプシドを覆っているため、細胞膜と融合しないとゲノム核酸を細胞内に侵入させることができない。HIVでは、レセプターと結合したあと、エンベロープと細胞膜を融合させることで、ウイルスゲノムを細胞内に送り込んでいる。インフルエンザウイルスやC型肝炎ウイルスでは、レセプターとの結合後、細胞が外の物質を細胞内に運び込む際に使われているエンドサイトーシス経路を用いてウイルス粒子ごと取り込ませる。エンドソームと呼ばれる輸送小胞が、このウイルス粒子を細胞表面から内部へと運び込む。その後、エンドソーム内腔のpHが酸性状態になることで、ウイルス粒子のエンベロープとエンドソームの膜が融合し、ウイルスゲノムが細胞質へと侵入することができる。一方でエンベロープがないウイルスは、膜融合による侵入ができない。そのため、レセプターとの結合やエンドサイトーシスを用いて細胞内に侵入する。レセプターを介する場合は、ヌクレオカプシドのある特定の部位が細胞側のレセプターと結合することで引き起こされる構造の変化を使って、細胞内部へとウイルスゲノムを侵入させる。エンドサイトーシスを介して侵入する場合は、レセプターと結合してエンドサイトーシスされたあと、エンドソーム内腔が酸性状態になることで、ヌクレオカプシドの構造が変化してウイルスゲノムが細胞質内へと入る。

RNAウイルスの多くは細胞質にてそのゲノムを転写・複製するが、一部のRNAウイルスとDNAウイルスは核内で転写・複製されるため、一度細胞質に侵入したウイルスゲノムは、自身と相補的な配列を持つ、短いRNA（マイクロRNA）による誘導で核内へと移行される。また脱殻という過程でカプシドタンパクがゲノムから離脱し、ゲノムのみを遊離させる。しかし、一部のウイルスではこの脱殻をしない、つまりゲノムとカプシドタンパクが結合したままで転写・翻訳を行うものもいる。

ここまでがウイルスの細胞への侵入過程であるが、この侵入について、追加の説明をしておきたい。ウイルスに対応するレセプターは、ある特定の臓器に存在している場合と、全身に存在する場合がある。インフルエンザウイルスを例に挙げると、インフルエンザウイルスは細胞が持つシアル酸を認識するが、これは喉の上皮細胞にあるシアル酸だけに結合するといった具合だ。また、ウイルス粒子と細胞膜との膜融合についても補足説明を入れる。膜融合活性を得るためには、ウイルス粒子表面にあるスパイクタンパク質が、タンパク質分解酵素によって分解される必要がある。例えば、インフルエンザウイルスの表面上に存在するスパイクタンパク質のHAは、シアル酸と結合したあと、細胞表面に存在する微量なタンパク質分解酵素によってHA1とHA2に分割される。この分割によって初めて、インフルエンザウイルスのエンベロープと細胞内のエンドソーム膜の融合活性を得るのである。また、麻疹ウイルスのエンベロープに存在するスパイクタンパク質であるFタンパクも同様の過程を経て、細胞膜とウイルス粒子が融合する。このことから、ウイルスが持つスパイクタンパク質を分解する酵素の有無が組織特異性を決める1つの因子であると言える。

2. ウイルスゲノムの転写とタンパク質合成

細胞内に侵入したウイルスの遺伝子はmRNAに転写され、また翻訳されて初期タンパク質に合成される。初期タンパク質とは、

- DNAまたはRNAポリメラーゼといったウイルスゲノムのコピーに関する酵素群
- できたウイルスタンパク質を適度な長さに切断するタンパク質分解酵素
- 自身の転写調整や、宿主細胞の核酸またはタンパク質の合成に関与するタンパク質

のことを指す。これらの初期タンパク質は今後のウイルス粒子形成を促進させる機能を持っているため、機能タンパク質と呼ばれることもある。

ウイルスが持っているゲノム核酸の種類は異なるため、DNAウイルス、RNAウイルス、レトロウイルス（逆転写を行うウイルス）ごとに転写の仕方も異なる。DNAウイルスでは、核内に移動したDNAは宿主のRNAポリメラーゼⅡによって転写される。一本鎖DNAや逆転写するDNAウイルス(B型肝炎ウイルスなど)も、一度二本鎖に変換されたあと、RNAポリメラーゼⅡが転写を行う。しかし、ポックスウイルスのみ自身の遺伝情報にコードされたDNA依存性RNAポリメラーゼを用いて転写を行っている。そのため、このウイルスは核内ではなく細胞質で増殖す

る。一方でRNAウイルスの場合、宿主細胞はRNAからRNAを合成する酵素を持っていないため、自身の遺伝子にコードされているRNA依存性RNAポリメラーゼを用いてmRNAに転写する。プラス鎖RNAを持つウイルスは、ゲノム自体をmRNAとして働かせ、それに加えて、ゲノムに相補的なマイナス鎖RNAを合成し、それらを鋳型としてプラス鎖のmRNAを合成する。マイナス鎖RNAを持つウイルスは、ゲノムをそのまま鋳型として用いており、RNAポリメラーゼを使ってmRNAに転写している。二本鎖RNAウイルスは、二本鎖ゲノムのマイナス鎖の部分を鋳型にしてmRNAを合成している。また、逆転写を行うレトロウイルスでは、まず細胞質でRNAゲノムから逆転写酵素によって二本鎖DNAを合成し、それがマイクロRNAなどの輸送因子によって核内へと移行される。その後、インテグラーゼという酵素を用いて宿主の染色体へと組み込まれる。このことをインテグレーションという。このように宿主の染色体に自身のウイルスゲノムが直接組み込まれるウイルスのことをプロウイルスという。

ウイルスが細胞に侵入してからしばらくたった感染後期には、ウイルス粒子を構成するためのカプシドタンパク質やエンベロープ上に存在するスパイクタンパク質の合成が始まる。この際、ウイルス粒子を形成するタンパク質がコードされている遺伝子上の領域からmRNAの転写が活性化するため、これらのタンパク質を後期タンパク質あるいは構造タンパク質と呼んでいる。

ウイルスが持つ遺伝子情報量を機能タンパク質と構造タンパク質で比較すると、圧倒的に初期に作られる機能タンパク質の方が多い。これは、ウイルスに独自性を持たせるため、また宿主によりうまく寄生しようとするために、この機能タンパク質を使っているからである。

3. ウイルスゲノムの複製

ゲノムの複製の仕方も、やはりウイルスが持つ遺伝情報の違いから異なる仕組みを持っている。DNAウイルスの内、ヘルペスウイルスといった線状二本鎖DNAを持っているものは末端から逆末端の一方向に複製され、環状二本鎖DNAを持っているものは複製開始点から両方向へと複製される。そのため、二本鎖の内の片方は新しく作られたウイルスゲノムで、もう片方は親ゲノム由来のものとなる。一本鎖のRNAウイルスでは、ゲノムと相補的な配列を持つアンチゲノムが合成され、それを鋳型としてゲノムを複製している。一方で、二本鎖のRNAウイルスでは、ゲノムを鋳型として合成されたプラス鎖RNA（mRNAとしてそのまま使用できる配列を持つRNA）が、二本鎖ゲノムを合成する鋳型としても働く。レトロウイルスでは、RNAポリメラーゼⅡによって完全長のゲノムRNAが合成される。また、ウイルスゲノムの複製には、上述の機能タンパク質以外にも、宿主細胞の複製に関係しているタンパク質も必要になってくる。ウイルスゲノムの非転写領域に結合する複数の宿主側因子には組織特異性があるため、ここでもウイルスが侵入できる組織に制約がうまれ、むやみに他の組織で増殖することはできないのである。転写を活性化させるエンハンサーと呼ばれる遺伝子上の領域や、転写・複製に関係するRNAポリメラーゼといった酵素群が結合するプロモーター領域には、複数個の宿主側の因子が結合しなければならないため、ウイルス増殖には宿主の細胞で使われている道具を十分に使用しなければいけない。

4. 粒子の形成と細胞からの放出

ウイルスゲノムの複製と構造タンパク質の生産が一定の量を超えるとウイルス粒子の形成が始まる。ウイルス核酸に親和性を持つカプシドが核酸を囲んで集合し、ヌクレオカプシドを形成するが、この時に宿主由来のタンパク質を取り込むことがほとんどないのは、ウイルス核酸とカプシドの親和性がかなり高いからである。

宿主細胞からウイルスが放出される際には、それがエンベロープを持っているかどうかが影響する。エンベロープがない場合は、感染細胞で新たに作られたウイルスゲノムが正二十面体のカプシドに包まれて粒子を形成したあと、細胞を破壊して細胞外へと拡散されていく。一方で、エンベロープを持つ場合は、出芽と呼ばれる方法で細胞外へと放出される。エンベロープタンパク質は小胞体で膜タンパク質として合成され、続いてゴルジ体で糖鎖を修飾、また開裂されて細胞表面の形質膜に運ばれていく。その後、ヌクレオカプシドがエンベロープに覆われた状態で、膜を引きちぎるようにして細胞外へと出ていく。加えて、小胞体やゴルジ体からウイルス粒子が出芽し、エキソサイトーシスという細胞から物質を外に排出する経路を用いて細胞膜の表面まで運ばれて、細胞外へと放出されるものもある。そのため、このように出芽をする場合は必ずしも感染細胞を破壊することはない。

この出芽の過程をもう少し詳しくみてみよう。細胞膜上に分散していたスパイクタンパク質は、もともとあった細胞側のタンパク質を排除して、互いに密に細胞膜上に並ぶ。そして、このスパイクタンパク質が近くにいるヌクレオカプシドを引き寄せ、両者間で結合する。最終的に、ジッパーが閉じるように両側から膜が閉じて、そのままくびれる形を経て、粒子としてちぎれて細胞外へと放出されていく。

●ウイルスの多様性

ウイルスは細胞内に侵入したあと、大量の子孫ウイルスを作る。また、複数の細胞からウイルス粒子は産生され、そのウイルス粒子がまた別の細胞へと感染していく。ここからわかるように、ウイルスは指数関数的に増殖していくのである。この大量に増えたウイルスが持つ遺伝情報はすべて均一にはならない。それは遺伝情報を複製する過程において、遺伝子に突然変異や組換えが生じることがあるからだ。遺伝情報が変化すると、そのウイルスの感染性にも変化が生じる。その変化がウイルスの生存にどのように影響するかという選択を受けることにつながり、結果として、ウイルスに多様性が生じることになる。

インフルエンザウイルスのようなRNAウイルスの持つRNAポリメラーゼは、DNAウイルスが用いている宿主のDNA依存性RNAポリメラーゼとは違い、校正のメカニズムを持っていないため、遺伝情報を複製する際に間違った塩基を挿入してしまう確率が高い。どのくらいの頻度でこのミスが起きてしまうのかというと、DNAでは1/1000～1/1億の頻度であるのに対して、RNAでは1/1000～1/1万の頻度である。つまり、RNAウイルスのゲノム複製時にミスが起きる確率は、DNAウイルスの複製時にミスが起きる確率の１万倍以上ということになる。

このようなミスが生じた場合でも、ウイルス自身の増殖に不利にならない変異を持つウイルスはこれまで通り生存できる。そのため、ウイルス集団は単一の共通したゲノムを持たないのである。HIV の例を見てみよう。HIV はヒトの細胞に感染したあと、個人差はあるが徐々に増殖していき、やがて発症する。その増殖過程において、ヒトの免疫機構や投与する抗ウイルス薬に抵抗性を持つウイルスが多勢を示すようになる。ウイルスの遺伝子が突然変異した結果、免疫や抗ウイルス薬に耐えることができる能力を獲得し、それらに耐えられないウイルスが死滅する中、それらに耐えられるウイルスのみが増殖を続けることができるのである。このような突然変異や免疫・抗ウイルス薬といったウイルスを死滅させる因子の影響によってウイルスが変化することを、遺伝的浮動と呼んでいる。

遺伝子の塩基配列への誤挿入以外にも、ウイルスの遺伝情報が変化することがある。それが「組換え」である。この組換えには、いくつかの種類がある。

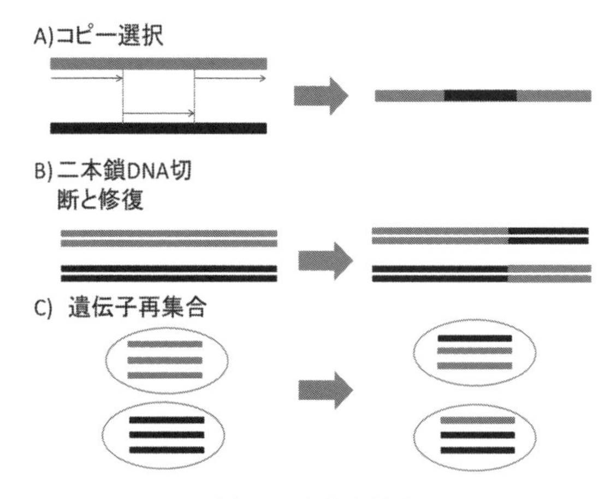

図　ウイルス遺伝子の組換え様式
(『ウイルスがわかる 遺伝子から読み解くその正体』より引用)

A のコピー選択は、DNA 複製時に異なる鋳型をコピーしてしまうことで生じる。B では、二本鎖 DNA を複製時に切断し、それをもとに戻す際に別の切断された DNA 鎖を組み合わせてしまうことで起こる。この A と B は一つのウイルス粒子内で生じることから分子内組換えと呼んでいる。一方で、Cの遺伝子再集合は、インフルエンザウイルスのような分節ゲノムを持っているウイルスにのみ生じる。この種のウイルスは複数のゲノムを持っているため、一つの細胞に同時に2つ以上のウイルスが感染した際に、別のウイルス由来のゲノムが粒子形成時に入り込んで、親由来のゲノムと別の親由来のゲノムが一緒になってしまうのである。このような組換えの結果、ウイルスの抗原が変化して新たな宿主へと感染できるようになることがある。また、インフルエンザウイルスにおける遺伝子再集合は、種々のタンパク質をコードする遺伝子が丸ごと別のウイルス粒子内に入り込むため、別のタンパク質をコードした遺伝子を持つことになり、抗原性が大きく変化したウイルスが出現することがある。抗原の形が変化すると、それまで免疫機構が作り出していた抗体が全く通用しなくなり、結果としてウイルスは増殖していき、パンデミックを起こすに至るのである。

●ウイルス感染

ウイルスの感染にはウイルスだけではなく、宿主が持つ性質もかなり影響している。「感受性」は宿主がウイルスを自身に侵入させる性質で、「許容性」はウイルスが自身に侵入したあとに複製させることを認める性質である。もう少しわかりやすく言い換えると、感受性は宿主細胞の膜表面にウイルスが認識できるレセプターが存在するかどうかであり、許容性はウイルスが増殖する際に関係する宿主側に存在する様々な因子の存在をあらわしており、この2つの性質がウイルス増殖の可能性を決定している。そのため、この2つの性質のどちらかが欠けてしまうと、増殖することができないのである。例えば、宿主に感受性があっても許容性がないと、ウイルスはその宿主に侵入することはできるが、非許容性のために増殖することができず、結果として死滅していく。ウイルス自体の増殖は見られず発症することもないので、これを不稔感染と呼んでいる。

また、ウイルス感染細胞にはある特徴が見られることがある。ウイルス感染細胞を特殊な物質で染色すると、核内や細胞質内に周囲と染色度合の異なる領域が見られる。これを封入体と呼んでおり、増殖しているウイルスを構成する種々の成分または、増殖に伴って生じた細胞構造の変化を反映しているものである。

これまでは細胞という極めて小さいレベルでウイルス感染を見てきたが、次はもう少し大きく範囲を広げて宿主一個体のレベルで見てみよう。宿主にウイルスが感染する経路は、

1：眼球や呼吸器、消化器、生殖器の粘膜

2：小さな外傷によって損傷している皮膚

の2通りである。また、これ以外には蚊やダニといった節足動物による刺し傷、他の動物による噛み傷がウイルスの媒介を行うこともある。

感染の広がり方にも違いがあり、先ほどの消化器や気道から侵入・増殖したウイルスがそれ以外の臓器へは広がらないような感染を局所感染という。一方で、侵入してきたウイルスがその場で増殖すると共に、リンパ系を介して血液中に運び込まれ、その後全身へと運ばれてから多臓器に感染し、そこでも増殖を起こすことを全身感染と呼ぶ。

ウイルスが感染してからの増殖具合も異なっており、それぞれに呼ばれ方が存在する。急性感染とは、ウイルスが侵入したあと急激に宿主体内で増殖し、そのウイルスに対する抗体が作られる前に体外へと放出されるような感染のことを指す。一方で、ウイルスによる急性感染のあと、それが長引いて感染が蔓延化することを持続感染と言い、この持続感染には3つの度合いが存在している。B型肝炎ウイルスのように常に体内でウイルスを検出できるような感染を慢性感染、ヘルペスウイルスのように特定の細胞内で潜伏し、免疫が弱まった時などに再び発症するような感染を潜伏感染、HIVのように感染してから数年後に発症し、その多くが死に至るような感染を遅発感染と呼んでいる。

もう少し各感染度合の状態を見ていこう。インフルエンザウイルスのような急性感染を引き起こすウイルスは、気道上皮細胞という標的細胞を認識して感染したあと、隣接する細胞へと感染を広げていく。また、インフルエンザウイルスはまれに、血流に乗ったあと神経系にまで拡散されて、インフルエンザ脳症を引き起こす可能性がある。このインフルエンザ脳症は、インフルエンザが重症化したものであり、発症は急激で、致死率も高い。上記でも触れたように、このようなウイルスは感染したウイルスに対

する抗体が形質細胞から産生されて血中へと出てくる前にその個体から排出される。宿主へと感染してもその個体に長くとどまり続けることはなく、すぐに別の個体へと感染する。そのため、ウイルス感染から発症する間の期間も極めて早いのである。一方で、日本脳炎やポリオウイルスに見られる感染しても発症しないような感染を不顕性感染という。この不顕性感染では、発病者と全感染者の比率が極めて低いため、抗体検査を行って初めて感染していたことを知るというケースが多い。ヘルペスウイルスのような潜伏感染では、すでに述べたように宿主の抗体が何らかの理由で減少した場合にだけウイルスが増殖するのである。単純ヘルペスウイルスを例に見てみよう。このウイルスは感染すると、最初は口唇に水疱瘡ができるのだが、1～2週間で完治する。しかし、このウイルスは宿主によるウイルス抗体ができる前に、口唇を支配する神経を上行して、三叉神経（12対ある脳神経の1つ）で潜伏する。そして、環境変化によるストレスといったことが原因で一時的な免疫機能の低下が見られ、自身に対する抗体量が減少した時に再び増殖し、先ほどの口唇を支配する神経を下行して口唇に水疱瘡を作るのである。その後、再び宿主の免疫機能が回復したら、先ほどと同様に神経を上行して三叉神経にて潜伏するようになる。このようなサイクルを繰り返しているため、回帰感染と呼ぶ場合もある。

私たちヒトを含む動物はその多くが集団内で生活している。次は、集団レベルでの感染を見てみよう。ヒトからヒトへの感染を水平感染と呼び、親から子へのウイルスの受け渡しを垂直感染と呼んでいる。水平感染で一番多いのが、飛沫感染や飛沫核感染である。飛沫は咳やくしゃみによって体外に放出される小さい水滴のことで、1～2m ほどの地点まで飛んで落下する。一方の飛沫核とは、上記の飛沫よりもさらに小さく、落下せずに空気中を浮遊している。この飛沫核感染はよく空気感染とも呼ばれる。動物による刺し傷や噛み傷によって発症する感染症は、人獣共通感染症と呼ばれる。これは、宿主域がヒト以外にも犬や豚、節足動物といった多岐にわたっている感染症のことであり、ヒト以外にも感染するウイルスの総称でもある。この人獣共通感染症の内、節足動物（蚊やダニ）が媒介するウイルスを「アルボウイルス」と呼んでおり、日本脳炎やデング熱などがこれに該当する。

それでは、どのウイルスがどのような感染を起こすのか、少し詳しく見ていくことにしよう。まずは気道感染するウイルスを見てみよう。空気中で噴霧状になっているウイルスを吸入して、喉の粘膜まで到達することで宿主内へと侵入し感染する。気道のみに感染する局所感染ウイルスは、インフルエンザウイルスや風邪を引き起こすウイルスであるライノウイルス、パラインフルエンザウイルス、コロナウイルス、アデノウイルスなどが該当する。これらは感染が奥まで広がることで気管支炎や肺炎のようなより深刻な症状になることもある。一方で喉の粘膜から侵入し、血流に乗って全身へと広がるようなウイルスには、麻疹ウイルス、水疱瘡を引き起こす水痘・帯状疱疹ウイルス、風疹ウイルス、ムンプスウイルスが該当する。気道感染するウイルスは、ほとんどがエンベロープを持つウイルスである。気道の表面に存在するゴブレット細胞（杯細胞）から分泌される粘液や、その粘液中に含まれるウイルスの吸着を阻止する物質、気道に存在する繊毛が異物を体外へと排出しようとする動き（繊毛運動）などが、ウイルスが宿主へ侵入することを阻止している。これらの防御機構を乗り越えるためにエンベロープを持っているのである。また、このエンベロープの表面には粘液中の糖タンパク質を分解する酵素が存在しており、ウイルスの侵入をよりスムーズにしている。

消化器で感染するウイルスもいる。これらは先ほどと同様に空気感染を介して口へと入り、そこから腸管粘膜へと到達し、そこに存在する腸管上皮細胞へと侵入する。これにはピコルナウイルス、カリシウイルス、アストロウイルス、ロタウイルスなどが該当する。消化器感染するウイルスは上記の気道感染とは違い、エンベロープを持たないものが多い。消化器から侵入しようとする場合、食べたものを消化する強酸性の胃酸や、十二指腸にて分泌される胆汁酸による界面活性作用、また種々のタンパク質分解酵素からの分解を逃れるためには、エンベロープを持っていない方が有利であるからだ。また宿主から放出されたあとも、下水中で比較的長く安定した状態で存在しており、経口感染のチャンスが多くなることからも、エンベロープを持っていない方が良いのである。

これ以外にも水平感染に含まれるのが、性行為による感染であり、性行為によって生じる粘膜の接触が主な感染経路となる。若者に蔓延している性感染症（STD）には、性器で発症するヘルペスウイルスやパピローマウイルスと、それ以外で発症するHIVやB型肝炎ウイルスがある。一方、垂直感染を引き起こすものには風疹ウイルス、サイトメガロウイルス、B型肝炎ウイルス、HIVなどが該当する。母の胎内で成長する子は、母から栄養素をもらっているが、同時にウイルスも受け継いでいるのである。加えて、B型肝炎ウイルスやHIVは分娩時の産道からも感染する場合がある。しかし、このB型肝炎ウイルスに感染している母親から生まれてくる子供は、胎児の時からウイルスに感染し、体内で増殖している状態が長時間続くが、症状は出ない。このように、症状は出ていないがウイルスは体内に残っている状態にある人をウイルス保有者またはキャリアという。ちなみに子供が発症しないのは、免疫系確立前からすでに体内に存在しているため、肝炎ウイルスを自己成分と認識して、免疫寛容が生じるからである。そのため、肝細胞の障害が起きることはないのである。

●ウイルスの病原性

ウイルスに感染することで種々の感染症の症状があらわれてくるが、ウイルス自体が毒物のような役割を果たすわけではない。ウイルス感染症の発症に起因するのは、

①細胞の合成阻害による壊死

②免疫反応による炎症

③アポトーシス（細胞死）誘導または抑制

などである。例えば、ポリオウイルスによる弛緩性麻痺は①の合成阻害によって引き起こされる。肝炎ウイルスによる肝障害は②の免疫反応に起因しており、異常な細胞を破壊する細胞障害性T細胞（キラーT細胞）が、感染した大量の肝細胞を破壊することによって生じるものである。この場合、ウイルスが分泌した物質によって症状が引き起こされるのではなく、ウイルスに感染した細胞を退治する宿主側の免疫機能によって引き起こされるのである。ウイルスによる感染症を理解するためには、このことはきっ

ちりと理解しておかなければならない。私も初めはウイルスによる感染症というのは、そのウイルス自体が症状を引き起こしているのだと勘違いしていたが、実際のところはウイルスの増殖によって宿主側の因子が影響を受け、それによって生じる宿主側の処理が原因で発症するのである。

このウイルスの病原性とは、ウイルスが宿主に感染することでどれくらいの障害を宿主に与えることができるのかというウイルス側の性質である。

それでは具体的に2つのウイルスの病原性を見ていくことにしよう。まずはポリオウイルスである。

ポリオウイルスは最小のウイルスであるピコルナウイルス科に属しており、エンベロープを持たないプラス鎖RNAウイルスである。このウイルスに感染しても約9割近くが不顕性感染で終わる。また、発症しても発熱や咳などの軽い症状で終わる。しかし、全体の1%以下ではあるが、麻痺型ポリオが発症することがある。ポリオウイルスが中枢神経系に到達した際に生じ、弛緩性麻痺を起こす。この麻痺は筋肉痛のような症状から始まり、急性弛緩性麻痺へと進行したあと、呼吸器不全を起こす場合もあり、そうなればしばしば死に至る。麻痺型ポリオが発症するのは、ポリオウイルスが喉や小腸の粘膜において増殖し、血液を介して全身へと輸送され(ウイルス血症)、中枢神経系へと向かい、脊椎の前角にある運動神経細胞に侵入・増殖することで細胞破壊を引き起こすからである。このように、麻痺型ポリオが起こるにはウイルス血症、運動神経細胞への感染が必須であり、そこまで侵入する前に免疫によってウイルスが破壊されてしまうことが多いため、発症は極めて稀なのである。しかし、野生に存在しているポリオウイルスには弱毒型と強毒型が存在しており、発症の可能性もやはり強毒型の方が高い。ポリオウイルスは3つの血清型を持っている。その内の1型の強毒型と弱毒型を比較してみると、双方が持つ遺伝子の塩基配列には、点変異(一か所だけの変異)が56か所存在しており、その内アミノ酸が置き換わるほどの変異は21か所である。

ここで少し補足説明を入れておくと、遺伝子が持つ塩基配列をもとにして作られるタンパク質はアミノ酸が連なってできたものである。DNAの塩基にはA・T・G・Cの4つが存在しており、RNAではA・U・G・Cである。これが3つつながると、1つのアミノ酸がコードできる。例えば、AUGという塩基配列があると、それはメチオニンというアミノ酸をコードしているのである。ちなみに このAUGは開始コドンと呼ばれており、ヒトが作り出すタンパク質はすべてこのAUGから始まる。これは高校の生物で扱った内容であるため詳しくは説明しないが、このような遺伝子情報に基づくタンパク質の生産は、ヒトだけではなくウイルスも同じである。また、この3つある塩基の内の1つが変化すると、コードしているアミノ酸自体も別のものになってしまうことがある。例えば、上記のAUGの最初のAをUに変えてUUGにすると、ロイシンという別のアミノ酸をコードすることになってしまうのである。

補足説明から弱毒と強毒による違いについての話に戻そう。56か所の内の21か所でアミノ酸置換が生じており、その中でも5'末端側の非翻訳領域にある480番目の文字がGかAかで弱毒と強毒が変化していることがわかった。この部分の変異が弱毒と強毒の違いに関係しているが、これはウイルスRNAが複雑に折れ曲がっているため、変異による構造の差異によって宿主因子の結合のしやすさが異なっているのである。宿主因子が結合することで、宿主細胞にあるリボソームがウイルスRNAに引き寄せられて翻訳が始まる。消化管では、増殖に必要な宿主因子が多く存在するが、神経ではこの因子は少ないため、もとから不顕性感染になりやすいのである。つまり、少しでも宿主因子が結合しやすい方が症状を引き起こしやすくなり、弱毒と強毒の違いが生まれてくるのである。

ウイルスは増殖する際に宿主の装置を使っていることは先ほども述べたが、ウイルスのmRNA転写・翻訳が効率よく進むことで、子孫ウイルスの核酸やタンパク質合成量が上昇する。このことで、宿主自身の合成系と競合が起き、宿主自体のタンパク質や核酸の量が減少してしまう。その結果、宿主の細胞は著しい代謝障害が生じ、結果的に細胞死を引き起こしてしまう。この細胞死が大量に起きることで、上記の運動神経細胞の量が減少して、機能障害になってしまうのである。では、次は麻疹ウイルスの病原性について見ていこう。

この麻疹ウイルスはパラミクソウイルス科に属しているマイナス鎖RNAウイルスであり、これは小児科で問題になることが多い。この麻疹は全身感染するもので、はしかとも呼ばれる。発熱と紅斑、咳を特徴としており、このウイルスは飛沫感染・空気感染でヒトの体内に侵入する。この紅斑は、ウイルスが皮膚の血管内皮細胞に侵入・増殖し、そこで免疫反応が生じることで起こる。また、このウイルスに感染した患者の内、10万人に1人の割合で感染してから数年後に神経の病気である亜急性硬化性全脳炎になる。これは、麻疹ウイルスに感染したあと、特に学童期に発症しやすい中枢神経疾患である。ビリオンを構成する一部のタンパク質が欠損した麻疹ウイルスが中枢神経にて持続感染を起こすことで発症し、知能障害、運動神経障害などが徐々に進行していき、発症してから半年程度で死に至ることもある。

麻疹ウイルスが持っている遺伝子情報は下図のようになる。

麻疹ウイルスの遺伝子

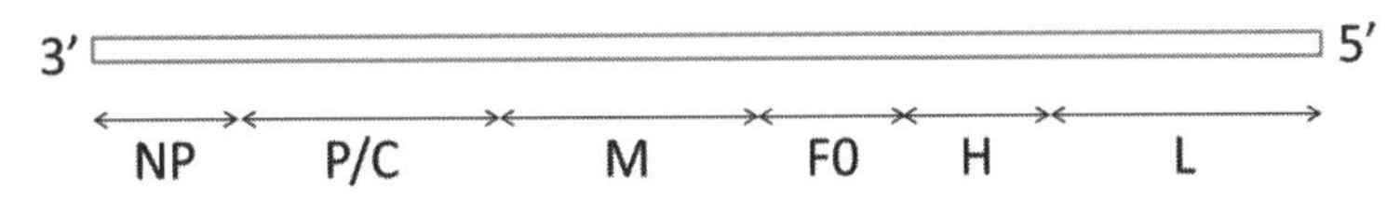

・NP：カプシドタンパク質
・P/C、L：ウイルスRNAの合成酵素
・M：ヌクレオカプシドを取り巻き、エンベロープを支える裏打ちタンパク質
・F0：膜融合タンパク質
・H：宿主細胞のレセプターを認識・結合するタンパク質

図　麻疹ウイルスの遺伝子
(『ウイルスがわかる 遺伝子から読み解くその正体』より引用)

Mタンパク質がウイルス粒子の構造を支える役割をしている。また、F0タンパク質は膜融合タンパク質であるが、感染組織中に存在している微量なタンパク質分解酵素によってF1とF2に分割されることで膜融合能を獲得するのである。この麻疹ウイルスはエンベロープを持つので、細胞に侵入するためには膜融合させる必要性がある。このFタンパク質によって隣接する細胞同士が融合を起こして、多核巨細胞を作り出す。この多核巨細胞の形成は麻疹ウイルスが引き起こす病変の特徴の1つである。これは口

腔粘膜で見られるコプリック斑という白色の小斑点として観察することができる。また、この多核巨細胞は気管支上皮や肺胞で形成することもあり、その場合には巨細胞性肺炎という肺炎症状を引き起こす。麻疹の二大死因は肺炎と脳炎であり、この巨細胞性肺炎患者の中にも死亡例は多く存在する。成人の一部、特に細胞性免疫が不十分であるヒトが発症することが多い。

●免疫システムによるウイルス排除

私たちヒトはウイルスや細菌といった自分のもの（自己）ではないものが体内に侵入した時にそれを非自己だと認識して排除する「免疫」という機能を持っている。ウイルス感染症の発症にも深く影響を与えているため、簡単に紹介していこう。

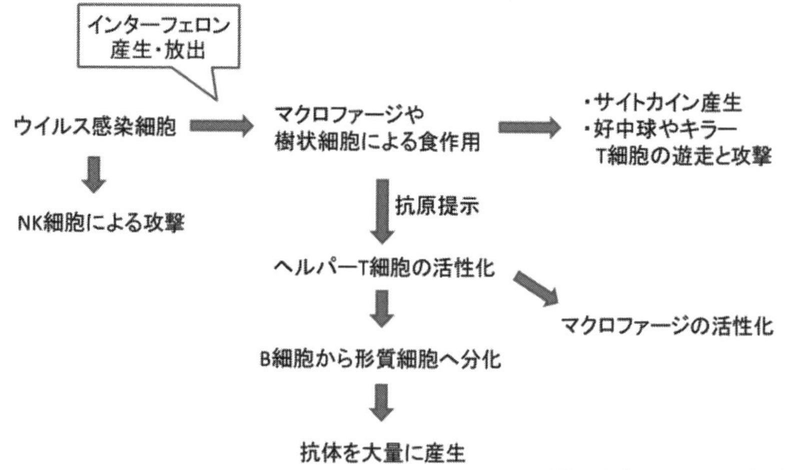

図　免疫システムの概略

免疫には自然免疫と獲得免疫の２種類が存在しており、それぞれで働く細胞が異なる。自然免疫ではマクロファージ、樹状細胞、好中球、NK細胞などが働く。また、ウイルスに感染した細胞自身が発現するインターフェロン（IFN）という抗ウイルス活性を持つサイトカインも登場する。一方で、獲得免疫ではヘルパーT細胞、キラーT細胞、B細胞、形質細胞が主に活躍する。細胞が感染した細胞を攻撃する細胞性免疫と、形質細胞が産生する抗体が中心となってウイルスを中和する液性免疫という呼び方もある。

では、免疫システムの流れを見ていこう。体内ではマクロファージという貪食能を持った細胞がパトロールを行っており、ウイルスを見つけると食作用を引き起こす。食作用をする細胞は、微生物の持つ共通の構造を認識して食べている。そのため、好き嫌いなく何でも食べるわけではない。また、樹状細胞も同じく食作用を行うことができる細胞であり、ウイルスを捕食するとそのままリンパ管を通ってリンパ節へと向かう。そして、リンパ節にあるT細胞領域にて抗原提示を行う。この抗原提示は例えるならば、ウイルスの特徴を示して指名手配するということである。また、抗原提示以外にも、サイトカインと呼ばれる炎症因子や一酸化窒素（NO）を産生する。これが血液の透過性を高めて、免疫担当細胞の好中球やキラーT細胞の走化性を上げる。そのため、ウイルスを攻撃する好中球や感染した細胞を攻撃するキラーT細胞が、ウイルス感染した部位に集結することができるのである。そして、ウイルスに感染した細胞自身も免疫反応に協力している。ウイルスに感染した細胞は感染初期にインターフェロンという1種のサイトカインを放出する。これは、感染した細胞の周りの細胞に自分が感染したことを知らせると共に、細胞性免疫の誘導を促進させ、マクロファージ・樹状細胞を活性化させる。また、ウイルスRNAを切断し、転写に必要な因子をリン酸化してタンパク質の合成を阻害することによって、ウイルスの増殖自体を止めることもできる。

自然免疫はウイルス侵入後からすぐに応答するが、獲得免疫はウイルス侵入後から数日は必要である。自然免疫を担当するマクロファージや樹状細胞による抗原提示はヘルパーT細胞を活性化し、それが種々の抗原に対応できる抗体を持ったB細胞を活性化する。抗体を持つB細胞は形質細胞に分化したあと、抗体を大量に産生する。分泌された抗体は血液中に存在するウイルス粒子と結合することで、マクロファージやキラーT細胞に標的として認識させる。さらに細胞のレセプターに結合するのを防ぐことも、補体と結合して、細菌の細胞膜に穴を開けることもできる。

こうした免疫システムが異物の排除を行っているが、どのようにして自己と非自己を区別しているのだろう。それは、MHC（主要組織適合性複合体）という細胞膜に存在するタンパク質が関係している。自身の細胞の膜上にはMHCという分子が存在しており、これをキラーT細胞やNK細胞などが認識すると「この細胞は自分の細胞だ」と認識して、攻撃を行わない。つまり、自己の認識はMHCという分子によって行われているのである。ちなみにヒトにおけるMHCは、HLA（ヒト白血球抗原）という。このような複雑なシステムの下で、ウイルスのような非自己は体内から排除されている。

「世界に存在する様々なウイルス」

●天然痘と人類の闘争

天然痘は古代より人類を苦しめてきた感染症で、天然痘ウイルスが原因で発症する。この天然痘ウイルスはポックスウイルス科に属し、これはヒトに感染するウイルスの中では最大級のものである。ウイルス独自の酵素を粒子内に持っており、またDNAウイルスでは珍しいが、核内ではなく細胞質内で増殖する性質を持っている。このウイルスは飛沫感染や空気感染にて上気道粘膜から侵入する。その後、喉のリンパ組織にて増殖し、ウイルス血症を経て全身の皮膚や粘膜へと運ばれて感染し発症する。天然痘ウイルスに感染してから2週間前後の潜伏期間を経て、発熱や悪寒、頭痛、筋肉痛などと共に全身の皮膚に赤い小さな発疹があらわれる。この発疹は胴体よりも顔や頭により多くあらわれる。重症型ではそこから1週間程度たったころから、膿疱ができたり全身に激痛があらわれたりする。また、感染後期には痘瘡からかさぶたになり、そのあと中央がくぼんで瘢痕（あばたとも呼ばれる）が残る。致死率は20～25%程度で高めである。

天然痘ウイルスは古くから人類に天然痘を引き起こしているが、最古の天然痘患者として見つかっているのは紀元前1157年に存在していたエジプトのラムセス5世である。また、570年にはフランスとイタリアで流行しており、日本に上陸したのは735年ごろであると考えられている。その経路は新羅を経て北九州に上陸し大和地方へ拡大していき、また天然痘による死者も多数出ていたとされている。1518年には中米のユカタン（現在のメキシコ）にも上陸し、17世紀にはシベリア地方にも拡大していたため、この時にはすでにほとんど世界中で感染が見られるようになったのである。

このように天然痘は全世界へと拡大されたが、現在ではこの世界から根絶されている。そのきっかけとなったのはエドワード・ジェンナーによる種痘法の確立である。彼は牛痘ウイルスという牛に感染するウイルスが天然痘ウイルスの感染を予防するという現象から種痘を行うことにした。この話は後ほど詳しく述べようと思う。この種痘は現在でいう予防接種のことである。日本で初めて種痘を行うことになったのは、1847～49年のことである。当時の佐賀藩主であった鍋島直正がオランダ人に痘苗の購入を依頼した。その後、1849年に同藩内で種痘を行ったのである。この年よりも前に、このような種痘法は何度か日本で行われていたが、本格的に種痘法が日本で広まったのは49年に行われたことがきっかけであった。また、その9年後の1858年には江戸に種痘を専門に行う種痘所が設置されたのであった。

この種痘が世界中に広まっていき、徐々に天然痘が撲滅された地域があらわれ始める。この日本で最後に天然痘の感染が確認されたのは1955年のことである。その後、WHOは1958年に行われた総会にて世界天然痘根絶計画を採択することになった。この計画が実施される前では、33か国で年間1500～2000万人の患者が確認されていた。計画が発表されて17年後にはアジア最後の患者がバングラデシュで確認され、77年にソマリアの男の子で確認されたのが、世界で最後の患者となった。その後、WHOは1980年に総会で天然痘の世界根絶宣言を行ったのである。

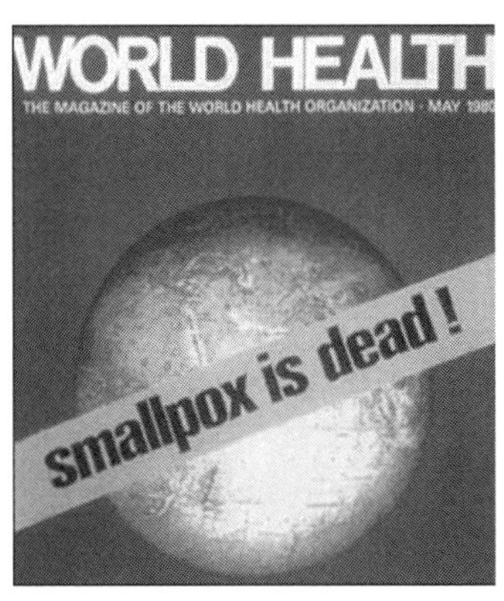

図　WHOによる天然痘撲滅宣言（WHOのHPより引用）

この天然痘根絶計画には、天然痘ウイルスのウイルスとしての特徴が大きく影響している。天然痘ウイルスは

①抗原変異が少ない

②有効なワクチンがある

③ヒトが唯一の宿主であり、ヒト以外には感染しない

④感染すると必ず発症する（不顕性感染がない）

⑤持続感染や潜伏感染がない

といった特徴を持っており、この特徴をもとに天然痘の流行地をワクチン攻めにすることで、天然痘を根絶することができたのである。DNAウイルスのため抗原変異が少なく、そのおかげでヒトが持つ抗体が効かないということはほぼ起こらないため、ワクチンを接種することで先に天然痘の抗体を体内で作っておき、体内での増殖を抑える。また、人獣共通感染症ではなくヒトにのみ感染するということも天然痘の撲滅を可能にした要因の1つである。この天然痘が根絶されたあと、1990年には保管されているウイルスを用いて天然痘ウイルスゲノムの全塩基配列の解読計画が始まる。その3年後には全塩基の解読が完了し、200を超える遺伝子がコードされており、その中にはDNA依存性RNAポリメラーゼや転写開始因子なども含まれていた。

このように世界からすでに根絶された天然痘ウイルスだが、現在でもある危険性が示唆されている。それは、天然痘ウイルスによるバイオテロである。このウイルスが根絶されてから私たちヒトは天然痘ウイルスのワクチンを接種しておらず、もしワクチンを接種していてもその機能が持続するのは5～10年であるため、現状ヒトの体内には天然痘ウイルスに対抗できる抗体がない。もし、このウイルスが生物兵器として利用されるとすれば、空気感染によって拡散するため、短時間で大きな被害が生じる可能性がある。現在ではロシアとアメリカにあるバイオセキュリティーレベル4（BSL-4）の施設でのみ保管されていると公表されている。しかし、天然痘の撲滅後に、ソ連は秘密裏にこのウイルスの増産・備蓄を進めており、ソ連崩壊時にこのウイルスが流出したとされている。また北朝鮮もこのウイルスを生物兵器として研究している可能性が示唆されており、韓国の国防省では万が一に備え

て2004年から兵士に天然痘のワクチンを接種させている。一方アメリカではバイオテロに備えて天然痘ワクチンの備蓄量を全国民が摂取できるように増産した。WHOは現在の技術をもってすればこの天然痘ウイルスを人工的に合成することができると指摘しており、現在では天然痘に対する治療薬も生産されている。ちなみに日本では、このウイルスは一類感染症に指定されており、感染の疑いがある場合は最寄りの保健所にて報告する必要がある。日本にはBSL-4の施設はあるが、感染性を持つウイルス粒子を取り扱うまでには至っていない。天然痘に感染の疑いがある患者の検査は国立感染症研究所でのみ行うことができる。ここで何度か登場しているバイオセキュリティーレベル（BSL）について少し紹介しておく。ウイルス感染症の研究をする際に、ほとんどの国でウイルスの取り扱いに関する取り決めを行っている。日本でもバイオセキュリティーレベルという1～4つの段階に分けられており、レベルが上がるにつれてウイルスの危険性が上昇する。天然痘ウイルスやエボラウイルスが該当するレベル4では特別な隔離域を持つ高度に安全性を高めた施設でのみ取り扱うことができるのである。レベル4に分類されているものには、これら2つ以外にもエボラウイルスやクリミア・コンゴ出血熱ウイルスなどがこれに該当する。

●アルボウイルス

アルボウイルスとは、蚊やダニといった節足動物が媒介するウイルスの総称である。今回はこのアルボウイルスを代表する日本脳炎ウイルスとデングウイルスの2種を紹介する。これらは2つともフラビウイルス科に属しており、自然界では節足動物と脊椎動物の間で感染を繰り返している。つまり、節足動物からウイルスを受け取った脊椎動物の血を、節足動物が吸うことでそのウイルスを再び受け取るというサイクルによって生存している。ヒトに感染した場合はそこで感染は終わり、ヒトからヒトへの感染はしないため、終宿主はヒトである。このフラビウイルス科は、小型の球形でエンベロープを持っているプラス鎖RNAウイルスである。このウイルスタンパク質は3種の構造タンパク質と7種の非構造タンパク質からなる。それでは、まず日本を含むアジアの広い範囲で感染が確認されている日本脳炎ウイルスから見てみよう。

●日本脳炎ウイルス

この日本脳炎はアルボウイルスによって引き起こされる脳炎の代表例であり、コダカアカイエカという蚊によって媒介される。このコダカアカイエカは日本では6月ごろから水田地帯で発生するが、この段階ではウイルスは検出されない。7、8月ごろに豚の体内でウイルスを見つけることができる。日本脳炎ウイルスはこの蚊に感染し増殖するが、蚊が発症することはない。これは節足動物の免疫システムが関係する。蚊を含めた節足動物の免疫システムは自然免疫のみが存在しており、獲得免疫は持たないため、ヒトの免疫システムとは異なっている。この節足動物独自の免疫システムのおかげで、蚊では日本脳炎ウイルスによる感染症を発症することがないと言える。

ウイルスはこの蚊の唾液腺・消化管で増殖し、他の動物を吸血する際に唾液管から動物の血管へと拡散する。また、この蚊は脊椎動物の中でも特に豚を好んで刺す。ウイルスを増幅させるのはこの豚である。そのため、豚の体内に存在する抗日本脳炎ウイルス抗体を調べると、ウイルスの流行状況を把握することができる。実際、国立感染症研究所では毎年、豚の抗体の獲得度合いを調べることで日本脳炎の流行予測を行っている。このように豚の体内で増幅し、その豚をもう一度蚊が吸血することでウイルスが蚊に移動する。そして、ウイルスを受け取ったこの蚊がヒトを吸血するために感染が拡大する。一方でヒトの血液中に存在するウイルス量が少ないために、蚊にウイルスを移すことはなく、ヒトで感染は終わるのである。

この日本脳炎はすでに述べたように大部分が不顕性感染であり、実際に脳炎を発症するのは100～1000人に1人の割合である。潜伏期間は1～2週間であり、初期症状としては頭痛・悪寒・消化器症状・めまいなどが起こる。そこから2～4日で高熱や中枢神経症状が見られ、重症例では5～9日後に脳浮腫が起き、呼吸不全・けいれん・意識混濁に発展する。重症例まで発展した場合の致死率は20%程度であり、回復してもその半数が神経障害、運動障害といった後遺症が残る。また、ワクチンによる予防が確立されているが、発症した場合には特効薬は存在せず、あらわれた症状にその都度対応する対処療法しかない。

日本で起きた日本脳炎のピークは1966年であり、その年には2017人の患者が報告されている。その後、日本での患者数は減少傾向にあり、現在では年間10人以下とほとんど感染は制圧されている。これは、1967年から始まった学童へのワクチン集団接種が功を奏している。また、日本の公衆衛生の向上によって、蚊に刺される機会が減少したこと、増幅動物である豚とヒトとの接触が減少したことも患者数の激減に寄与している。しかし、現在でも豚や蚊からウイルスの存在が確認されており、日本でも感染する可能性はまだあるため、油断は禁物である。日本や韓国では患者はほとんど確認されないが、東南アジアを中心に年に1万人以上存在しているため、流行地への渡航時も注意は必要である。ワクチン接種以外にも、蚊に刺されないようにする防虫対策が大切である。

●デングウイルス

デング熱やデング出血熱の原因ウイルスであるデングウイルスは、4種類の血清型が存在しており、粒子を形成する構造タンパク質に違いがある。また、2度目に異なる血清型を持つウイルスに感染した場合、重症化する。ネッタイシマカやヒトスジシマカによってデングウイルスは媒介され、ヒト→蚊→ヒトというサイクルが成立している。一方で、ヒトスジシマカと猿の間に感染サイクルが成立している場合もあり、極めて稀ではあるが、ヒトからヒトへの平行感染や、母子間での垂直感染があることも確認されている。このウイルスは感染しても80%が不顕性感染に終わり、もし発症しても発熱のみの軽症で終わることがほとんどであるが、感染者の内の約5%は重症化する。このウイルスの潜伏期間は4～7日であり、40℃以上の高熱、頭痛、また特徴的な発疹を初期症状とする。高熱から回復したあと、循環性ショック・消化管出血・多臓器不全といった状態になる可能性もある。出血などによって流出した水分が血管内に戻ることによって症状が回復する。このウイルス感染症には有効な抗ウイルス薬はなく、出血時には輸血といった対処療法しかない。

このデング熱が重症化して発症するデング出血熱は、上述のように異なる血清型に感染した人に多く、これは抗体依存性増強（ADE）というメカニズムが関係していると考えられている。初感染時の血清型に反応する抗体は、2度目にも同じ血清型に感染した場合は、ウイルスと中和反応を引き起こし防御することができるが、2度目に異なる血清型に感染した場合は、その血清型による感染を増強させて症状を悪化させるのである。日本では、何度か海外渡航で感染し国内で発症するという、輸入による症例が報告されることがあったが、2014年にはこの輸入症例から伝染したと考えられる国内での症例が100件以上報告されている。異なる血清型をすべて網羅したワクチンの開発が望まれているが、やはりワクチンの開発は困難を極めているようだ。

上述の2つのウイルスはどちらも蚊から伝播するが、これらを世界中に広めたのは蚊ではなく我々ヒトである。蚊は雨水のたまった古タイヤや捨てられたプラスチックケースなどで繁殖するが、人口の増加や時代に伴った交通の利便性が蚊の繁殖を促進させ、世界中へと広めることになったからである。

●出血熱ウイルス

デング熱もこの部類に含まれるが、出血熱と言えば読者が思い浮かべるのはエボラ出血熱だと思う。このエボラ出血熱の原因であるエボラウイルスはフィロウイルス科に属しており、げっ歯類によって媒介されると推定されている。また、自然界での宿主は複数種のオオコウモリだと考えられている。天然痘ウイルスと同じくBSL-4で取り扱わなければならない。

エボラ出血熱が初めて確認されたのは、1976年のことである。コンゴ民主共和国とスーダンで発生したこの感染症は、致死率が非常に高く、スーダンでは患者数284人で死亡率は53%であったが、コンゴでの患者数は318人となり、その中での死亡率は88%と非常に高い。この「エボラ」とは、最初にウイルスが患者から分離された場所の近くに流れていた川の名前がエボラ川であったため、その名前にちなんでエボラウイルスと名づけられた。このエボラウイルスは、同じ科に属しているエボラウイルスよりも先に報告されていたマールブルグウイルスに類似性を示すが、抗原性は異なるため別の種類であると同定された。また、これら出血熱の原因となるウイルスはヒトによる森林開発といった自然環境の変化に伴って、新しく脅威となった新興感染症の一つであるとされている。この新興感染症を引き起こすウイルスをエマージングウイルスと呼んでおり、ウイルスが新たな宿主を獲得したり、急激に発生したり、感染地域を拡大したことによって新たに人類への脅威となるのがエマージングウイルスの特徴である。エマージングとは「ひそかに出現する」という意味があり、急にこの世界にあらわれてかなり強い感染力や高い致死率を誇るこれらのウイルスの総称にはぴったりだ。一方で、エマージングウイルスと呼ばれているものの多くは、もともと存在しているウイルスに突然変異が発生してヒトに感染するようになったものがほとんどである。

このエボラウイルスには致死率が異なる5つの亜型が存在している。それぞれ、発生した地域や国名から名づけられており、ブンディブギョ株、スーダン株、ザイール株、タイフォレスト株、レストン株がある。一番致死率が高いのはコンゴ民主共和国で見つかったザイール株であり、感染者の内の約90%が死に至るのである。また、この中でもレストン株は感染しても発症しない。これは、1989年にワシントン郊外に存在する霊長類研究センターで飼育されていたカニクイザル同士での感染が報告されたため、5つ目の株として決められた。

エボラ出血熱は局所での感染は見られることがあったが、最近ではあまり目立つことはなかった。しかし、2014年の2月にギニア・シエラレオネ・リベリアの3ヵ国で流行し、日本でも厚生労働省によって自国への持ち込みがないように検疫を強化していた。また、日本からもエボラウイルスの研究のためのチームが派遣されており、現地で他国と協力しながら研究を行っていた。この3ヵ国での流行は2年後の2016年1月14日にはWHOによって終息宣言が出された。その後、2018年の5月にもコンゴでエボラ出血熱が発生したとの報告があり、いまだにアフリカ各国での感染・発症の危険性は存在する。そのため、常に油断できないウイルスの1つでもある。血液や体液からの感染が主なヒトへの感染経路であり、飛沫核感染（空気感染）は確認されていない。また、アフリカでは公衆衛生が発展途上であるために、病院でウイルスに汚染されている注射針を繰り返し使用することによる院内感染が現在の流行の原因であると考えられている。

現在でもアフリカ各国の流行地において、世界各国から集まった研究チームによる治療薬の開発が進んでいる。国境なき医師団（MSF）もこの活動に参加しているが、2019年2月28日にはコンゴにあるMSFが運営しているエボラ治療センターへの地元住民による襲撃があった。エボラ出血熱の研究のために自分たちの生活が脅かされる可能性があると考えての行動かもしれないが、理由が何にせよエボラ出血熱やその研究に対する地元住人への理解を求めると共に、エボラ対策チームが住民から信頼を得るために尽力することも必要だ。現地住民の協力なくしては、エボラウイルスの研究もやはりはかどらないものである。

●癌とウイルスの関係

現在（平成30年）の日本人の死因としてトップにあるのが癌である。ところで、読者の皆さんは漢字で表記された「癌」とひらがなで表記された「がん」に違いがあることをご存じだろうか。これはサイエンスコミュニケーターの授業で触れた内容であるが、漢字の「癌」は、悪性新生物と言われる悪性の腫瘍のみを指す。一方ひらがなで書かれた「がん」は悪性と良性の両方の腫瘍を指す。ちなみにカタカナで表記されている「ガン」は、直接的に腫瘍を指すのではなく、忌み嫌うべきものの総称として使われている。そんな「癌」は正常な細胞が癌細胞という異常な細胞になり、異常に増殖を繰り返すことで起こるのだが、これはウイルスの影響があることがわかっている。

ウイルス科	ウイルス種	症状
ヘルペスウイルス科	EBウイルス	バーキットリンパ腫
		鼻咽頭癌
	ヒトヘルペスウイルス8	カポジ肉腫
パピローマウイルス科	HPV	子宮頸癌（16・18型）
		皮膚のいぼ（5・8型）
ヘパドナウイルス科	B型肝炎ウイルス	肝癌
フラビウイルス科	C型肝炎ウイルス	肝癌
レトロウイルス科	ヒトT細胞白血病ウイルス1	成人T細胞白血病

図　癌とウイルスの関係（『病原微生物学 ―基礎と臨床―』より引用）

ウイルスが体内へと侵入する粘膜や皮膚は何層かの表皮細胞からなっており、一番内側には基底膜が存在している。この基底膜の膜上に沿って横一列に細胞が存在する。また、基底膜には一定の割合で幹細胞が存在しており、これが分裂を繰り返している。分裂した細胞は再び分裂しながら上へと移動していくが、やがてDNA合成をやめて、表皮細胞へと分化していく。また表皮細胞へと分化するとそれ以上は分化しなくなり（これを細胞の終末分化という）、角化する。この表皮細胞は一定期間がたつと垢となって体から剥がれ落ちていく。しかし、この細胞たちが癌ウイルスに感染してしまうと、トランスフォーメーション（がん化）してしまう。トランスフォーメーションした細胞を「トランスフォーム細胞」という。通常の細胞では細胞分裂によって増殖を繰り返していき、隣接する細胞と接触するとそれ以上その方向には分裂しないという接触阻害が起こるのだが、トランスフォーム細胞ではこの接触阻害が起こらないため、隣接細胞と接触しても、重なり合って隣接した細胞を乗り越えて分裂を続けていき、異常な塊（フォーカス）を形成する。このトランスフォーム細胞の性質をまとめてみると、

①無限に増殖可能である（不死）

②低濃度の血清を含んだ培養液中で増殖することができる

③細胞飽和密度の上昇が起こる

④接触阻害が起きず、重なり合って増殖する

⑤形態が変化する

⑥やわらかい寒天培地中に少し浮いた状態で増殖できる

⑦別の動物に接種すると腫瘍を形成する

といった性質が見られる。

発癌の主なメカニズムは２つあり、１つ目は細胞分裂の周期の調節に異常が生じること、もう一つはアポトーシス（細胞死）の抑制である。この２つ目に関しては、後述するヒトパピローマウイルス（HPV）による発癌のメカニズムを見ていく中で紹介しようと思う。

●癌遺伝子（v-onc）

癌遺伝子という癌に関係する遺伝子は、癌形成を促進するもの・抑制す

るものがあり、どちらも普段は細胞増殖といったことに寄与している。その遺伝子に異常が生じた時に癌になる可能性が高まるのである。また、1つの遺伝子が変異したから癌になるということではなく、1つの遺伝子変異が別の遺伝子変異を誘導し、様々な変異が積み重なって起こるのである。

1930年代に、ニワトリに肉腫を形成するラウス肉腫ウイルスやカリフォルニアに生息するワタオウサギの耳に乳頭腫を形成するショープ乳頭腫ウイルスの存在が明らかにされ、ウイルスが癌の形成に関与していることがはっきりとした。また、ヒトでは1977年ごろから成人T細胞白血病という病気の解明が始まり、その際に癌遺伝子が見つかった。この成人T細胞白血病を引き起こすヒトT細胞白血病ウイルスが持つ遺伝子のpXという領域は、フレームシフトという方法で7・8種のタンパク質をコードしている。フレームシフトとは、複数の遺伝子情報を組み合わせて様々なタンパク質を作り出すことである。この仕組みによってできた複数のタンパク質の内の1つ、taxというものが、ウイルス自身の遺伝子発現だけではなく宿主細胞の遺伝子発現をも強める効果があり、これが癌化に影響している。癌は異常な細胞が大量に増殖することであるため、遺伝子の発現が増強された細胞は大量のタンパク質と共に増殖のスピードを加速させるのである。このようにしてT細胞が異常に増殖していき、白血病となる。また、1983年には子宮頸癌の組織からHPV16型のDNAが高確率に挿入されていることが明らかになり、子宮頸癌はこのウイルスによって引き起こされていることも判明した。

ではここで、上記のラウス肉腫ウイルスから癌遺伝子を見てみよう。ラウス肉腫ウイルスの中でもやはり、短期間の内に高頻度で肉腫を形成させるものと、長期間かけて低頻度で肉腫を形成させるものが存在する。この2つの違いを見てみると、前者の高頻度のウイルスは遺伝子の配列順が－gag－pol－env－src－となっているのに対して、後者の低頻度のウイルスでは－gag－pol－env－となっていたのである。これはつまり、このsrc遺伝子が発癌性をウイルスに付与していると言える。また、不思議なことにニワトリが持つ正常なDNAにもsrcと対応した（相補的な）遺伝子が存在していたのである。このラウス肉腫ウイルスはニワトリに感染後、プロウイルスとなり、宿主の染色体に遺伝子が取り込まれてから、複製・増殖していく。この時に、ラウス肉腫ウイルスのゲノムにこの宿主由来の src 遺伝子が取り込まれたために、癌を形成する能力が高まったのだと考えられる。このようにウイルスから見つかる癌を引き起こすと考えられる遺伝子は、もともと細胞が持っている遺伝子であった。このウイルスから見つかった遺伝子を v-src と言い、細胞に存在するこの src 遺伝子に対応する遺伝子を c-src という。ちなみに、この 2 つからできるタンパク質は一次構造とリン酸化されるチロシン残基が異なる。

ウイルスが持つ癌遺伝子を v-onc、細胞が持つ癌遺伝子を c-onc という。この c-onc は、正常な細胞ではもともと細胞の分裂や増殖を促進するタンパク質をコードする遺伝子である。例えば、癌遺伝子の 1 つである ras 遺伝子がコードする Ras タンパク質は、細胞外から来た増殖因子からの分裂シグナルを細胞質内の他の分子に受け渡す､いわば信号のような役割をしている。しかし、このタンパク質の N 末端から 12、13 番目のアミノ酸に同時に異変が生じて別のアミノ酸へと変化した時に、このタンパク質の構造が変化してしまい、常時細胞増殖を ON にしてしまう。つまり「増殖して」という信号が来ていない時も、常に細胞に「増殖して」という指令が出されていることになり、その結果として細胞が無秩序に増殖していくのである。

● HPV が引き起こす子宮頸癌

代表的な癌ウイルスである HPV についても取り上げてみよう。HPV によって引き起こされる子宮頸癌は、年間で約 1 万例が報告されている。このウイルスは環状の二本鎖 DNA ウイルスであり、遺伝子上は 3 つの領域に分かれている。初期遺伝子領域、後期遺伝子領域、遺伝子調整領域があり、それぞれ

- 初期遺伝子領域：E1、E2、E4、E5、E6、E7
- 後期遺伝子領域：L1、L2
- 遺伝子調節領域：LCR（Long Control Region）

というタンパク質をコードしている。ウイルスの遺伝子は宿主細胞が持つ塩基配列と E2、E5、L2 をコードする配列の一部が欠失した形で組み

換えが起きる。この組み込みパターンには共通する特徴があり、E6、E7、LCR は完全なまま組み込まれる。また、ウイルス側の遺伝子が組み換え時に欠損する部位は固定されているが、宿主側の染色体への挿入部位はランダムとなっている。

この遺伝子がコードするタンパク質の中でも、どれが細胞の癌化に影響を与えているかを明らかにするために、マウスを用いた実験が行われた。マウスの正常細胞に HPV16 型の各遺伝子領域につないだ発現ベクターを導入し、マウスの持つ染色体とつなぎ合わせて細胞がどのように変化するかを調べた。すると、細胞ががん化したのは E6 と E7 のタンパク質が発現した時であった。このことから、癌を形成する初期段階で HPV16 型の E6 と E7 タンパク質が重要な役割を担っていることが判明したのである。

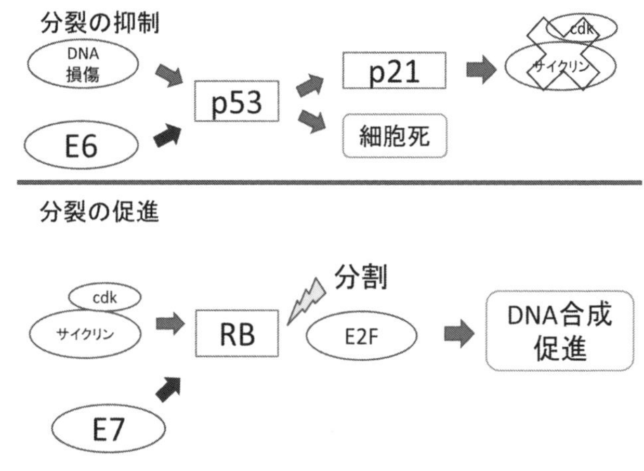

図　細胞分裂の制御とウイルスタンパク質による阻害
(『ウイルスがわかる 遺伝子から読み解くその正体』より引用)

細胞は自身の分裂を制御している。もし X 線照射などが原因で細胞が持つ DNA に異変が生じた場合、細胞内で p53 というタンパク質の量が増加し、p21 タンパク質を介して cdk（サイクリン依存性キナーゼ）とサイクリンの複合体の活動を抑える。また、DNA の修復が効かないような異変が生じてしまった場合には、p53 は細胞を自殺するように追い込む。このようにして DNA 合成を抑制させて、細胞分裂を停止させる。一方で、細胞分裂の促進は、上記の cdk とサイクリンの複合体が RB-E2F 複合体の内のRBをリン酸化して構造を変化させ、E2F（転写促進因子の１つ）と遊離させる。その後、遊離したE2FというタンパクタンパクDNAポリメラーゼやc-myc、cdc2といったDNA合成に関係するタンパク質を多量に発現するように指示し、DNA合成が盛んになる。その結果、細胞分裂が促進されるのである。この細胞分裂の制御機構を破壊して、無秩序に分裂させるのがHPVのE6、E7タンパク質である。このE6タンパク質は、細胞分裂を停止させるp53タンパク質を分解するのである。その結果、p21を介したcdk-サイクリン複合体の不活性化が起きなくなってしまう。こうなると、もし宿主細胞のDNAに損傷が起きたとしても、そのまま細胞分裂が起こってしまい、異常な遺伝子を持つ細胞が増殖してしまう。また、遺伝子の異常を感知してアポトーシス（細胞死）を誘導することもできない。一方で、ウイルスが持つE7タンパク質は、cdk-サイクリン複合体のような役割をすることで、細胞分裂を勝手に促進させる。E7タンパク質は、RB-E2F複合体のRBと結合することで、E2Fを分離させるのである。その結果、E2FがDNA合成を盛んにさせる因子を活性化させてDNA合成を盛んにし、細胞分裂が起きる。また、cdk-サイクリンがRBをリン酸化するのは、別のシグナルが起こされてからであり、リン酸化を常時行っているわけではない。これに対して、E7タンパク質はシグナルの有無に関係なく常にRBと結合し、E2Fを遊離させるのである。このような異常が生じた細胞は普通ならアポトーシスを起こすのだが、このアポトーシスの誘導を行うp53タンパク質はすでにE6によって分解されているため、自殺することもできないのである。このようにして、細胞は異常な増殖を起こし、結果的に子宮癌を形成するのである。ここで紹介したp53とRBは細胞分裂の周期を制御しているため、がん抑制遺伝子として知られている。

ウイルスによる癌化を見てきたが、細胞が癌化するのは宿主側にも原因がある。このように癌化する細胞は、ウイルスに対して感受性はあるが、許容性はないと言える。つまり、宿主細胞へのウイルス侵入から、増殖して、放出されるという過程において、宿主が持つ増殖因子が不十分である場合、ウイルスは自身を増殖させることはできないが、細胞の分裂周期のみを暴走させることはできるのである。その結果として、細胞は異常に増殖してしまい、癌化してしまうのだ。

● HIVと日和見感染

AIDS（後天性免疫不全症候群）はHIV（ヒト免疫不全ウイルス）によって引き起こされる免疫システムが働かなくなる病気である。以前は不治の病として知られていたAIDSだが、現在では薬の服用によって発症を抑えることができる慢性疾患である。AIDSが初めに確認されたのは1940年代にウガンダで流行していた「痩せ病」だと言われている。この病気は潜伏期間がかなり長いため、感染したのは1960年代だと推定できる。この時代には、アフリカが開発され始めたことによって、政治的な混乱や都市のスラム化、また売春の横行といったことが起こっていたため、これが原因だと考えられている。アフリカであらわれたこの病気は、後に全世界へと蔓延することになる。そこに至るには、まずハイチとザイール間での出稼ぎといった交流によって両国間でAIDSが運び込まれたと考えられている。その後、ハイチに集まってきた旅行者やホモセクシャルの人々に感染し、その人々がアメリカへと渡ったことによって世界中へとAIDSが広まったのではないかと考えられている。HIVには1型と2型が存在しており、1型は全世界で感染が見られるが、一方の2型は西アフリカに多い。1型の起源は中央アフリカのチンパンジーであり、このチンパンジーを宿主としていたウイルスに変異が生じて、偶然ヒトに感染できる能力を獲得したと考えられている。また、2型は西アフリカのスーティーマンガベイサル由来である。つまりAIDSは猿が起源の人獣共通感染症であることがわかる。1型と2型はウイルス粒子のエンベロープを構成するタンパク質が異なっており、アミノ酸レベルでの類似性は平均48%である。このタンパク質はウイルスの抗原性にも関係しているため、当然抗体が認識する形も型によって異なる。また、1型と2型を症状の程度で比較すると、1型の方がかなり強力で、重症になる。

このHIVは血液・精液・膣分泌液といった体液を介して感染する。ウイルスに感染してから6～8週間後に抗HIV抗体が陽性反応になる。そのためHIVに感染した疑いがあっても、抗体ができ始めるのはそこから約1～2ヶ月後であり、抗体の有無を調べるELISA法（酵素結合免疫吸着法）などで調べても、陰性となる場合がある。またこの時期に風邪のような症状を引き起こす場合があるが、この症状が起きない場合もある。その後、無症状期に突入する。この無症状期はかなり長い期間になることが多く、個人差はあるが、この期間が数年～10年以上にわたることもある。この期間中でもウイルスは体内で大量に増殖しており、CD4陽性T細胞（ヘルパーT細胞など）も毎日のように減少している。加えて、この間に無数のウイルスが増殖しているがその途中に変異体が出現することがあり、この変異体は抗原性が異なるため、これまでの抗体では太刀打ちできない。このような変異体が数多く増えていき、体内での抗体産生が追いつかなくなると発症する。こうして全身のリンパ腺の腫れ、発熱、下痢、体重減少、倦怠感といったエイズ関連症候群があらわれ始める。ヘルパーT細胞が血清1μLあたり200以下になると免疫不全に陥り、病原体を体外へと排出する種々の機能が低下してしまう。また、血清中のウイルス量が1㎤あたり数十万個を超えると、日和見感染を起こす。日和見感染とは、通常の体内では免疫の機能によって発症することがない感染症（カポジ肉腫や悪性リンパ腫など）が、機能低下によって発症してしまうことであり、厄介な感染症になることが多く、これに加えて神経障害になることもある。

● HIVの性格

HIVのウイルスとしての性状を見ていこう。HIVはレトロウイルス科のレンチウイルス属に所属しているプラス鎖RNAを2本持つウイルスである。これはエンベロープを持っており、その表面上には糖タンパク質のSUや膜を貫通している糖タンパク質のTMが存在する。また、このレトロウイルス科のウイルスが持つ最大の特徴は、逆転写酵素とインテグラーゼを持っていることである。逆転写酵素とは、ウイルスが持つ一本鎖RNAを二本鎖DNAに逆転写する酵素である。この逆転写酵素が見つかるまでは、遺伝子の流れはDNAからRNAの一方向であると考えられていた。しかし、この逆転写酵素はRNAからDNAへと遺伝子を合成することができるものであり、一方向の転写だと思われていたものが実は両方向へと転写できることが判明した。このことから、生物が持つ遺伝情報は一方向であるとするセントラルドグマという考え方に、逆方向の転写の存在が付け加えられた。やはりここで特筆するべきなのは、生物が逆転写を行うということである。生物と有機体との間の存在であるウイルスだが、自身の増殖の際にRNAをDNAに合成するという逆の処理を行うことは、やはり驚くべき事実である。レトロウイルスという名前も、この逆転写に由来する。遺伝子変換がRNAからDNAという逆（レトロ）方向に起こることから、レトロウイルスと名づけられた。

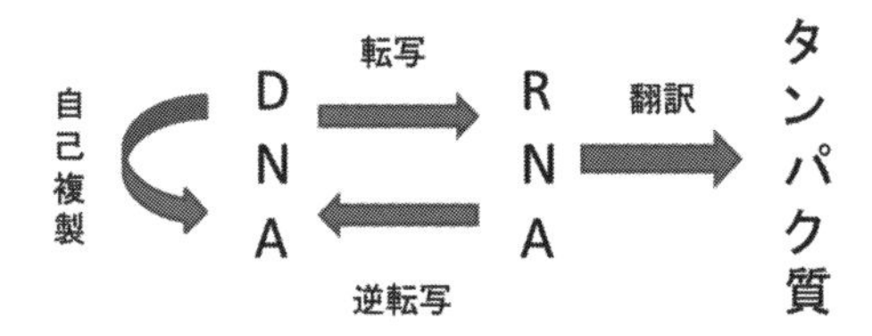

図　セントラルドグマ

当時の考え方を根底から覆すことになったレトロウイルスは、RNAをDNAに逆転写したあとに、また変わった処理を行う。それは、インテグラーゼという酵素によってDNAを宿主細胞が持つDNAに組み込ませて、プロウイルスを形成するインテグレーションというものである。これはヘパドナウイルス（B型肝炎ウイルス）でも行われているが、このB型肝炎ウイルスとHIVでは明らかな違いが存在する。まず、B型肝炎ウイルスが持つ遺伝子はDNAであり、またウイルスが持つDNAを宿主細胞の染色体上に必ずしも取り込まなくてはいけないわけではない。つまり、インテグレーションを行う必要性がないのである。このB型肝炎ウイルスについてはあとで詳しく説明する。以上の点を踏まえると、レトロウイルスはウイルスゲノムがRNAであり、インテグレーションを行うことで細胞に極力近づこうとする。言い換えれば、自身の遺伝子情報を宿主の持つ遺伝子情報と同じように扱ってもらおうとしているのだろう。ウイルスは自身の生存・増殖のためにここまで努力している。これは、生存をかけたウイルスなりの戦略なのだ。

レトロウイルス科では、ウイルスが持つ逆転写酵素のアミノ酸配列をもとにして分類分けされている。アルファレトロウイルス属は癌遺伝子のパートで少し紹介したラウス肉腫ウイルスが分類される。デルタレトロウイルス属では、ヒトで癌遺伝子が見つかったきっかけとなった成人T細胞白血病を引き起こすヒトT細胞白血病ウイルス1・2型が含まれる。そして、レンチウイルス属にはHIV1・2型が含まれる。この「レンチ」というのは、ラテン語で「遅い」という意味がある。レトロウイルスが持つRNAの特徴についても触れておこう。レトロウイルスが持つRNAの両端にはRという反復領域（塩基配列が重複する領域）があり、それぞれ5'・3'末端にはU5、U3という非翻訳領域（タンパク質をコードしていない領域）が存在する。また、アルファ・ベータ・ガンマレトロウイルスの3つを単純型レトロウイルスと呼んでいるが、これらは自身の遺伝子にgag・pol・envという構造タンパク質のみをコードしている。HIVはこれ以外に、pro・vif・vpr・tat・rev・vpu・nefといった機能タンパク質をコードしている遺伝子を持つ。これらは、以下のような機能を持つ。

・gag：マトリックスタンパクやヌクレオカプシド
・pol：逆転写酵素、インテグラーゼ、リボヌクレアーゼH
・env：SU、TMタンパク質

ここまでがレトロウイルスに共通する遺伝子情報である。次はHIV-1に見られる遺伝子情報を見てみる。

・pro：前駆体GagやPolを切断するタンパク質分解酵素
・vif：ビリオン（感染性を持ったウイルス粒子）形成に関与するタンパク質
・vpr：細胞周期の停止やウイルスゲノムの核移行を行うタンパク質
・tat：LTR（U5やRからなる非翻訳領域）を介してウイルスが持つ遺伝子の転写や翻訳を増強するタンパク質
・rev：gagやpolといった構造タンパク質の発現を増強するタンパク質
・vpu：ビリオン（感染性粒子）の出芽を促進するタンパク質
・nef：ウイルスの病原性を高めるタンパク質

この内のnefは、もともとはウイルスの増殖を抑制する因子として報告されていたのだが、最近ではむしろウイルスの増殖を高めていると言われている。T細胞が関係する免疫系からの逃避や他のウイルスの再感染を防ぎ、宿主細胞が自身のウイルスの増殖に専念できる環境を整える役割をしている。

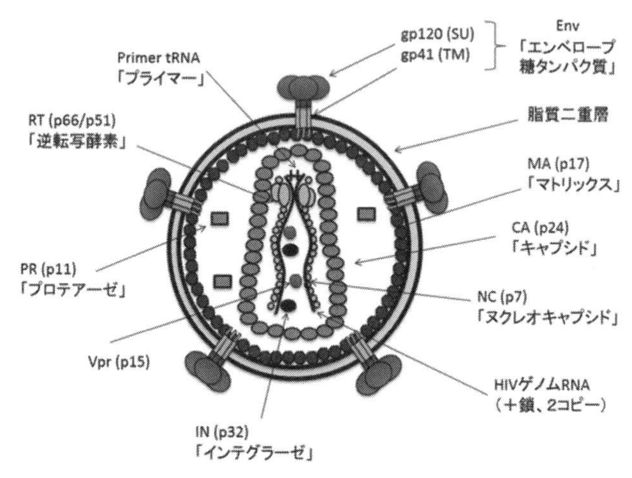

図　HIV の粒子（NIID 国立感染症研究所より引用）

● HIV のライフサイクル

HIV はその増殖過程からプロウイルス形成までを前期としており、そこから出芽するまでを後期とする。

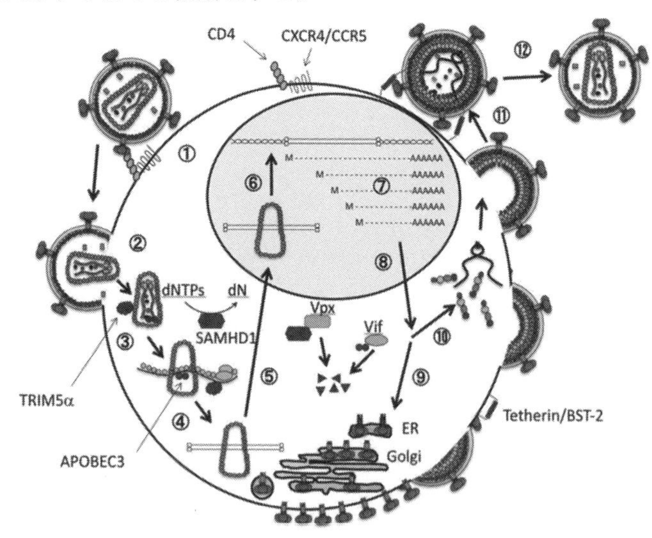

図　HIV のライフサイクル（NIID 国立感染症研究所より引用）

図中の①～⑫はHIVの侵入から粒子形成の順番を示す。レトロウイルスのエンベロープ上に存在するSUタンパク質（HIVではgp120と呼ばれている）は、宿主細胞にあるレセプターを認識して結合する。また、HIVはCD4と呼ばれる分子を持つ細胞に感染する。このCD4を持つ代表的な細胞には、ヘルパーT細胞やマクロファージ、一部の神経細胞などが含まれる。CD4分子が細胞側のレセプターであるが、実はこのCD4分子だけではHIV、特に1型のHIVは標的細胞に感染することができない。そこで登場するのが補助レセプターというものである。これは細胞に侵入するための補助因子であり、レセプターを補助する役割を持つ。通常のウイルスはレセプターとの結合で細胞内に侵入することができるが、HIVはレセプター以外に、補助レセプターが宿主細胞にないと侵入できない。HIVの補助レセプターはケモカイン分子であり、もともとは白血球の遊走性に関与するものである。このHIVが認識するケモカインレセプターはCCR5とCXCR4の2つであるが、どちらをコレセプターにするかによって、HIVの標的細胞との親和性が変化する。HIVは潜伏期がかなり長いことから、遺伝子変異が起きて蓄積しやすく、感染者の体内で多種のHIVが生まれるが、その中でも2つの種類に分類できる。その1つが、ヘルパーT細胞ではなくマクロファージに感染することができるマクロファージ指向性ウイルスであり、もう1つがヘルパーT細胞以外には感染できないT細胞指向性ウイルスである。この内、マクロファージ指向性ウイルスはCCR5を補助レセプターとしており、一方でT細胞指向性ウイルスはCXCR4を補助レセプターとする。また、この両方を補助レセプターとするウイルス型も存在している。

これを踏まえた上で、侵入の過程を見ていこう。HIVが持つgp120というSUタンパク質はヘルパーT細胞などが持つCD4抗原を認識し、それと結合する。すると、gp120の構造に変化が生じる。CD4と結合したgp120の構造変化によって、細胞側の補助レセプター（CCR5、CXCR4）と結合するウイルス側のレセプター（gp41）が露出する。そのgp41が補助レセプターを介して標的の細胞膜へと誘導され、細胞膜とウイルス膜（エンベロープ）の膜融合を起こすのである。その後ウイルス粒子内に存在するヌクレオカプシドが、細胞内へと侵入する。また、この時にウイルスRNAの周りを取り囲んでいるカプシドタンパク質は、宿主細胞が持つタンパク質分解酵素によって破壊される。次の過程で、先ほど述べた逆転写が起こる。HIVが持っていたRNAを逆転写してDNAに変換し、そのDNAを自身が持つインテグラーゼを用いて細胞が持つDNAにインテグレーション（組み込み）する。つまり、プロウイルスを形成する。ここまでが、増殖過程の前半である。

では次に、後半の出芽までを見ていこう。プロウイルスとなったHIVは、細胞が持つ道具を使って転写・翻訳を行う。上記のRev、Tat、Nefといった機能性タンパク質がリボソームにて翻訳されていく。また、ウイルス粒子を構成するタンパク質（GagとPol）も同時に翻訳されており、そこから細胞膜に向かって移動していく。一方のSUやTMタンパク質は翻訳されて小胞体からゴルジ体へと移動し、そこから細胞膜に向かって移動、上記のGag、Polと会合してHIVウイルス粒子を形成し、最終的に宿主細胞から出芽していく。この移動の過程も宿主細胞が本来細胞の内側へと物質を運ぶ細胞内膜輸送系のESCRT（エスコート）分子群を使用している。このESCRT分子群は細胞内への移動を担っているはずだが、ウイルスがこれを乗っ取って、逆に細胞外へと運ぶよう指示している。少し詳しく述べると、通常はESCRT分子群を膜内に存在するHrs分子が招集をかけているが、HIVに感染すると、このHrs分子の役割をGagタンパク質が乗っ取っている。また、このESCRT分子群による輸送は三段階の過程に分かれる。まず、ESCRT Iの構成成分の1つであるTsg101という分子がHIVのGagp6のPTAPモチーフ（アミノ酸の並び順）に結合する。その後、ESCRT II、IIIを構成する複合体分子群が結合していき、最終的にATPaseであるVps4によってその複合体が解体されて、ウイルス粒子が出芽する。この出芽までの過程がウイルスの増殖過程の後期である。

●HIVに感染する細胞

HIVはCD4というタンパク質を持っている細胞に感染することはすでに触れたが、このCD4をもつ細胞はヘルパーT細胞以外にも単球やマクロファージ、脳内にある一部の神経細胞が含まれる。上記の日和見感染のパートで、HIV 感染による神経への異常が起こると述べたが、これはこの脳内に存在する一部の細胞が HIV に侵入されてしまうことが１つの原因だと考えられる。別の原因としては HIV に感染した単球やマクロファージが脳へと侵入し、これらの細胞が分泌するサイトカイン（炎症因子）や酵素が脳にある細胞を傷つけることで神経に異常が生じるのである。

感染したヘルパー T 細胞は、ウイルス由来のスパイクタンパク質を自身の細胞表面に発現させて抗原を提示するが、HIV の糖タンパク質がこれを仲介することで、感染した細胞と隣にある未感染の細胞を膜融合させて、多核細胞を形成させる。この多核細胞の形成や、細胞の破壊がヘルパー T 細胞の数を著しく減少させる。体外の異物から体内を守る機構である免疫で重要な役割を担うヘルパー T 細胞が減少することは、自身を守ってくれる機構が徐々に弱くなっていくと言えるため、これが日和見感染へとつながっていく。つまり、ヘルパー T 細胞を使えなくさせて免疫機能を低下させるため、普段は感染しないようなウイルスが細胞に侵入・増殖し、最終的に発症するのである。

●肝炎ウイルス

肝炎症状を引き起こすウイルスを総称して肝炎ウイルスという。このウイルスが引き起こす肝臓の炎症が、やがて肝癌へとつながる場合がある。そのプロセスを見てみよう。まず肝炎ウイルスが体内に侵入して感染を引き起こすと、急性肝炎が発症する。この時、体外から異物を排除する免疫が働いてウイルスが完全に排除されるが、ウイルスが免疫をかいくぐって完全に排除されずに持続感染に陥った場合には、肝炎が慢性化して長引く。この状態を慢性肝炎というが、これがさらに長引くと肝硬変という癌の一歩手前の状態になり、最終的に肝癌になる。

このような肝炎の発症は見た目ではあまりわからない。実はこれが肝臓が「沈黙の臓器」と言われる所以である。肝臓は自身の８割以上が何らかの異常になった時に初めて黄疸や肝障害が生じるため、発症の有無がわかりにくいのである。そのため、早期発見が遅れてしまい慢性化しやすい。

肝臓はかなり優秀な臓器であり、1つで多くの機能を担っている。例えば、栄養貯蔵・解毒・胆汁生産などがあげられる。代謝はヒトが食事から摂取した栄養素を体内で使えるように変換することであるが、肝臓ではこの代謝された栄養素を貯蓄している。また肝臓はこの栄養素をもとにエネルギーを生成して、体内の様々な場所へ血液を介して輸送させている。解毒はビールやカクテルなどを飲んだ際に摂取しているアルコールや、風邪をひいた時に飲む薬、代謝の際に生じたヒトに有害な物質などを無害な状態に変換して尿や胆汁内に排出することである。そのため、アルコールを大量に飲みすぎるとアルコールを無害な状態に変換する機能が追いつかず、肝臓に負担をかけることになる。また、胆汁は肝臓で分泌される物質であり、主に脂肪やタンパク質の分解を担っている。肝障害によって胆汁の流れが悪くなると、黄疸と呼ばれる症状があらわれるのだが、これは胆汁内に存在するピリルビンという色素が胆汁の流れがとどまっているため増加し、皮膚が黄色く見えるのである。

ここまで、肝癌までのプロセスと肝臓の機能を少し見てもらったので、次は実際に肝炎を引き起こす肝炎ウイルスを見ていこう。

	A型肝炎	B型肝炎	C型肝炎	D型肝炎	E型肝炎
ウイルス科	ピコルナウイルス科	ヘパドナウイルス科	フラビウイルス科	未分類	ヘペウイルス科
ウイルス属	ヘパトウイルス属	オルトヘパドナウイルス属	ヘパシウイルス属	デルタウイルス	ヘペウイルス属
遺伝情報	プラス鎖一本鎖 RNA	環状二本鎖 DNA	プラス鎖一本鎖 RNA	環状マイナス鎖一本鎖 RNA	プラス鎖一本 RNA
感染経路	経口感染	血液媒介	血液媒介	血液媒介	経口感染
慢性化・持続感染	×	○	○	○	×
劇症化	○	○	○(まれ)	○	○
肝癌	×	○	○	?(B型肝炎を増強)	×
ワクチン	不活化ワクチン	サブユニットワクチン	×	B型肝炎のワクチンによるHBV予防	×

図　各肝炎ウイルスの特徴(『病原微生物学 ―基礎と臨床―』より引用)

肝炎ウイルスは上記の図のA～Eが存在している。このA～E型のいずれにも該当しない非A-E型肝炎ウイルス(F型肝炎ウイルス)の存在も報告されているが、現在はリストから外されている。また肝炎を引き起こすウイルスはこの5つ以外に、EBウイルス(ヘルペスウイルス科)による感染が原因で肝炎を引き起こす場合もあるため、肝炎ウイルスだけが肝炎を引き起こすとは限らないことを留意しておいてほしい。一般的に肝炎を引き起こすウイルスとして言われているのはA、B、C型の3種類で、D型はB型肝炎ウイルスの感染と同時か、そのあとに感染してB型肝炎を増強させる衛星ウイルスである。A型とE型は経口感染であり、貝類の生食などが原因で感染する。しかし、慢性化することはなく症状は1～2か月で鎮静化するという一過性の感染である。B型とC型は血液を媒介して感染するため、性行為による粘膜接種や薬物の回し打ち、また輸血液からの感染と、キャリアの母親からの出産時での感染がある。また、これらB・C型は慢性化を引き起こすため、治療しなければ最終的に肝癌につながる。ここでは主に肝癌の原因となるB型肝炎ウイルス（HBV）とC型肝炎ウイルス（HCV）の2つについて、もう少し詳しく見ていくことにしよう。

●B型肝炎ウイルス

HBVは1963年にオーストラリアの原住民の1人から採取した血清が、輸血を受けていた血友病患者と反応して、培養していた寒天ゲル内で沈降反応を起こすことから発見されたウイルスで、その抗原性の違いから8つの血清型（A～Hタイプ）を持っている。Aタイプは欧米に多く分布しており、慢性化しやすいため肝癌になりやすい。アジア地域に多いのはBとCタイプである。感染経路は上記のように粘膜接種や薬物の回し打ちといった水平感染、またキャリアの母親からの垂直感染があり、それぞれの経路で少し様子が異なる。水平感染の場合は、ウイルスが侵入してから1～6ヵ月の間潜伏しており、その内発熱・食欲不振・全身の倦怠感があらわれ始める。これが前駆期であり、そのあと黄疸が見られるようになる黄疸期へと突入する。ここまでが急性B型肝炎であるが、この内の10％が慢性化してHBVのキャリアとなる。一方で垂直感染の場合、HBVは自身の免疫ができる前から体内に存在しているので、免疫はHBVを自分の組織の一部だと認識するため、攻撃しないという持続感染状態になるのである。しかし、20歳前後からHBVの増殖活性が上昇し、さらにHBVが体内に増える。その際に免疫が働いて排除する方向に向かうが、慢性肝炎になるケースも10％程度と少なからず存在している。

HBVはDNAを遺伝情報として持っているが、このDNAの周りにコア抗原が存在し、そのまた周囲をラージS、ミドルS、スモールSという3種のSタンパク質からなるエンベロープで取り囲んでおり、このコア抗原をHBc抗原と言い、3種のSタンパク質をHBs抗原と呼んでいる。HBVワクチンにはこのHBs抗原が一役買っているが、ワクチンは別の章で改めて紹介したいと思う。この完全な構造をとった感染性粒子をデーン粒子と呼び、このデーン粒子には3種のSタンパク質は必須である。また、面白いことにB型肝炎患者の体内を調べると、このデーン粒子は全体の0.1%程度しか存在しておらず、ほとんどがカプシドを内側に持っていない空の粒子である。HBVのDNAにコードされているのはSタンパク質、コア抗原、ポリメラーゼ、Xタンパク質であり、これらを翻訳する際はDNAの読み枠をずらすフレームシフトというやり方を用いている。このHBVが標的とする細胞はやはり肝細胞であり、そのレセプターはナトリウムタウロコール酸共輸送体（NTCP）と呼ばれる分子である。このNTCPは肝臓から産生される胆汁酸を輸送している。

HBVは、まず初めにレセプターと結合して膜融合を起こし、細胞内に侵入して自身のDNAを露出させる。このHBVのライフサイクル内で特筆すべきことは、DNAウイルスであるのに逆転写を行うエキセントリックな点である。通常のDNAウイルスでは、宿主細胞の転写はDNAベースで使われているため、わざわざ逆転写を行う必要がない。しかし、このHBVは一度自身のDNAを核内に移行して完全二本鎖閉鎖環状DNAという輪ゴムのような構造を作ってからRNAに転写したあと、自身が持つ逆転写酵素を用いてプラス鎖DNAを合成して、ウイルス粒子の中に内包される。わざわざこのような煩雑な手順を踏んでいるのは、やはり変わり者としか思えないが、彼らなりの生存戦略だと考えれば、確かに他のウイルスでは行っていない方法をとってまで増殖することに何かしらのメリットがあったのかもしれない。

●C型肝炎ウイルス

HCVはHBVが発見されてからおよそ26年後の1989年にカイロン社の研究グループによって輸血後の患者から新型の肝炎ウイルス（現在の

HCV）として発見された。まず、患者の血清をチンパンジーに注射して感染させ、その血液からRNAを抽出する。そのRNAを逆転写酵素でcDNAに合成し、バクテリオファージを介して細菌に入れ込む。そうしてできたタンパク質をいくつかの既存の血清と反応させたところ、患者の血清にのみ反応したため、そのウイルスをA型でもB型でもない新しい肝炎ウイルス（HCV）として同定した。ちなみに、この実験ではチンパンジーにも感染させているが、HCVに感受性を示す自然界の動物はヒトとチンパンジーのみである。その後、アメリカ疾病管理予防センター（CDC）の研究者たちと共にHCVのゲノム解析を行い、その結果このウイルスはフラビウイルス科に分類された。

HCVはRNAを自身の遺伝情報として持っている。このRNAの5'末端にはリボソーム内部侵入部位という立体的な構造があり、キャップ非依存的な翻訳、つまり、目印に依存しない翻訳を行う。また、このRNAは3種の構造タンパク質（カプシドやエンベロープ）と7種の機能タンパク質（ポリメラーゼやプロテアーゼ）をコードしている。HCVにはいくつかのサブタイプが存在しているが、これはエンベロープ上に存在する糖タンパク質の超可変領域の違いからなる。日本では2a型が20%、2b型が10%、1b型が70%であり、この内日本で一番多くみられる1b型は治療が難しいとされている。また、HCVによる持続感染では常にHCVが宿主細胞内にて増殖しているが、RNA合成酵素に校正機構がない、また高頻度で突然変異が起こるため、宿主内で別々のサブタイプが同時に混在している状況が生じる。

では、HCVが体内でどのように増殖しているかを簡単に見ていこう。HCVに対する明確なレセプターはわかっておらず、細胞側に存在するCD81やSR-B1といった複数のタンパク質を認識して結合する。また、細胞間結合因子の1つであるClaudin1などを利用して、細胞外の物質を細胞内に輸送する経路であるエンドサイトーシスによって細胞内に侵入する。そのあと脱殻して、ウイルスRNAから翻訳されてポリペプチドを作る。このポリペプチドは、ウイルスを構成するタンパク質が1つにつながったものなので、細胞由来・ウイルス由来のタンパク質分解酵素を用いて、1つ1つ分けていく。また、ウイルスのRNAは生体膜上の小胞内で形成された複製複合体内で複製される。その後、RNAとウイルスタンパク質が脂肪滴（細胞質にある脂質からなる滴）の膜状でヌクレオカプシドを形成する。そして、細胞膜にてヌクレオカプシドがエンベロープに覆われてから細胞外へと出芽されていく。これがHCVのライフサイクルである。

C型肝炎では、多くの症例で不顕性感染となるが、患者の7～8割が慢性化し、肝臓が線維化する。そして、肝硬変や肝臓癌へとつながっていくのである。HCVによる慢性患者数は現在でも世界で1億7000万人、日本でも150万人だと推定されている。また、肝臓癌の原因の約8割が慢性C型肝炎である。このHCVに対するワクチンは研究段階にあり、実用化まではいまだたどり着けていない。先進国ではHCVの検出技術の格段の向上によって、輸血によるHCV感染はほとんど制圧されており、主な感染経路は注射針からの感染等の人為的なミスであるとされている。C型肝炎の治療薬としては、最初にインターフェロン（IFN）という宿主細胞側が持つ免疫機能の1つで、様々な免疫反応の活性化を図る役割をする感染初期に見られる低分子のタンパク質を用いていた。その後、IFNがすぐに体内で消化されるため持続性が低いという点をカバーしたペグインターフェロンが開発され、それが正式に使われることになった。現在でもペグインターフェロンが使用されている。また、インターフェロンのみの治療から、リバビリンという抗ウイルス治療薬との2剤併用した治療が行われるようになり、現在ではHCVが持つタンパク質分解酵素やRNA合成酵素の阻害剤を組み合わせた3剤併用の治療をするようになった。しかし、この抗ウイルス治療薬は高額なものが多いため、すべての患者が治療を受けられているわけではない。

●インフルエンザウイルスとインフルエンザ菌

毎年冬になると猛威を振るうインフルエンザはインフルエンザウイルスが原因で発症する。このウイルスはオルソミクソウイルス科に属しており、一本のマイナス鎖RNAを遺伝情報として持っている。読者の皆さんは、このインフルエンザウイルスと同じ名前のインフルエンザ菌という細菌が存在しているのを知っているだろうか。実はこれはインフルエンザとは別の、髄膜炎の原因菌である。ウイルスと細菌では全く違う性質を持っているはずなのに、なぜ同じ名前をつけられたのだろう。この細菌が発見された当時まで遡ってみてみよう。そもそもインフルエンザという名前は16世紀にイタリア語で“influentia coeli”、日本語で「天の影響」という意味の言葉から名づけられた。もちろんその当時ではウイルスどころか微生物という微小な生き物の存在すら見つかっていない。そして時がたち、1891年の冬に、ドイツのコッホ研究所にいた北里柴三郎とリヒャルト・プファイファーがインフルエンザ患者からとある菌を分離することに成功した。これがインフルエンザの原因であるとして、1892年に発表、インフルエンザ菌と命名された。タバコモザイクウイルスが発見されたタイミングと同じ時期である。しかし、実際にインフルエンザがウイルスによって引き起こされると突き止められたのは、インフルエンザ菌が発見されてから30年後の1930年代である。31年に豚の体内から検出され、33年にはインフルエンザの患者からウイルスを分離することができたため、正式にインフルエンザの原因がウイルスによるものだということがわかったのだ。かくして、インフルエンザ菌はインフルエンザの原因ではないことがわかったが、名前を変えることはなく、そのままの呼称で続けることになったため、インフルエンザ菌という名前の細菌が存在しているのである。

●インフルエンザウイルスの種類

インフルエンザウイルスにはA～D型の4種類が存在している。この内、A型とB型は季節性インフルエンザとして知られており、C型は小児に風邪のような症状を引き起こす。またA型は人獣共通感染症であり、B、C型はヒトが自然宿主である。D型はヒトには感染せず、家畜の類、特に牛に感染性を示す。

インフルエンザの型の分類には、血清を用いた抗原抗体反応を用いている。簡単に説明すると、まずインフルエンザの患者から採取した血清にインフルエンザウイルスの各型に対応する抗体をそれぞれ反応させる。すると、血清に含まれている抗原（ウイルスを形作るタンパク質等）と抗体が反応して中和するため、その反応の有無を確認してインフルエンザの型を分類している。今回はヒトに感染性を示すA～C型、特に毎年驚異的であるA型を中心に紹介していく。

●インフルエンザウイルス粒子

インフルエンザウイルスは一本鎖のマイナス鎖RNAを遺伝情報として持っていることはすでに述べたが、このインフルエンザウイルスは少し特殊な形で遺伝子を保持している。それは、分節ゲノムとして保持しているということだ。ゲノム核酸のパートで少し紹介しているが、インフルエンザウイルスは一本鎖のRNAをいくつか持っており、それを分節化しているという。インフルエンザウイルスのA型、B型は同じく8本の分節ゲノムを持っており、C型は1つ少ない7本の分節ゲノムを持っている。

A型は8本のRNAに10個のタンパク質がコードされており、長さの順にPB2＞PB1＞PA＞HA＞NP＞NA＞M＞NSとなっている。基本1分節に1タンパク質がコードされているが、MとNS分節では2種のタンパク質をコードしている。一方で、B型では8本のRNAから9個のタンパク質をコードしている。また、C型ではHAとNAの代わりに両方の働きをするHEがあり、7本のRNAから8個のタンパク質をコードしている。それでは、それぞれの分節にコードされているタンパク質の役割を紹介していこう。

・PA、PB1、PB2：均等な割合で構成されるRNAポリメラーゼ
・HA（ヘマグルチニン）：宿主細胞に存在するレセプターと結合するタンパク質
・NP：RNAと結合してヌクレオカプシドを形成するタンパク質
・NA（ノイラミニダーゼ）：細胞膜のレセプターからウイルス自身を切り離す出芽の際に使われる酵素
・M1：ウイルス粒子の構造を維持するタンパク質
・M2：宿主内で脱殻する際に必要なタンパク質
・NS1：宿主の免疫システムを撹乱するタンパク質

少し補足説明を加えると、NS1タンパク質が免疫システムを働かせる

タンパク質をコードしているmRNAの核外輸送を阻止することで、種々のタンパク質の産生を阻害する。言い換えると、インフルエンザウイルスを免疫から保護している、いわば避雷針のような役割を担っている。

・NS2：脱殻後のウイルスRNAを輸送するタンパク質

これらのタンパク質はA型が持つRNAにコードされているタンパク質であり、B型やC形では少し違ってくる。特にC型は上記でも触れているが、HAとNAの両方の役割を持ったタンパク質であるHEを持っている。また、A～C型の抗原性の違いは上記のNPやM分節にコードされているタンパク質の形状の差異によって左右されている。このNPやMタンパク質がウイルス中には大量に存在しているため、これに対応する抗体量も上昇する。つまり、このNP、Mタンパク質の抗体量を調べることでインフルエンザの型を調べることができるのである。これはすでに説明した血清を用いた抗原抗体反応による型の分類で用いられる抗原がNP、Mタンパク質に対するものであるということになる。

HAとNAタンパク質は抗ウイルス薬の阻害対象として現在研究・開発されているため、もう少し補足で説明したいと思う。現在見つかっている中でも、HAタンパク質は1～16種、NAタンパク質は1～9種存在しており、組み合わせると144種の亜型が存在している。このようにHAとNAが多様性に富むのはA型インフルエンザウイルスのみであり、B、C型は多様性がないため亜型も存在しない。また、ヒトで主に流行しているのは、H1～3、N1～2であり、以前騒がれていた高病原性鳥インフルエンザはH5、H7である。毎年冬に予防接種として受けているワクチンに含まれているのは季節性インフルエンザの型を混合させたものを接種しており、季節性インフルエンザにはH1N1、H3N2、B型が該当する。加えて、最近の研究ではA型にはH17やH18の存在も示唆されており、その自然宿主はコウモリであると考えられているため、コウモリインフルエンザとして調査が続いている。

●インフルエンザウイルスの遺伝的多様性

A型インフルエンザウイルスは144種の亜型が存在しているとされる

が、このように遺伝的な多様性が生じているのは様々な選択圧がウイルスにかけられているからだと考えられる。つまり、遺伝的な多様性を持った集団であるインフルエンザウイルスは、いくつかの障害を乗り越えてこのような多様性を獲得したということである。

ヒトに感染した際に、私たちヒトは体内から異物を排除する免疫というシステムを持っている。この免疫システムとウイルスの攻防戦が多様性を生んだ因子の1つである。免疫システムから逃れるために、ウイルスの抗原性、持っているタンパク質の形が徐々に変化していく。これを抗原ドリフトと呼んでいるが、MやNPタンパク質の抗原性、形が変化していくことはそれまで産生していた抗体では効果がなくなってしまうことになる。また、HAの抗原ドリフトが起こると免疫にとっては致命的である。宿主細胞側のレセプターとの結合に関係しているHAの形が変化してしまうことは、それまで産生されていたHAの抗体が効かなくなり、細胞側のレセプターとウイルス粒子が結合するのを阻止できなくなることにつながる。これによってウイルスが制限なく細胞側のレセプターと結合できるようになり、ウイルスが体内で増殖しやすくなる。また、抗体が産生されるのはウイルスが侵入してから1〜2日はかかるため、その間にウイルスの増殖はかなり進む。そのため、HAの抗原ドリフトが起きてしまうと宿主の免疫システムにはかなりの痛手である。また、免疫システム以外にワクチンによる抗体産生の場合も、新たな選択圧となってしまう。ワクチンの使用の有無によって、体内に存在する抗体量は変化する。ワクチンによって体内にウイルス由来の抗原を注入することで、免疫システムを活性化させてその抗体を大量に作成させるため、インフルエンザウイルスが感染した際も抗体が働いて症状の悪化を防いでくれるが、同じくインフルエンザウイルスへの選択圧も強くなるのである。

遺伝的多様性は遺伝子再集合によっても獲得される。同じ宿主に複数の亜型が感染し、RNA分節が混ざり合うことを遺伝子再集合と言い、分節が混ざり合ったまま新しいウイルス粒子を形成した結果、抗原性がかなり変わった新しいウイルスが生まれることを抗原シフトという。この遺伝子再集合は豚の体内で起こる。詳しい説明は後ほどしようと思うが、豚の呼吸器に存在するレセプターの形状が影響しているために、複数の亜型インフルエンザウイルスに感染した際に遺伝子再集合が起きることがある。

●インフルエンザにおける高病原性と低病原性

この病原性についておさらいしておくと、ウイルス感染によって宿主にどの程度の障害を与えることができるのかというウイルス側の性質のことである。インフルエンザウイルスにおける病原性の1つの例は、鳥インフルエンザとして知られていたH5N1亜型が高病原性としてあげられる。通常、ニワトリを含む家禽類ではインフルエンザに感染してもひどい症状を引き起こすことはないのだが、それは低病原性のインフルエンザウイルスに感染していたからだった。しかし、1997年の香港で発見された鳥インフルエンザはニワトリに深刻なダメージを与えていた。また、少数であるがヒトにも感染し、肺炎症状を引き起こしていた。これが高病原性のインフルエンザウイルスであった。

インフルエンザにおける高病原性と低病原性の違いは「標的となる細胞が位置している場所でどれだけ増殖できるか」が影響する。低病原性ウイルスでは、呼吸器や腸管でのみ増殖する局所感染であるが、高病原性ウイルスでは全身感染を引き起こす。この明確な違いはHAが引き起こしていた。HAは宿主細胞側にあるレセプターとの結合時に必要なタンパク質であるが、このあと、細胞内に侵入する際に起こる膜融合の段階でも重要な役割がある。HAが宿主細胞のタンパク質分解酵素によってHA1とHA2に開裂される必要があるのだ。このタンパク質分解酵素が認識するHAの開裂部位におけるアミノ酸配列の違いが、局所感染か全身感染かを分けている。低病原性では、アルギニンやリジンといった塩基性のアミノ酸が連続している配列がないため、呼吸器と腸管の細胞にある特殊な酵素でのみ開裂する。しかし、高病原性では複数の塩基性アミノ酸が連続して並んでいるため、全身の細胞にある酵素で開裂することができる。こうして全身感染を引き起こすことが可能なのである。

高病原性として知られるH5とH7の2つは開裂部位をコードしているRNAが特徴的な配列をしており、塩基が挿入されやすくなっている。つまり、突然変異が起こり、塩基性のアミノ酸を連続してコードする配列になりやすいのである。そのため、低病原性のものが急に高病原性へと変化する確率が高いと言える。

また、HAの開裂部位の近くに存在する宿主が持つ糖鎖の有無も病原性を左右する。ウイルスが持つHAの開裂部位の近くに糖鎖が多く存在している場合、タンパク質分解酵素が働くのを邪魔するため、HAの開裂が起こりにくくなり、低病原性となる。しかし、糖鎖が少ない場合には、タンパク質分解酵素がスムーズに働けるため、HAの開裂が正常に起こり、無事に宿主細胞内へと侵入することができる。このように、宿主側の因子も病原性に関係している。

●インフルエンザウイルスのライフサイクル

A型インフルエンザウイルスはカモを自然宿主としている。これは、免疫システムによる選択圧の差が影響しており、言い換えれば、カモの免疫システムではインフルエンザウイルスが体内に侵入しても排除しようとする動きが少なく、このウイルスにとってカモの体内は増殖しやすい環境なのだ。ではどのように増殖しているのか、そのライフサイクルを見てみよう。インフルエンザウイルスのレセプターは気道の上皮細胞に存在するシアル酸で､HAがこのシアル酸を認識して結合する。その後、エンドサイトーシス（細胞が持つ物質輸送経路）によって細胞内へと侵入する。このエンドサイトーシスでは、エンドソームという小胞の中に物質を入れて細胞内へと運んでいるのだが、ウイルスが侵入した際も初めはエンドソームの中に入れられて輸送されている。また、細胞が持っているタンパク質分解酵素によってHAが開裂しHA1とHA2になり、エンドソームの膜とウイルス粒子の膜が融合する。同時にM2タンパク質がイオンチャネルとして働き、エンドソーム内の水素イオン濃度を高めることで、膜融合を促進している。そのあと核内へと輸送され、転写・翻訳されてウイルス粒子を構成するタンパク質が作られると同時に、ウイルスRNAが複製されていく。このウイルスRNAはNS2タンパク質によって細胞膜に向かって輸送される。一方で、ウイルス粒子のエンベロープ膜を構成するタンパク質（HA、NA、M2タンパク質がこれに該当する）は小胞体とゴルジ体にて修飾されて、細胞膜上へ運ばれる。このエンベロープとウイルスRNA、カプシドタンパク質（NP）が一緒になってウイルス粒子を構成する。そして、最後にNAが表面に細胞膜表面に存在するシアル酸を分解して出芽していくのである。このライフサイクルを確実に遂行させるため、ウイルスが持っていたNS1は免疫システムの初期に活躍するインターフェロンの産生を阻害して、ウイルスの増殖を支えている。このようなサイクルによってインフルエンザウイルスは宿主内で増殖しているのだ。

●宿主の壁

インフルエンザウイルスのレセプターとなるシアル酸は、宿主細胞が持つ糖鎖の末端に存在するものであるが、このシアル酸と糖鎖のガラクトースが結合している形が宿主間で異なるために宿主の壁が存在している。結合様式がα2-3結合であるのが鳥類で、ヒトではα2-6結合となっている。これは分子レベルでみて結合している場所が違うと言える。この鳥類でのα2-3結合では糖鎖の末端が直線状になるのに対して、ヒトのα2-6結合ではシアル酸のところで末端が折れ曲がっているのだ。この小さな違いが宿主の壁を形成していると言える。しかし、香港で確認された高病原性ウイルスではニワトリにしか感染しないはずのウイルスがヒトにも感染し、肺炎症状を引き起こしていた。これにはきちんとした理由がある。ヒトの体内に存在するシアル酸を末端に持つ糖鎖はほとんどすべてがα2-6結合しているのだが、一部の肺の細胞はα2-3結合をしている糖鎖がある。また、ニワトリからヒトへの感染は簡単に感染する飛沫感染はほとんどないと考えられており、鳥インフルに感染した患者の臨床状態、つまり感染者が肺炎症状を引き起こしたということを鑑みると、これは生きた鳥を売買するような市場や養鶏場でのニワトリとヒトとの密接な接触によってヒトの肺まで到達したウイルスが引き起こした事例だと考えられる。

ウイルスの遺伝的多様性を生み出す遺伝子再集合が起こるのは豚の体内であると述べたが、実は豚の呼吸器には α 2-3 結合の糖鎖、α 2-6 結合の糖鎖の両方を持っているため、ヒトに感染するウイルスと鳥に感染するウイルスの両方が豚の体内に侵入することができる。そのため、豚の体内で同時に複数の亜型ウイルスが増殖することがあり、その際に分節したゲノムが別のウイルス粒子に入り込むことで、ウイルスが新しいウイルスに成り代わるのである。

●インフルエンザの歴史

インフルエンザは昔からある病気の一つであったが、記録に残っているパンデミックはスペイン風邪と呼ばれている 1918 年に起きたインフルエンザである。もとはアメリカで流行していたが、第一次世界大戦中であったため、発表を控えていた。そこで、この戦争に参戦していなかったスペインが流行を発表したため、スペイン風邪と呼ばれている。このスペイン風邪は A 型インフルエンザの H1N1 亜型であり、カモのような水禽類の低病原性ウイルス由来だと考えられている。また、スペイン風邪はパンデミックによって 400 万人の死者を出しており、この死者の中には若年層も多かったが、これはサイトカインストームが原因であった。サイトカインストームとは、ウイルスが体内に侵入して血液に乗り、全身を駆け巡るウイルス血症となったあと、サイトカインという炎症因子が全身で過剰に産生されてしまい、全身の免疫システムが異常に活性化してしまうことだ。これが、多臓器不全などの原因になり、死に至る場合が多かった。また、免疫反応の能力は老年に比べると若年のほうが強いため、若年層にサイトカインストームがより激しく起きるのだ。

その後、アジア風邪という H2N2 亜型が流行した。これはスペイン風邪の H1N1 亜型が持つヒトへの感染能力と、鳥の H2N2 亜型の HA タンパク質、NA タンパク質、PB1 タンパク質が由来となっている。次に、香港風邪という H3N2 亜型が流行するが、これは、H2N2 亜型に鳥由来の H3 亜型の HA タンパク質と PB1 タンパク質が組み合わさったものである。

現在ではこのH3N2亜型が季節性インフルエンザとして定着しているが、以前の亜型のウイルスはどうなったのだろうか。実は、これまでのものはすでに存在しておらず、それはウイルスの駆逐が起きたからである。つまり、新たなパンデミックが生じると、それまで定着していたウイルスが駆逐されるのである。最初にパンデミックを引き起こしたスペイン風邪はアジア風邪がパンデミックを起こしたことによって駆逐され、そのアジア風邪は香港風邪のパンデミックによって駆逐されていったのである。しかし、季節性インフルエンザとして現在定着している亜型はH3N2亜型以外に、駆逐されたはずのH1N1亜型も存在する。これは、2009年に流行した豚由来のH1N1亜型である。じつは、スペイン風邪から激しく抗原変異してきた亜型はソ連型として再び流行していたのであるが、上記のようなパンデミックを起こすことはなかったため、香港風邪によって駆逐されることはなく、そのまま定着していった。そして、2009年に豚由来のH1N1亜型が流行したのだが、その際に既存のソ連型が駆逐されて、現在まで定着している。この豚由来のH1N1亜型は、4種の亜型の遺伝子再集合から作られたと考えられている。これはスペイン風邪やソ連型と同じ系統であるが、それらとは異なる遺伝子を持っていたため抗原性に違いがあり、既存の抗体では対処できずに、パンデミックを起こした。H1N1亜型を振り返ってみると、祖先は水禽類のH1N1ウイルスで、それがスペイン風邪となり、一方で豚にも感染していたのである。ヒトでは免疫システムによって作られる抗体量が多く、選択圧が強かったため激しく抗原変異を引き起こしていた。しかし、豚に感染していたH1N1亜型は作られる抗体量が少なく、それによる選択圧も小さかったため、緩やかに抗原変異を引き起こしていたと考えられる。これらが豚の体内で同時に感染し、遺伝子再集合によって偶然できたヒトに感染するウイルスが、豚由来のH1N1亜型として猛威を振るったのである。

HAタンパク質のアミノ酸配列の変異からヒトと鳥の違いを見ることもできる。鳥は地域によってアミノ酸配列の変異の仕方がばらばらで多岐にわたっているのだが、ヒトではアミノ酸配列が多様な抗原の中から1種類のみが選択されて拡散していくため一直線なのである。これは、ヒトでは流行のスピードが速くパンデミックしやすいのと、同じ抗原性ワクチンを世界中で使っているために、そのワクチンに一番抵抗できるアミノ酸配列を持ったHAが急激に広まっていくからである。

「ウイルスと闘う私たち人類」

●ワクチン

私たち人類は紀元前からウイルスによる病に苦しまされてきた。紀元前1157年に亡くなったラムセス3世のミイラにも、天然痘による痘瘡が顔面の下部から腕にかけて観察でき、彼も天然痘に苦しんでいたのであろう。人類がウイルスを見つけてから今日までわずか100年ほどしかたっていないが、その新しい存在であるウイルスと闘う術を私たちはすでに持っているのだ。その1つが、ワクチンである。ワクチンとは以前から知られていた「二度なし」の原理を応用したもので、ヒトが生まれたころから持っている免疫システムによる予防を活性化させる。

●ジェンナーによる種痘

ワクチンは1796年、イギリスの医師であるエドワード・ジェンナーによって開発された種痘という方法がもとになっている。ワクチンが開発された一番初めのウイルスは天然痘である。天然痘は太古の昔から私たちヒトを苦しめていた。この種痘が登場する以前は、天然痘の確実な予防法として人痘種痘が行われていた。人痘種痘とは、インドや中国で行われていたものが、その後世界へと広まった天然痘の予防法であり、天然痘にかかっている患者の膿を、種痘を受ける人の腕に針先を軽く押しつけることでつけた傷に塗り、人為的に感染させる方法だ。これは、一度天然痘になるとそれ以降二度とかからなくなるという「二度なし」の原理を応用させたものであった。しかし、これはウイルスを単純に別のヒトに感染させているだけであり、当然天然痘が重症化し、死に至るヒトもいたようだ。それでも人痘種痘が行われていたのは、天然痘を治療する手段がその当時なかったため、天然痘を予防する効果的な手段だとして用いられていた。

人痘種痘で天然痘を予防することができたが、これを行ったことで死に絶えたヒトもいるため、より安全な方法の確立が期待されていた。その期待に応えたのが、ジェンナーによる種痘である。医師として働いていた1768年ごろ、ジェンナーは診察に来た乳搾りの女性から、牛痘に感染したことがあるため天然痘にはかからないという話を聞き、天然痘と牛痘の関係性を調べ始めた。1770年から2年間、ジョン・ハンターという外科医のもとで学んだあと、ジェンナーは医師として診療を行う一方で、牛痘による天然痘の予防効果を中心に研究を行っていた。1796年に、牛痘に感染したために治療に訪れたサラという女性と、ジェームズという8歳の子供を被検体として人類で初めて種痘を行った。ジェームズに浅い切り傷をつけたあと、サラの手の痘瘡から採取した血漿を塗ったのである。そして、種痘から48日後にジェームズに人痘種痘を行い、天然痘が発症するか確認した。すると、通常なら人痘種痘後は、症状の程度は様々であるが、必ず天然痘になる。しかしジェームズは人痘種痘を行っても天然痘にならなかった。また、彼はジェームズに人痘種痘を1回ではなく、何と20回も行っているが、一度も天然痘を発症することがなかった。その後、ジェンナーはこの例を合わせた23例についての結果をまとめた論文“An inquiry into the causes and effects of the variolae vaccinae: a disease discovered in some of the western counties of England, particularly Gloucestershire, and known by the name of the cow pox”（「イングランドの西側の地方、特にグロスターシャーで見つかった牛痘という名前で知られる病気であるウシの天然痘の原因および効果についての研究」）を自費で出版している。この種痘が現在のワクチンという方法を生み出した原点と言える。この時にジェンナーが使っていたのは実際には牛痘ウイルスではなく、ワクチニアウイルスという馬に痘瘡を引き起こす馬痘ウイルスの近縁種であることがわかっている。

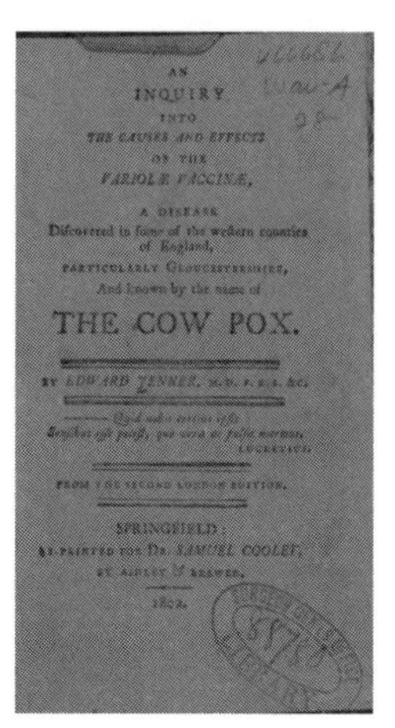

AN
INQUIRY
INTO
THE CAUSES AND EFFECTS
OF THE
VARIOLÆ VACCINÆ,
A DISEASE
Discovered in some of the western counties
of England,
PARTICULARLY GLOUCESTERSHIRE,
And known by the name of
THE COW POX.
BY EDWARD JENNER, M.D. F.R.S. &c.
FROM THE SECOND LONDON EDITION.
SPRINGFIELD:
RE-PRINTED FOR DR. SAMUEL COOLEY,
BY ASHLEY & BREWER.
1802.

図　ジェンナーが執筆した種痘に関する論文
(U.S. National Library of Medicine Digital Collectionsより引用)

現在使われている「ワクチン」という言葉は、ジェンナーが種痘の際に用いたワクチニアウイルスから、パスツールが彼に対して敬意を表するために引用して名づけられた言葉であるとされている。後にWHOが主体となって行われた天然痘根絶計画を支えたワクチンもジェンナーの種痘を改良した古典的天然痘ワクチンであった。

●ワクチンの種類

ウイルス感染症を予防する手段の1つであるワクチンだが、その中でも種類があり、ワクチンの生産方法やワクチンの中に含まれるものが異なる。そのため、効果の度合いや副作用の頻度もワクチンの種類によって左右される。現在のワクチンを大まかに分けると次の3種類になる。

1：弱毒生ワクチン

2：不活化ワクチン

3：トキソイド

1つ目の弱毒生ワクチンから見ていこう。これはウイルスの持つ遺伝子の突然変異によって病原性が弱くなった、つまり弱毒化したウイルスを接種するものである。この突然変異は偶発的に起こるため、弱毒化させるための工程が煩雑である。細胞培養によってウイルスを増殖させるのだが、この際に起きる遺伝子の点変異がちょうど病原性に関係する遺伝子領域上で起これば弱毒化させることができる。しかし、これは1・2回でうまく起きるようなものではなく、何十回も繰り返し培養させなければならない。また、もし弱毒化させることに成功しても、ウイルスが本当に弱毒化しているかどうかは動物による実験を行わない限り、弱毒化したと断定することはできない。そのため、弱毒化の判定が難しい。一方で弱毒化しているとはいえ、生きたウイルスを体内に投与するため、抗体を作る液性免疫、感染した細胞を感知して破壊する細胞性免疫の両方を強く誘導させることができる。つまり、免疫応答を強力に誘導することができるのである。この点において、弱毒生ワクチンは優れていると言える。しかし、これはリスクとなる場合もある。体内に侵入したウイルスは実際にそこで増殖していくが、その増殖の過程で弱毒化した部位、病原性を決めるタンパク質をコードしている遺伝子上の点変異が再びもとに戻ってしまうと、弱毒になる前の病原性が復帰してしまうため、副作用が生じることがある。

2つ目の不活化ワクチンはこの副作用を解消するために開発された。生きたウイルスをホルマリンなどの化学薬品で処理、または加熱といった物理的な手段を用いて不活性化させることで、体内で増殖させないようにしたあとに、それを接種するものである。弱毒生ワクチンとは違い、ウイルスが体内で感染・増殖することはないため、遺伝子変異が起きて病原性が変わることもなければ、感染した細胞が生じることもない。そのため、弱毒生ワクチンと比べると安全性は高い。また、弱毒生ワクチンの生産時に行う細胞培養による遺伝子変異の導入といった煩雑な処理を行う必要がなく、弱毒化させた特別な株を作る必要性もない。しかし、不活性化されたウイルスは体内で増殖しないため、細胞性免疫を誘導することはできず、抗体産生を行う液性免疫を誘導することしかできない。免疫誘導が中程度であるため、誘導を強めるアジュバントと呼ばれるものをワクチンに添加する、複数回接種することで起こるブースター効果を起こすといった処理が必要である。ブースター効果について説明しておくと、一度接種を行っても免疫誘導が中程度だと、徐々にウイルスへの免疫が弱まってしまうため、もう一度ワクチン接種を行うことで免疫誘導を再び高めることである。

場合によっては二度ではなく三度以上接種しなければ十分にブースター効果を発揮することができない場合もある。成分ワクチンはウイルスへの免疫を誘導するために有効なウイルスの構成成分のみを精製して、それを接種するものであり、弱毒生ワクチンよりも安全性が高いと言われていた不活化ワクチンにも極めて稀に副作用が生じることがあったため、その副作用をなくすために開発された。インフルエンザワクチンもこの成分ワクチンに分類され、インフルエンザウイルスが持つHAタンパク質を何種類か混ぜたものを使用している。成分ワクチンは厳密に言えば不活化ワクチンと同じだが、不活化ワクチンの改良型として今回は扱う。

3つ目のトキソイドは細菌が作る毒素だけを取り、その毒性をなくしてから打つワクチンである。ウイルスは毒素を作らないため、このワクチンの種類はウイルス感染症には存在しない。

この3つの内、不活化ワクチンや成分ワクチンは皮下・筋肉に注射されるため、粘膜での免疫を誘導することはできない。つまり、疾患の発症や重症化を予防することができる血液中に存在するIgGは誘導されるため増えるが、感染を防ぐために働く粘膜でのIgAは誘導されない。これはインフルエンザワクチンの欠点として、後ほど紹介する。

●新たな可能性を秘めたワクチン

現在は上記の3種類が主なワクチンであるが、それ以外にも研究されているワクチンが存在する。今回は、その内から2つほど紹介しよう。1つ目がDNAワクチンである。これは、プラスミドと呼ぶ環状の遺伝子に転写を始める際に開始点となる遺伝子上の領域（プロモーター）とウイルスが持つタンパク質をコードした遺伝子を組み込んだものを接種するというものである。このプラスミドを大量に生産し、筋肉注射で体内に摂取すると、低頻度ではあるがプラスミドが細胞内に侵入することができる。そして、そのプラスミドをもとにウイルスのタンパク質が作られる。そうすることで液性免疫と細胞性免疫の両方を活性化させることができるのである。もう1つ研究されているワクチンは遺伝子組み換え弱毒生ワクチンである。これはベースを弱毒生ワクチンとしているもので、弱毒化したウイルスの遺伝子上の変異を調べて、そこから病原性を担う遺伝子を同定し、組み換えによって人工的に弱毒化させるといったものである。また、弱毒生ワクチンのゲノムに別のウイルスのタンパク質をコードする遺伝子を組み込み、ワクチンとして接種することで運び屋として利用することもできる。例えば、弱毒化した水痘─帯状疱疹ウイルスのゲノムにHBVが持つHBsタンパク質の遺伝子を組み込むことで、両方の免疫を強く誘導させるという方法が考えられている。

●多価ワクチンと混合ワクチン

1つのウイルスでも複数の血清型を持っているものが存在する。例えば、インフルエンザウイルスのA型である。このウイルスはHAタンパク質とNAタンパク質がそれぞれ複数の型として存在している。こういったウイルスでは、1つの血清型のみをワクチンとして接種しても別の血清型が侵入してきた際に対応することができない。そこで開発された多価ワクチンは、同じウイルスが持つ複数の血清型を1度に投与するものであり、血清型に関係なく感染・重症化の予防をすることができる。もう1つの混合ワクチンとは、異なる種類のウイルスを混ぜたワクチンであり、1度に複数種の免疫を誘導することができるため、一石二鳥のようなワクチンである。しかし、ウイルス干渉という反応によって十分に免疫を誘導させることができないこともある。この現象は、複数のウイルス種が同時に体内に侵入してきた時に起こる。あるウイルスがすでに細胞に感染している場合、別のウイルスがその細胞に侵入しようとすると、すでにいたウイルスが別のウイルスの侵入を阻害する。これがウイルス干渉である。混合ワクチンの代表例は、MRワクチンである。MRとは、麻疹“measles”と風疹“rubella”の頭文字であり、現在では定期接種の対象である。海外では流行性耳下腺炎（おたふく風邪）“mumps”を追加したMMRワクチンが摂取されており、日本でも1989年から使用されていた。しかし、流行性耳下腺炎のワクチンの副作用による髄膜炎が当初の予想を超えて大量に発生し、1993年に中止されている。

●ワクチンの異常

こうしたワクチンを接種しても、正常に免疫を誘導できないことがある。これをワクチン不全と言い、2度にわたって不全が起きる場合がある。1度目に起こる一次ワクチン不全はワクチンを接種してもウイルスが体内で十分に増えない、また上述のウイルス干渉といったことが起きて免疫を十分に誘導できないことである。2度目に起きる二次ワクチン不全は、ワクチンによって一度は免疫を得たものの時間と共に弱くなっていき、発症の予防が十分にできなくなることである。これは、ブースター効果を起こすように複数回摂取することで回避できる。例えば、麻疹ワクチンが最たる例である。麻疹ワクチンは現在では普及しているため、日常生活で麻疹ウイルスに感染する機会が減った。そうして自然にブースター効果を得ることができないため、複数回摂取する必要がある。

●ワクチンの接種時期と義務化

予防接種法が制定されてからワクチンに対して実施する期間や対象者、定期接種と任意接種が定められた。定期接種は公費から負担されるもので、任意接種は個人の意思によって接種するか決められるものである。ワクチンは原則1歳以降から接種することになっている。それは、新生児には母から移行抗体をもらっており、それが新生児での免疫反応を担っているが、1歳ごろには移行抗体がなくなり、すでに自身の抗体を作り始めることができるためである。しかし、ワクチンの接種時期には例外も存在する。例えば、細菌感染症に対するワクチンのDPT（ジフテリア・百日咳・破傷風）ワクチンがそれにあたる。これは生後3か月から接種されるが、この3種の細菌には母からの移行抗体がないにも関わらず、出生直後から感染・発症する可能性があり、幼少になればなるほど重症化しやすくなるためである。このような理由がない場合は原則として1歳以降の接種が行われる。

●ポリオワクチン

ここまではワクチンの概要を説明してきたが、次は実際のウイルスに対するワクチンについて紹介していこう。

まずはポリオワクチンである。ポリオはポリオウイルスの病原性としてすでに紹介しているが、大部分が不顕性感染に終わり、1%程度が弛緩性麻痺を引き起こすものである。このポリオワクチンには、経口の弱毒生ワクチンと不活化ワクチンの2種類が存在しており、共に3種類の血清型を網羅した多価ワクチンである。1960年に北海道で、また翌年に九州でポリオが大流行したため、日本政府は緊急対策としてすでに存在していた経口弱毒生ワクチンを他国から輸入して、事態の鎮静化を図った。この経口弱毒生ワクチンで用いられるウイルス株は、野生型のポリオウイルスと同じく細胞に侵入して増殖し、そのまま血管に乗って様々な臓器へと移動するウイルス血症を引き起こすが、神経細胞には感染することがないため、弛緩性麻痺を起こすことはない。このワクチンの利点は、経口することができるため安価であり、弱毒生ワクチンであるため細胞性免疫も誘導することができる、強く免疫を誘導させることができるという点である。しかし、弱毒化している部位がもとに戻る復帰変異が起こり、200～300万人に1人が重い麻痺を起こすという副作用が生じた。また、この病原性を取り戻したウイルスが何らかの拍子で別のヒトにも感染し、流行が起きることもあった。そこで、野生型ポリオウイルスがすでに見られない地域では、高価であるが副作用が起きない不活化ワクチンに切り替えられており、日本でも経口弱毒生ワクチンが問題視されるようになったため、すでに不活化ワクチンに置き換えられている。

●麻疹ワクチン

麻疹は先進国の中でも日本で頻繁に見られる疾患であり、海外からは麻疹輸出国だと揶揄されることもある。2007年には関東で若者を中心に流行した。MRワクチンとして現在では2度接種することが原則であり、定期接種の対象内に入っているため、接種代金は公費から負担される。日本で麻疹がいまだに存在しているのにはいくつか理由が存在する。まずは、ワクチンの接種率が80%台と低いためである。通常、あるウイルスの感染を社会で阻止するためには人口の95%が接種する必要があるが、麻疹ワクチンの接種率が以前までは10%台の時期もあり、ようやく80%が接種するようになったが、まだまだ接種率は低いと言える。ワクチンの接種時期も遅く、1歳代で麻疹に対する免疫を持っていない子が多いことも影響している。加えて、WHOはワクチンを2度接種するように定めていたが、日本では1度しか接種しておらず、自然に存在するウイルスからの感染もなかったため、ブースター効果を得ることができなかった。こういった理由から日本が麻疹輸出国になってしまったのである。また、2007年の流行もこれらの理由が関係している。その流行時では、若者への対策として麻疹ワクチンを3度接種することで感染を防いでいた。

●日本脳炎ワクチン

日本脳炎ウイルスは代表的なアルボウイルスの1つであり、大部分が不顕性感染で終わるが、100～1000人に1人が脳炎を発症するウイルスである。この日本脳炎ウイルスを不活化させたものが日本脳炎ワクチンである。このウイルスをマウスに接種し、マウスの脳に移行したウイルスを回収・精製する。その後、それをホルマリンなどで不活化したウイルスをワクチンに使用している。現在でも夏ごろには国立感染症研究所から豚の抗体値の増減をもとにした日本脳炎の流行予想が出されている。それによると、現在でも豚の体内では日本脳炎ウイルスが感染しており、一方でヒトへの感染はほとんどないため、この日本脳炎ワクチンによる感染予防が功を奏していると評価できる。この日本脳炎ワクチンはマウスの脳から精製されているが、これが副作用に影響している。ワクチンに使うウイルスの精製時に用いたマウスの脳成分が微量に混入することがあるため、それを接種してしまうことで中枢神経障害に陥ってしまう可能性がある。この副作用が生じないように現在でも研究が進められている。

●インフルエンザワクチン

これは成分ワクチンとしてすでに紹介しているが、A型2種（H1N1、H3N2）とB型1種のHAタンパク質を混合した多価のワクチンである。ワクチンで使うウイルスのHAタンパク質は孵化鶏卵を用いてウイルスを培養させてから精製するため、ワクチンに微量の卵成分が混入することがあり、卵アレルギーを持っている人はインフルエンザワクチンを使用することができないこともある。また成分ワクチンであるため、細胞性免疫を誘導することができず液性免疫も中程度しか誘導させることができない。すでに欠点として説明しているが粘膜には届かないため、ウイルスの感染や発症そのものを防ぐことはできない。ならばワクチンを接種する必要性があるのかと思う方もいるだろう。しかし、たとえ発症してもインフルエンザ脳症といった重症化を予防する効果は十分にある。高齢者では特に重症化を引き起こしてしまうと死に至るリスクがあるため、ワクチンの接種によって重症化を避けることができる。

●水痘ワクチン

水痘ワクチンは弱毒生ワクチンであるため、免疫誘導を強く行うことができる。そのため、患者の家族や院内感染の予防にかなり効果的である。また、最近の研究結果から高齢者での帯状疱疹を予防できることがわかり、新たなワクチンのターゲットとして注目されている。帯状疱疹は1度水痘に感染した患者の体内で潜伏しているウイルスが、免疫の減少に伴って再び感染することで起こる。そこで、ワクチンを接種することで免疫増強を誘導すれば、結果的に帯状疱疹を予防することができるという原理である。

● HBV ワクチン

HBV ワクチンは成分ワクチンであるが、その作り方から遺伝子組み換え成分ワクチンと言える。つまりこれは、HBV の病原性を決める HBs タンパク質をコードする遺伝子を別の遺伝子に組み換えて作っているため、遺伝子組み換えを応用したワクチンである。医療従事者や HBV のキャリアである母親から生まれた新生児を対象に接種されるもので、後者はB型肝炎母子感染防止事業の一環として行われている。新生児ではまず、生まれてから 24 時間以内に γ グロブリンを接種して HBV が感染するのを予防する。その後、2・3・5か月の3回にわたってワクチンの接種を行い、新生児に HBV の免疫を獲得させる。こうすることで、新生児が HBV のキャリアにならないようにしている。

γグロブリンによる予防についてもう少し紹介しておくと、γグロブリンは抗体の１種であるため、一過性の免疫を生じるだけで、免疫を誘導することはできない。しかし､投与してからすぐにウイルスと反応するため、ワクチンを接種して免疫が誘導されるのを待つ余裕がない場合にはかなり効果的である。HBVでも、医療現場での針刺し事故による感染の恐れがある場合とキャリアからの新生児には、24時間以内に抗HBsヒト免疫グロブリン（HBIG）というHBVへの抗体値が高いヒトの血清から精製した抗体を接種し、感染を予防している。

●流行性耳下腺炎ワクチン

先進国の中でも日本は任意接種であるが、世界の多くの国々では公費によって定期接種することが義務づけられている。MMRワクチンという混合ワクチンとして紹介したが、予想以上の髄膜炎症状が副作用としてあらわれたため、中止されている。そのため、現在では単一の弱毒生ワクチンとして接種されている。再び定期接種を義務づけるべきであるが、いまだに定期接種化されていない。

●抗ウイルス薬と抗生物質

1928年、アレクサンダー・フレミングによってアオカビから発見されたペニシリンという抗生物質は細菌感染症に対する化学療法の進展を促した。ペニシリンを皮切りに様々な細菌に対する薬剤が登場してきた。一方で、ウイルス感染症に対する薬剤を確立することはかなり困難であった。それは、ウイルスが細胞内で増殖するメカニズムと正常細胞が行う細胞内代謝経路が密接に関係していたため、薬剤のターゲットをどこに絞るかが不明瞭であったからだ。つまり、理想的な薬剤を見つけるためにはウイルスの増殖のみを抑えて、細胞の代謝には影響を与えないものを選び取らなければならないといけなかった。そのため、ウイルスに対する選択毒性が高い薬を見つけることは困難だと考えられていたが、ついに1950年にD・Hamreらが抗ワクチニアウイルス作用を示す物質を発見した。それはチオセミカルバゾンという物質であり、ワクチニアウイルスに感染したマウスや発育鶏卵での感染経路において治療効果を示すことがわかったのである。この物質はウイルスに特異的であるとは言えず副作用もかなり強かったとされているが、この発見によって抗ウイルス薬研究が進展し始めるのである。その結果、1960年代にはウイルス感染症に抵抗できる様々な低分子物質が発見されてきた。例えば、1962年には単純ヘルペスウイルスによって引き起こされる角膜炎に効果を示した5-ヨードデオキシウリジン（IDU）が発見され、翌年にはA型インフルエンザに効果を示した1-アダマンタナミン塩酸塩（塩酸アマンタジン）が発見されている。その後、抗ウイルス薬のターゲットとしてウイルス増殖過程における核酸合成とタンパク質の翻訳・種々のプロセシングで用いられているウイルス特異的な酵素を中心に扱うようになった。

●抗ウイルス薬の種類

抗ウイルス薬のターゲットをウイルスの増殖過程と共に見てみよう。

1. ウイルスの吸着と侵入をターゲットにした薬

マイナスに荷電した多糖類はウイルスが細胞膜に吸着することを阻害すると言われている。そのため、マイナスに荷電した無機物質であるポリオキソメタレート（POM）はHIVやヘルペスウイルスなどのエンベロープと結合して細胞と結合することを阻害する。また、インフルエンザウイルスが持つHAタンパク質は細胞側にあるタンパク質分解酵素によって開裂されて侵入することができるが、この酵素の働きをHAタンパク質と同じアミノ酸配列を持つタンパク質を用いることで占有し、HAタンパク質の開裂に使わせないようにすることもできると考えられている。しかし、実用化には至っておらず、現在も研究が行われている。

2. ウイルスの脱殻をターゲットにした薬

これはすでに臨床的に使われているアマンタジンやリマンタジンなどが該当する。この2つはA型インフルエンザに対して有効性を示す薬である。A型インフルエンザウイルスが持つM2タンパク質によるイオンチャネルの活動をブロックすることで、水素イオンがウイルス粒子内に流入してしまい、結果的に脱殻を阻害する。

3. ウイルスが持つ核酸の逆転写・複製をターゲットにした薬

ウイルスが持つ核酸を複製する時に使われる酵素であるDNAポリメラーゼ、RNAポリメラーゼ、逆転写酵素を阻害する薬である。これは主に2種類に分けることができる。1つがヌクレオシドアナログと言い、ゲノムを構成する塩基（A,T,C,G,U）の誘導体である。ヘルペスウイルスに効果を示すアシクロビルやHIVのアジドチミジン（ジドブジン）が代表例である。アシクロビルはグアノシン（G）の誘導体であり、ヘルペスウイルスが持つチミジンキナーゼでのみリン酸化されて、さらに細胞が持つ酵素によって3つのリン酸基がつくと、ヘルペスウイルスの持つDNAポリメラーゼのみを選択的に阻害するものである。また、HIVに効果があるアジドチミジンはHIV-1型、2型の両方が持つ逆転写酵素を阻害して、RNAからDNAに逆転写させるのを防ぐのである。

4. ウイルス核酸の転写をターゲットにする薬

ウイルスの核酸が複製される前に、一部の遺伝子部分や機能タンパク質をコードする遺伝子が転写・翻訳されるため、転写時の核酸の配列と相補的な配列を持つ核酸を加えることができれば、ゲノムやmRNAに結合して二本鎖を作り出し、転写を阻止することができる。

例えば、HIVが持つTat遺伝子をターゲットとする。このTat遺伝子から発現されたタンパク質は、HIVが持つ遺伝子上のLTR領域にあるTAR-RNA構造に結合することで、細胞が持つDNAに組み込まれたHIVの遺伝子の転写を促進させる。つまり、このTat遺伝子産物の働きを阻害することができれば転写促進を阻害することができるため、結果的にウイルス増殖を抑えることができる。

5. ウイルスのタンパク質合成や修飾（プロセシング）をターゲットにする薬

これは薬として使われているインターフェロンが該当する。インターフェロンは細胞内のプロテインキナーゼの働きを向上させるため、タンパク質合成（翻訳）開始因子をリン酸化して翻訳を阻害する。また、この段階をターゲットにする別の方法としては、ピコルナウイルスやレトロウイルスが持つタンパク質分解酵素を阻害することも効果的である。これらのウイルスは自身のゲノムから一度すべてのタンパク質をひとつながりにしたものを作り、そこからタンパク質分解酵素を用いてカプシドタンパク質や機能タンパク質に分けていく。そのタンパク質分解酵素を阻害すると、ウイルスのタンパク質が機能する正常な大きさに切り取られなくなり、結果的にウイルスの増殖を止めることができる。HIV のタンパク質分解酵素阻害剤であるサキナビルは、実際にこの原理を使ってウイルス増殖を阻止している。

6. ウイルスの出芽をターゲットにする薬

ウイルスの出芽は増殖過程において最後に起こるため、まさにここをターゲットにする薬は水際での戦いをしている。これはタミフルで知られるオセルタミビルやザナミビル（リレンザ）が代表的な例である。これらはインフルエンザウイルスが持つ NA タンパク質を特異的に阻害し、新しくできたビリオンが細胞表面に存在するレセプターであるシアル酸から遊離させなくする。また、NA タンパク質をターゲットにしているため、A 型、B 型インフルエンザウイルスの両方に効き目がある。

●薬剤耐性ウイルス

このように薬のターゲットは多岐にわたっており、実際に活用されているものも存在するが、ウイルス側も薬剤に屈しないように変化することがある。このように、薬剤の使用下で出現する薬剤に抵抗性を示すウイルスを薬剤耐性ウイルスという。

ヘルペスウイルスにはアシクロビルに抵抗性を示す株が存在している。アシクロビルはウイルスが持つチロシンキナーゼのみによってリン酸化されて DNA ポリメラーゼを阻害するのだが、チミジンキナーゼ（TK）を持たない TK 欠損株はアシクロビルをリン酸化させることができないため、DNAポリメラーゼを阻害することもできなくなる。また、TK変異株ではアシクロビルのみを選択的にリン酸化しないため、ウイルスの増殖には影響がない。

他の耐性ウイルスとしては、HIVのNRT1、NNRT1耐性株、PI耐性株がある。このNRTやNNRT、PIを紹介しておくと、NRT1はヌクレオシド型逆転写酵素阻害薬のことであり、上記に紹介したアジドチミジンやザリシタビン（ddC)、ジダノシン（ddI）が該当する。また、NNRT1とは非ヌクレオシド型逆転写酵素阻害薬と言い、ネブラピン、デラビルジン、エファビレンツの3種類が存在する。しかし、これらは高い抗HIV活性を持っているため単一で使用すれば、急速に耐性株が出現するリスクも伴う。また、PIとはプロテアーゼ阻害薬のことを指し、サキナビル、リトナビルなどがある。これらはいずれも単独で使用すると、患者の体内で耐性ウイルスができやすいため、通常NRT1を2剤とNNRT1 or PIを1剤処方するという多剤併用療法（通称HAART療法）が行われている。

また、インフルエンザウイルスに効果を示していたアマンタジンは、現存のウイルスは100%耐性を持っているため、インフルエンザの治療薬としては使用されていない。アマンタジンはA型インフルエンザウイルスが持つM2タンパク質を阻害することで、ウイルス粒子の脱殻を阻止して感染を抑えていた。しかし、アマンタジンが作用するM2タンパク質が変異したウイルス株があらわれ始め、現在では100%がその変異を持っている。そのためアマンタジンを処方してもM2タンパク質にうまく結合することができず、ウイルス粒子の脱殻を阻害することができない。

直近の問題では、インフルエンザウイルス治療薬として2018年2月に承認、翌月に販売が開始されたバロキサビルマルボキシル（一般名：ゾフルーザ）の耐性ウイルスの出現である。ゾフルーザは錠剤を1度飲むだけで済むため、2018年の冬に大量に処方された。ゾフルーザはウイルスが侵入してから、ウイルスRNAを転写・複製する際に必要なエンドヌクレアーゼという酵素を選択的に阻害するため、ウイルスRNAが切断されずmRNAが合成されなくなることで、ウイルスの増殖を抑えるというものである。従来のタミフルやリレンザと違う点はこの作用機序にあり、タミフルのようなNA阻害によるウイルスの出芽を阻止するのではなく、ウイルス粒子が形成される前の段階でその増殖を抑えるため、画期的な薬であるとされていた。しかし、臨床試験の段階からゾフルーザが効きにくくなる薬剤耐性ウイルスが発生しており、これが実際に社会に普及した際の不安点の1つでもあった。2019年1月の段階ですでに2人の患者から変異ウイルスが検出されており、服用後に体内で発生したとみられている。原因はまだ解明されていないが、ゾフルーザの標的となるエンドヌクレアーゼ自身の構造（アミノ酸配列）が変異しやすいためだと推定されている。また、同年の11月には東京大医科学研究所の河岡教授らの研究チームがゾフルーザ耐性を示すウイルスは、通常のウイルス（ゾフルーザによって治療できるウイルス）と同じくらい感染力があることを報告しており、この耐性ウイルスが空気感染によってさらに広まってしまう可能性もある。そうなるとアマンタジンのように耐性株が世界に広まってしまい、ゾフルーザを使用することができなくなってしまう。このゾフルーザ耐性株を広めないためにも、従来の抗ウイルス薬でも対処できるような場合は無理にゾフルーザを処方しないといった抗ウイルス薬の適切な使用が求められる。

抗ウイルス薬はウイルスの増殖を阻害することができるため、ウイルス感染症にとって最善の処置であるが、このような薬剤耐性ウイルスの出現によって一気に感染症に抵抗できなくなる。その耐性ウイルスが患者個人の体内でのみ感染を拡大している場合は、作用機序の異なる別の薬剤を使えばいい話ではあるが、個人から他者へと感染拡大した場合、一気にパンデミックに陥る危険性がある。事実､変異株は野生型よりも感染力は強い。幸い、現在に至るまで変異株が他者に感染してパンデミックを引き起こしたことはない。しかし、今までなかっただけで急に起こる場合があり、その時に即時対応できるようにウイルス感染症に対する研究を進める義務が私たちにはあると考える。

●ウイルス研究の意義

このようにウイルスは私たちの体に侵入して感染症を引き起こすものであったが、現在ではこのウイルスを使って様々な研究も行われている。今ではウイルスを使って癌細胞を攻撃するという療法の研究も行われている。癌細胞にのみ侵入する弱毒化したウイルスをワクチンとして注入することで、癌細胞のみが選択的に侵入され、そのウイルスによって破壊される。ウイルスへの対抗手段とするワクチンや抗ウイルス薬の改良なども行われている。また、ウイルス自体の研究、基礎研究など、色々な人がウイルス感染症を克服するために研究し、努力している。ウイルスの進化は私たち人類と深く関係しているため、ウイルスを研究することは私たち人類の起源を探るきっかけを与えてくれるかもしれない。そう考えると、ウイルスの研究がいかに大切か、少しでも理解できるだろう。

おわりに

私たち人類と共に成長してきたウイルスについて、サイエンスコミュニケーターとして伝えてきた。ウイルスがどのようにしてヒトに感染症を引き起こさせるのか、また私たちがウイルスにどうすれば対抗することができるのか、そんなことが少しでもわかっていただければ今回サイエンスコミュニケーションはうまくいったのではないかと思う。何かを伝えることの難しさは、中学や高校の時に何度も実践したプレゼンの授業でわかっていたつもりであった。しかし、今回はそんなプレゼンテーションよりもずっと難しいものであった。何事もわかりやすく解説するためには、そのことについて詳しく知っておく必要がある。それは、受け手がわかりやすいように何度も言い換えたりして、真意を伝える必要があるから、その言い換えの引き出しを用意しておかなければならないのだ。参考文献に挙げた本を何度も読み、ウイルスについてわかりやすく伝えられるように努めたが、わかりにくい箇所が多々あるかもしれない。そこはサイエンスコミュニケーターとしてうまく解説できていないのであり、まだまだ改善点はあると言えるだろう。実践的にサイエンスコミュニケーションを行う機会を持てたことは、本当に良かった。今後、どのように自分の中でサイエンスコミュニケーションを遂行することができるのかを、改めて考えることができる。このような機会を与えてくださったことに感謝しながら、サイエンスコミュニケーションの実践について今一度考えることにしたい。

【参考文献】

清水文七『ウイルスがわかる 遺伝子から読み解くその正体』講談社、1996
荒川宣親、神谷茂、柳雄介編『病原微生物学 基礎と臨床』東京化学同人、2014
髙田礼人、萱原正嗣『ウイルスは悪者か お侍先生のウイルス学講義』亜紀書房、2018
生田哲『ウイルスと感染のしくみ なぜ感染し、増殖するのか⁉ その驚くべきナゾに迫る‼』SBクリエイティブ、2013
杉本正信、橋爪壮『ワクチン新時代 バイオテロ・がん・アルツハイマー』岩波書店、2013
松本和興、今木雅英編『ネオエスカ 公衆衛生学―社会・環境と健康 第三版』同文書院、2007
福岡伸一『生物と無生物のあいだ』講談社、2007
日本医学会 医学用語辞典 WEB版（http://jams.med.or.jp/dic/viruse.html）
中屋隆明「総説 インフルエンザウイルスHAタンパク質の病原性分子機構」京府医大誌、122（3）、2013
大学共同利用機関法人 自然科学研究機構 生理学研究所「世界最大のウイルス『ピソウイルス』の詳細な構造を低温電子顕微鏡で解析」（https://www.nips.ac.jp/sp/release/2017/11/post_352.html）
横手公幸「ワクチンをめぐる話題：予防用ワクチンと治療用ワクチン」（http://www.nihs.go.jp/cbtp/home/Biologics-forum/BF7/DrYokote.pdf）
NIID国立感染症研究所（https://www.niid.go.jp/niid/ja/）
IDSC感染症情報センター「予防接種の話」（http://idsc.nih.go.jp/vaccine/b-measles.html）
横山卓也、青沼宏佳、嘉糠洋陸「病原体を運ぶ蚊の免疫システム」化学と生物、50（3）、2012
広瀬徹「ウイルス量をどう測るか―RT_PCR法とその応用―」BME、12（10）、1998
World Health Organizetion:WHO（http://www.who.int）

Eva Bianconi et al. “An estimation of the number of cells in the human body” Annals of Human Biology,vol40,2013
本川達雄『生物多様性 「私」から考える進化・遺伝・生態系』中央公論新社、2015
ICTV 国際ウイルス分類委員会（https://talk.ictvonline.org）
野本明男「ポリオウイルスの神経毒性発現」化学と生物、28（1）、1990
高田腎蔵『医科ウイルス学　改訂第3版』南江堂、2009
日経新聞「ニュースな科学 インフル、新薬に早くも耐性」2019年2月15日付

おわりに

私はサイエンスコミュニケーター養成カリキュラムを構成する「サイエンスとインテリジェンス」の授業を通して、学生たちに自分の頭で考える習慣を身につけてほしいと願っている。自分の頭で物事の是非を判断する力がなければ、専門家や政府など権威ある人々の主張をそのまま鵜呑みにしてしまう危険性があるからだ。

このことは新型コロナウイルスをめぐる反応に如実にあらわれている。たとえば、専門家の中には「他人との接触を８割削減すれば、新型コロナウイルスの感染拡大を防ぐことができる」といった主張をしている人がいる。８割という数字の根拠は何か、どういう計算式から導き出された数字なのか、こうした点を具体的に検証していけば、この主張に科学的な裏付けがないことはすぐにわかるはずだ。

しかし、このような問題を一つ一つ検証していくには膨大なエネルギーが必要となる。世の中には情報が溢れているため、いちいちそんなことをやっていたらクタクタになってしまう。そのため、私たちは自分の力で情報を分析することをやめ、誰かが代わりに分析し、自分を説得してくれることを期待するようになる。ドイツの哲学者であるユルゲン・ハーバーマスが言うところの「順応の気構え」だ。その結果、「よくわからないけど、専門家が言っているのだから間違いないのだろう」として、科学的に成り立たない議論でも簡単に受け入れてしまうのである。

また、世界各国は現在、新型コロナウイルスに対応するため、行政に権力を集中させ、民主的なプロセスを省略して政策を進めようとしている。その際には「とにかく政府の言うことを信用しろ」といった権威による説得が行われている。こうした傾向が強くなっているからこそ、なおさら自分の頭で考えることが重要になるのだ。

「サイエンスとインテリジェンス」には、文理融合を進めるという狙いもある。しばしば誤解されているが、文理融合とはある一人の教員が文科系と理科系の科目を同時に教えるということではない。細分化が進むアカデミズムの世界で、複数の専門分野にまたがって授業をできる教師は皆無と言っていい。

文理融合において重要なのは、自分の専門分野に関して非専門の人たちが理解できるような言葉で説明することである。文系の専門家であれば理系の人が理解できるように、理系の専門家なら文系の人が理解できるように説明するサイエンスコミュニケーターとしての力が求められる。それによって知の共通の土俵を作っていくことこそ、文理融合が目指すべきものである。「サイエンスとインテリジェンス」ではこうした作業を通じ、硬直化したアカデミズムを打破していきたいと考えている。

今回「サイエンスとインテリジェンス」の受講生たちの論文を書籍化したのも、硬直化したアカデミズムに対する問題意識からだ。日本のアカデミズムは非常に保守化しており、20代の研究者が書籍を出すことはほぼ不可能である。しかし、大学生あるいは大学院の修士課程の段階で自分の着想をそれなりの文字数でまとめることは、知の裾野を広げる上できわめて重要である。しかも、それを出版すれば、多くの人の批判にさらされるため、学生たちには普段の勉強以上の負荷がかかる。若い頃にこうした経験を積んでおけば、その後の人生で必ず役に立つ。

昨今の日本では新自由主義が猛威を振るい、大学の中にまで新自由主義の波が押し寄せている。政治学者の白井聡氏が『武器としての資本論』（東洋経済新報社）で指摘しているが、新自由主義の影響により、最近の学生は自分のことを消費者だと考えるようになっている。それだから、学生は教師が授業で面白い話をしてくれることを当然と考え、自分が理解できないような話になると、自分の知力が足りないから理解できないとは考えず、大学の責任にする。大学側も学生を消費者扱いし、「この授業は面白いから選択してはどうですか」といった対応をとるようになっている。

しかし、学生は本来、消費者ではなく、知の共同体の構成員であり、私たちのパートナーであるはずだ。本書にはそうした思いも込めている。

現在、「サイエンスとインテリジェンス」は新型コロナウイルスの影響のため、すべてオンラインで授業を行っている。また、オンラインを通じて地理的に離れたところにいる専門家の話を聞く機会も積極的に作っている。

大学によっては「オンライン授業では真の教育はできない」といった反発もあるが、欧米やロシアなどの大学では以前からオンライン化が進んでいた。最近はSkypeやFaceTimeなどのテレビ電話が日常的に使用されており、文化が変容しているのだから、それにあわせて大学も変化していくのは当然である。

教える側からすると、オンライン化の利点は学生の力が一目瞭然になることだ。教室の授業では、なんとなく学生たちはみな同じように理解しているのだろうと思い込みがちだが、オンライン授業では学生の様子がよく見えるので、どれだけ授業を理解しているかが手に取るようにわかる。普段から学生たちと人間的信頼関係を構築している教師なら、オンライン授業は教室の授業と同等かそれ以上の成果を出すことができるだろう。

オンライン授業が定着すれば、地方に住んでいる学生が地方に住みながら東京や京都の大学を卒業することも可能になるだろう。もちろん一定期間のスクーリングは必要だが、大学に通学できる地域で生活する必要がなくなるので、経済的な理由で遠距離にある大学への進学を諦める学生も減るだろう。大学としても優秀な人材を広く集めることができるし、4年間奨学金を払って優秀な学生を集めるよりも安上がりなので、メリットは多い。

大きな話題を呼んだ9月入学も、この文脈で考える必要がある。オンライン化が進めば、日本に住みながらアメリカやドイツ、ロシアなどの大学の授業を聴講できるようになる。それによって単位を取得できる形にすれば、海外に留学せずに海外の大学を卒業することも可能になる。こうした仕組みを作るには、海外の大学と学期を合わせなければならない。それだから9月入学を導入する必要があるのだ。

9月入学は大学入試の組み立てやカリキュラムを考え直すきっかけにもなる。日本の学生たちの学力が落ちている原因は現行の大学制度にあるのは明白なのだから、大学のあり方を大きく変える上で9月入学は「良い外圧」になる。残念ながら今回は9月入学は見送られることになったが、今後は個々の大学が9月入学の枠を増やしていくなど、独自に対応していくことになるだろう。

一部では、新型コロナウイルスの影響によってグローバリズムに歯止めがかかると言われている。確かに外交や投資に関しては、グローバリズムよりも国益という観点が強くなるだろう。しかし、教育のグローバル化が止まることはない。学術は血流と一緒で、血流を止めれば多臓器不全に陥り、死に至ることになる。グローバル化に対応できない大学は淘汰されていくはずだ。このグローバル化の流れに対応できるかどうか、日本の大学の未来はそこに懸かっているのである。

2020年6月23日

佐藤優

サイエンスコミュニケーター養成副専攻科目一覧

開講学期	科目名
春	科学技術概論Ⅰ　－科学技術社会論－
春	科学技術概論Ⅱ　－調査方法論/統計学－
秋	アウトリーチ実習　－科学技術表現実習－
春	サイエンスライティング
秋	サイエンスとインテリジェンス　－体系知（科学）と宗教－ 【隔週授業】
春	サイエンスとインテリジェンス　－集中読解と議論－ 【夏期集中】
秋	サイエンス・ナウ１　－生命科学とこころの科学－ 【隔週授業】
春	サイエンス・ナウ２　－生命医科学入門－
春	サイエンス・ナウ３　－報道と広報の現場－
春	サイエンス・ナウ４　－科学史、原子力、感染－
春	サイエンス・ナウ５ －メディカルワークショップ・インターンシップⅡ基礎講義 －
秋	サイエンス・ナウ６　－生命科学と社会 －
秋	サイエンス・ナウ７　－組換え、食、エセ科学 －
秋	ビジネスワークショップ 【夏期集中】
秋	メディカルワークショップ 【夏期集中】
春	取材・インタビュー実践講座 【隔週授業】
秋	未知型探索ビジネスワークショップ 【夏期集中】および【隔週授業】
合計	

サイエンスとインテリジェンス
サイエンスコミュニケーター養成副専攻受講生論文集

2020年9月4日　第1刷発行

編　者　佐藤優・野口範子
発行者　南丘喜八郎
発行所　Ｋ＆Ｋプレス
〒102-0093
東京都千代田区平河町2-13-1
相原ビル5階
ＴＥＬ　03（5211）0096
ＦＡＸ　03（5211）0097
印刷・製本　中央精版印刷

ISBN978-4-906674-75-6